Le bien-aimé

André Mathieu

Le
bien-aimé

d'après une histoire vraie

L'Éditeur

9-5257, Frontenac
Lac-Mégantic
G6B 1H2

Dépôt légal:
Bibliothèque nationale du Canada
Bibliothèque nationale du Québec
ISBN 978-2-922512-04-5

"Nous ne voulons pas réparer un crime par d'autres crimes."
Honoré Mercier, le 22 novembre 1885
Discours du Champ de Mars

La plupart des personnages de ce roman sont réels.

Quand la réalité dépasse la fiction, alors naît la légende dans laquelle entrent celles et ceux qui furent au coeur de l'impensable.

*Voici l'histoire de **Donald et Marion** sous sa forme romanesque.*

Donald Morrison

Chapitre 1

Les sentiers de l'amour

Canton de Marsden, près de Mégantic, un soir de 1880.

La jeune fille forma des pinces avec ses pouces et ses index. Elle s'en servit dans un geste fragile pour tirer par la taille vers le haut sa longue robe gris-bleu au bout de laquelle furent mises à découvert d'étroites bottines noires, usées sur les bouts et pelées aux talons, si petites et si vieilles qu'on eût pu croire qu'elle les portait depuis l'enfance. Devaient s'y trouver des pieds compressés, des orteils recroquevillés, timides, soumis. Son compagnon lui prit le bras de sa main galante pour l'aider à enjamber le tronc d'un gros hêtre ébranché, jeté par terre quelques jours auparavant par les hommes qui avaient fait de l'abatis par là au cours de la semaine.

Un dimanche scintillant, plus calme encore que les grands arbres, tombait sur un petit lac voisin, s'insinuait à travers les branches et, d'entre feuillus et conifères, venait brasiller, pétiller dans les prunelles bleues, féminines comme l'eau claire, et que balayaient gaiement des paupières rosées à longs cils pâles.

Le visage de l'adolescente était blanc, exsangue, farinacé, comme enduit de poudre de riz. C'était sa complexion naturelle et même les grands soleils d'été ne parvenaient tout au plus qu'à la faire rougir et cloquer. Par bonheur, la mode de la fin de ce dix-neuvième siècle préférait les peaux lumineuses et satinées. Quand elle levait les yeux, leur bleu cédait à la blancheur accentuée qui l'entourait. Et ils étaient démesurément grands, comme ceux d'un enfant étonné.

Le couple s'arrêta. Chacun savait que l'endroit pouvait nourrir une rêverie exquise. Tout invitait à se fabriquer un bonheur, une minute éternelle, un souvenir impérissable: la farouche nature des Cantons avait réservé toutes ses douceurs pour ce jour-là, pour ces amoureux discrets, si discrets qu'ils ne s'étaient pas encore déclarés après plusieurs rencontres pourtant.

Le jeune homme fit quelques pas un peu gauches vers elle. Son coeur se mit au grand galop quand il osa glisser son bras autour des épaules de la jeune fille pour les envelopper de sécurité. Émue par la douce puissance qui l'entourait, confuse, emmêlée dans les fardoches de ses émotions jaillissantes, elle dit à mi-voix dans une sorte de murmure bègue:

–Ça ressemble... c'est comme... comme dans mon rêve par ici.

Elle avait parlé en langue gaélique comme ils le faisaient le plus souvent quand ils se retrouvaient ainsi à l'écart pour partager leur idylle.

Il voulut savoir s'il avait eu sa place dans la nuit de sa compagne et la questionna d'un de ces mots courts qui suffisaient à tout dire, à tout demander en une époque où l'être humain n'avait pas encore appris à se flageller l'âme à coups de nuances et de fardoches morales.

–Raconte?!

–C'est quasiment inracontable.

Il ne réitéra pas sa demande. Elle avait compris la question. À elle de dire!

–Ben, c'était comme... comme ici. Il y avait... du bois d'orignal comme là... Et puis là-bas, la même image: le bois, la montagne...

Elle releva la tête, fit un signe ravi des yeux à cause d'une autre découverte sous l'enseigne du déjà-vu, et montra de l'index en direction d'un chicot gris troué par les pics.

–Et un nid de guêpes comme celui-là, tu vois? Et aussi, il y avait un écureuil...

Son ami avait beau explorer de son regard habitué et expert, il n'apercevait aucun mouvement d'animal devant eux, ni sur les souches, non plus qu'à travers les harts laissées à terre par les bûcherons.

–Ben moi, je ne vois pas d'écureuil ni rien d'autre chose non plus.

Elle hocha la tête.

–Il doit y en avoir un. Il y en avait un dans mon rêve.

Il scruta les environs d'un long regard panoramique.

–En tout cas, je n'en vois pas.

–Tiens, là-bas, s'écria-t-elle, triomphante en pointant du doigt une petite bête rousse à queue roulée en panache, et qui se déplaçait nerveusement d'une branche à une autre dans un jeune érable.

– Surprenant! s'exclama-t-il simplement, sans holà, comme si son véritable sentiment avait été tout le contraire de la surprise.

Elle laissa porter son corps sur une seule jambe, celle qui touchait presque le jeune homme.

–Dans mes rêves, je vois de plus en plus souvent des choses qui se réalisent pour de vrai ensuite. Et puis elles ne sont pas toujours belles, ces choses-là.

Maintenant qu'elle avait consenti à parler, il pouvait la questionner davantage sans se croire achalant ou indiscret.

–Qu'est-ce qu'il y avait d'autre? demanda-t-il pour l'éprouver, pour lui montrer qu'elle possédait une imagination trop fertile.

–Un chevreuil.

Il hésita un moment, explora du regard tous les environs

puis, satisfait à son tour, lui fit constater l'évidence:

–Là, par exemple, tu te trompes. Parce qu'un chevreuil, c'est plus facile à repérer qu'un écureuil, hein!

Elle fronça les sourcils, s'entêta:

–Il en viendra un, je suis sûre qu'il en viendra un.

L'esprit traversé par une pensée floue qu'il ne parvenait pas à exprimer clairement, le jeune homme balbutia:

–Marion, est-ce que...

Mais il s'interrompit. Son hésitation et son regard incitèrent la jeune femme à le questionner d'un seul mot à son tour:

–Quoi? demanda-t-elle en s'abandonnant un peu plus contre lui, assez pour qu'il s'en rende compte, mais pas trop afin de respecter l'esprit de leur religion et de leur moralité.

–On devrait s'asseoir... s'asseoir un peu...

–Oui! fit-elle en haussant les épaules, et d'un ton qui voulait dire "et pourquoi pas?"

Il n'aurait pas voulu qu'elle se sente embarrassée. Et il suggéra une distance:

–Tiens: toi sur l'arbre et moi à terre.

Elle recula de quelques pas et s'assit sur le tronc du grand hêtre tombé que des bûcherons distraits avaient omis de haler. Au dernier moment, il changea d'idée et il resta debout devant elle, les bras croisés, des bras musculeux, gorgés d'ambition et de rêves, des bras forgés par les solides labeurs d'une vie rude et exigeante. Il la regarda de ses yeux profonds remplis d'une lumière bleutée, limpide et douce mais d'où sortait une lueur, une seule de cet ordre, lointaine, comme étrangère à la jeune femme tout comme à lui-même.

Ils furent ainsi une éternité sans rien dire, à retenir leur respiration, le coeur bouleversé par la si belle image de l'autre, les yeux noyés de bonheur. Puis il laissa couler ses regards dans les longues vagues blondes et ensoleillées qui se pressaient en ondes molles sur les épaules de Marion. Pour qu'elles passent par-dessus les oreilles, elle les avait attachées de chaque côté avec de petites barrettes rouges en forme de papillon. Au loin, très loin, bien au-delà du visage masculin, Marion voyait déjà le jour de leurs fiançailles. Un jour qui ne saurait tarder puisqu'elle avait maintenant ses dix-huit ans, âge où est venu le temps pour une jeune Écossaise de prendre mari.

Il détacha d'elle son regard pour le planter dans une souche qui révélait qu'on avait coupé son arbre à la hache, et il dit, la voix à la fausse indifférence:

–Et puis ton rêve, j'étais dedans toujours?

Elle baissa les yeux et ne vit plus qu'en demi-teintes la verdure des bois derrière des cils qui ombraient ses pupilles. Elle aperçut près du hêtre un tronc de bouleau pourrissant et ses noires mouchetures. Son front se rembrunit et elle dit comme pour elle-même:

–Non, tu étais parti.

–Parti? s'étonna-t-il.

–Au loin... quelque part...

Il haussa les épaules pour montrer que son questionnement était plus grand encore.

–Où ça?

–Je ne sais pas... Mais loin, très loin.

Il esquissa un sourire et dit dans des mouvements négatifs de la tête:

–Alors c'était un mauvais rêve. Il faut oublier au plus vite les mauvais rêves.

Elle jeta un simple coup d'oeil aux motifs brodés en lacs d'amour sur son corsage puis tourna la tête. Son coeur languide mais pur comme l'air des cantons s'enténébra, devint la proie d'émotions puissantes et confuses, mélange de profonde tristesse, de peur insondable et de la douce joie que la présence de Donald lui prodiguait à profusion.

–Je... transis quand je pense à l'avenir. On dirait que... que tu es là et... que tu n'es pas là...

Il se fit une pause. Marion garda ses yeux braqués sur l'eau du lac et leur mystère. Son compagnon profita du moment pour détailler le visage aimé, cette peau brillante comme de la neige, veloutée, ce nez fin et timide, ces yeux en forme de nostalgie, sans cesse tournés vers les inquiétudes du quotidien et du lendemain. Une impudeur qu'il ne put ni expliquer ni maîtriser, mais qu'il regretterait plus tard au plus haut point, fit tomber son regard sur la poitrine menue et qui se distinguait à peine sous les frisons de la robe, puis sur les mains tordues l'une dans l'autre par l'anxiété, et enfin sur les petits pieds emprisonnés...

Marion tourna la tête. Elle surprit la lueur de convoitise dans le regard de son compagnon et alors elle sentit s'évanouir en sa substance les émotions mélangées à son angoisse qui resta seule. Elle soupira:

—Il va falloir que je retourne à la maison, moi, maintenant, sinon...

Ce souci jeta de l'eau froide sur la fièvre montante qui troublait la chair de l'homme. Il protesta:

—Pas déjà! On vient d'arriver. Et puis la noirceur est encore loin.

—Tu sais bien Donald, que je ne peux pas laisser maman toute seule trop longtemps. C'est papa qui va donc me le reprocher.

—Je sais bien mais...

Il soupira à son tour, plissa le front de contrariété, n'en dit pas plus.

Elle voulut se justifier:

—Ça fait une bonne heure que nous sommes partis de la maison!

Donald appuya son pied très haut sur une bosse du tronc et s'en servit comme pivot pour agiter son pied d'avant en arrière. Le cuir rouge de ses bottes portait les traces de la poussière du chemin. Il vint au bord d'une question: «Comment est-elle, ta mère?». Mais il demeura silencieux. C'eût été malséant. Comme mettre du sel sur une plaie vive: la pauvre Marion souffrait assez comme ça à cause de sa mère. Si elle voulait parler d'elle, qu'elle en prenne l'initiative! Lui ne demanderait rien. Il sut qu'il avait raison puisqu'elle parla librement:

–Moi, je commence à croire que sa maladie est inguérissable et qu'elle...

Il l'interrompit:

–Mais non voyons!

–C'est qu'elle a craché du sang hier et que c'est pas la première fois, tu le sais bien.

Il fit des signes négatifs de la tête avant d'affirmer sur le ton d'un doux reproche:

–Ça ne veut rien dire du tout! Rien! C'est arrivé à ma grand-mère, et pas rien qu'une fois, et c'est pas ça qui l'a fait mourir.

–Je sais, tu me l'as déjà dit.

–Ben... je te le redis parce qu'on dirait que tu l'oublies.

Elle montra de l'impatience qu'elle voulut rattraper vite en coupant sa phrase:

–C'est pas que je l'oublie, mais c'est que...

Et puis il lui fallait ravaler cette boule douloureuse qui lui entravait la gorge. Ses yeux firent un grand cercle au-dessus du lac, par-delà la montagne dont la crête harmonieuse ciselait nettement l'horizon par ce jour si clair et sec. Puis elle regarda le ciel comme pour le sonder, l'invoquer, commander, mais elle se laissa dire sur le ton de l'impatience mêlée d'impuissance:

–Elle parle et fait les choses comme quelqu'un qui va s'en aller pour ne jamais plus revenir. Chaque jour que le Seigneur amène, elle fait approcher tous les enfants de son lit juste pour les regarder, les yeux remplis de larmes, comme si elle ne devait plus les revoir de sa vie et de toute l'éternité. Ça fait tant pitié à voir!

Donald serra les poings, les appuya l'un sur l'autre. Depuis toujours il haïssait la maladie qu'il se représentait mentalement comme une prison étroite, étouffante, noire et affreuse. Grippes, rhumes, rougeole: pas un mal ne l'avait jamais empêché de sortir de son lit, de la maison, de marcher droit dans la liberté et dans le vent.

–Et le docteur, il dit toujours la même chose? demanda-t-il sans trop y penser, pour alimenter la conversation en même temps que pour cacher à Marion son voyage imaginaire au pays des espaces infinis.

–Toujours! Bronchite. Et son remède ne change pas. Il conseille la même tisane depuis le début: une boisson chaude à base de trèfle rouge et d'herbe aux ânes. Je me demande bien ce qu'il va lui prescrire quand la saison des fleurs sera terminée. Il m'arrive de me demander s'il ne faudrait pas la faire examiner par le docteur de Scotstown; c'est un Écossais, lui. Peut-être que...

Donald se remit le pied à terre et son attention entière revint à leur sujet:

–Le docteur Millette aura beau être un Canadien français, il est reconnu dans les cantons comme un très bon docteur.

–Me semble que ça serait plus certain si...

– En tout cas, c'est à ton père de décider! Qu'est-ce qu'il en pense, lui?

–Il pense comme toi: qu'il faut faire pleine confiance au docteur Millette. Et puis que par-dessus tout, le meilleur remède, c'est de prier le Seigneur de toutes nos forces. On a beau faire confiance au docteur puis au Seigneur, il n'y a pas d'amélioration.

–La maladie, c'est toujours long... toujours trop long, soupira Donald qui se reprit d'une demi-rêverie.

Ω

Au déclin de l'hiver, la mère de Marion avait été atteinte d'une simple rhinite. En tout cas, ç'avait été le premier diagnostic du docteur Millette. Puis son mal s'était envenimé, s'était transformé en bronchite. Mais alors, le docteur n'ignorait plus qu'il s'agissait de tuberculose. En ce rigoureux pays, cette femme n'était pas la seule ni la première à être la proie de la terrible maladie. Le seul véritable remède au fond, pensait la médecine de l'époque, était le temps donc la lutte de l'organisme lui-même pour sa régénération, sa guérison. On croyait aussi que le repos total pouvait aider le temps. Au-dessus de tout cela, à part la volonté divine bien entendu, il devait se trouver une certaine volonté de vivre. La vérité pour de tels malades était une sorte de hache de bûcheron qui les atteignait au coeur et abattait leur force mentale. Il valait mieux la leur cacher soigneusement. Et pour la mieux dissimuler aux yeux de la personne malade, on ne la révélait que le plus tard possible à sa famille quand tout espoir de guérison s'était évanoui à jamais.

Difficile, âpre, rude était la vie de ces pionniers des Cantons de l'Est. Terrible le plus souvent dans les débuts. Venus de leur Écosse natale à la recherche d'une vie meilleure, ces gens pauvres et démunis ne la trouvaient qu'au prix d'efforts inouïs.

Indigents dans leur pays d'origine, aux prises avec des propriétaires terriens odieux, on leur avait parlé des lointaines forêts du Canada où de la bonne terre se pouvait acheter à quelques shillings l'âcre. Une terre fertile semée d'arbres qu'il suffisait de percer de trous pour en extraire de pleines chaudières d'eau sucrée transformable en un épais sirop puis en sucre nourrissant. Un immense territoire parsemé de lacs poissonneux, des bois giboyeux... Le rêve canadien un peu plus au nord du rêve américain mais tout aussi formidable, surtout pour des êtres simples.

Les vendeurs de rêves ne montrent toujours qu'un seul côté de la médaille. On ne mentait pas sur les richesses disponibles au Canada mais on taisait les énormes difficultés qui se ruaient sur les immigrants dès leur arrivée dans la terre promise: lourd travail à accomplir pour nettoyer le sol par de l'abatis afin de le rendre cultivable, ce à quoi tout homme intelligent pouvait quand même réfléchir et qu'il pouvait prévoir. On ne parlait guère non plus des hivers impitoyables et de la terre trop souvent rocailleuse.

Il fallait un toit à l'arrivant pour abriter sa famille. Sa première tâche lui exigeait de construire une cabane grossière en bois rond et dont le toit était fait de bardeaux de cèdre taillés à la hache. L'abri ne comportait qu'une seule pièce dont le point central était un foyer de pierres utilisé pour le chauffage et la cuisson des aliments. Les êtres humains, corps et esprit, paraissaient équarris à la hache eux aussi tout comme le mobilier fruste: des lits, une table, des bancs. Quelques objets apportés d'Europe témoignaient d'un passé perdu et pour toujours: une poêle à frire, quelques assiettes, deux ou trois chaudrons.

Dès lors que la chaumière pouvait fumer, on commençait à s'attaquer à la forêt qu'il fallait faire reculer et remplacer par des carrés de prairie. Tâche interminable que ne pouvait accomplir un homme seul. Des gens du voisinage déjà mieux établis eux-mêmes se regroupaient afin de ramasser les troncs d'arbres et les branches pour les brûler. Ce coude à coude développait une cohésion entre les colons et sans laquelle la communauté n'aurait pas survécu. Femmes et enfants, toute la famille devait assister le pionnier dans son travail lourd et incessant.

C'est ainsi que la mère de Marion avait souvent participé au dur labeur de son homme. Depuis leur arrivée en 1854, plusieurs hivers avaient été cruels: manque de viande, froid intense, vent s'infiltrant dans la cabane par les moindres interstices et pénétrant les chairs jusqu'à la moelle des os. Malgré tout, on avait progressé: lentement mais sans répit. On avait pu enfin construire une nouvelle demeure sur ce même lot près de Marsden. Une vraie maison cette fois avec double lambris intérieur et extérieur. Mais cela n'avait pas effacé les marques de la misère imprimées en rides précoces dans le visage et sur les mains de la femme. Et des grossesses ininterrompues avaient grugé sa santé, ponctionné un lourd tribut sur ses forces physiques et morales. Une vie sans pitié l'avait conduite tout droit à ce mal irréversible, celui d'une âme incurable, résignée, abandonnée à son cruel destin.

Ω

La tristesse profonde que disaient les yeux embués de la jeune fille faisait naître au coeur du jeune homme un immense flot de tendresse qu'il avait tout le mal du monde à contenir. Qu'il eût aimé la prendre dans ses bras, couvrir son visage de baisers pour en essuyer toutes les larmes et s'y abreuver pour les mieux partager! Comme elle était dure envers le coeur et envers la chair, cette obligation de la vie et de leur religion de garder entre les jeunes gens des barrières que seulement le mariage leur permettrait de franchir. Le seul rapprochement que leur culture et le Seigneur permettaient consistait à marcher côte à côte et de ne jamais se toucher, à part les mains et les bras, autrement que par utilité. C'est ainsi que selon les pasteurs, le voulait la sainte Écriture. Et Donald Morrison et Marion McKinnon avaient le plus profond respect pour l'Écriture et ceux-là qui la transmettaient en l'interprétant, inspirés par le Seigneur lui-même...

En ce moment, seuls les mots pouvaient chasser de ce front pourtant si radieux les plis d'une douloureuse angoisse. L'avenir est le plus grand et le plus bel espace de l'humain. C'est d'avenir qu'il devait parler pour les ramener tout les deux à cet instant de douce quiétude brutalement interrompu alors qu'il venait tout juste de commencer.

Donald leva le bras, pointa son index vers l'est en disant d'une voix presque chantante, propre à colorer l'horizon du plus beau des rêves:

–Imagine ma terre à Mégantic, Marion, aussi loin que tu peux voir par là-bas. Dans dix ans la prairie va se rendre jusqu'au bout. Et j'aurai un des plus beaux troupeaux des cantons, aussi beau que celui des MacRitchie. Ça va être de la grosse ouvrage, mais y'a rien qui va m'arrêter, y'a absolument rien qui va pouvoir m'en empêcher, ça, je te le jure, je te le garantis.

Son regard intrépide brillait, plongeait dans le ciel comme pour le prendre à témoin puis dans celui de Marion pour

21

l'emporter avec lui sur un impétueux élan qu'elle voyait couler comme une rivière d'acier dans son bras puissant et dur

C'était la façon du jeune Écossais de déclarer son amour sans rien dire d'explicite, et de promettre le mariage à sa belle amie.

Elle ne sourit que vaguement. Comment une pas grand-chose comme elle pouvait-elle aspirer à devenir l'épouse d'un des meilleurs fermiers des cantons? Les yeux ouverts certains jours, elle entrevoyait bien leurs fiançailles mais la nuit venue, les yeux fermés sur son inconscience, il y avait ces rêves de désertion...

Il s'encouragea et poursuivit en fronçant les sourcils comme pour mieux dessiner le futur, l'arrêter, le graver dans la pierre du devenir:

–Un jour, je serai le fermier le plus riche de tout Mégantic... Et peut-être bien de tous les cantons. On a déjà une bonne grande terre; mon père et moi, on va agrandir les prairies jusqu'au trécarré...

Mais Marion ne parvenait pas à voir aussi loin. Et puis il y avait ce nécessaire retour à la maison au plus tôt qui l'aiguillonnait. Elle se remit sur ses pieds. Deux maringouins gorgés de son sang quittèrent son bras le vol lourd et stridulant. Elle se gratta, regarda les bosses rouges qui se formaient sur sa peau. Son compagnon s'éloigna de quelques pas, se rendit jusqu'à une jeune épinette sur la ligne séparant l'abatis de la forêt. Il appuya l'ongle de son pouce sur une bosse du tronc, en fit jaillir une morve odorante qu'il ramena avec lui auprès de sa compagne. C'était une bonne excuse pour la toucher sans pécher; mais aussi sa peau démangerait moins et le poison des cousins serait en bonne partie neutralisé par la gomme. Elle le laissa lui appliquer le baume collant puis elle dit:

–Maintenant on s'en va. Parce qu'il faut que je ramasse de l'herbe aux ânes en retournant à la maison... pour les tisanes...

Il voulut étirer un peu son temps avec elle, joindre l'utile à l'agréable et suggéra:

–Ça serait pas plus long de dix minutes que de faire un détour par le rocher de la gelée. Là-bas, c'est plein de toutes sortes de plantes qui se font pas mal plus rares ailleurs... à cause de la gelée peut-être... c'est peut-être elle qui les fait pousser mieux par là?...

Elle acquiesça mais dans des mots contrariants:

–Bon d'accord, mais seulement on va se dépêcher par exemple!

Une fois encore comme des milliers d'autres auparavant, il fut pris par le désir de l'étreindre. Comme si la jeune fille avait perçu cette pensée qui l'animait, elle lui fit un sourire d'enfance retrouvée, pour un moment du moins, pencha la tête et rajouta à voix basse et complice:

–Mais si tu veux, tu pourras me prendre par la main jusqu'au rocher...

Ils marchèrent ainsi jusqu'à l'endroit convenu situé dans l'encaissement d'un petit ruisseau à quelques centaines de pieds du chemin. C'était là que bien des années auparavant, on avait trouvé le corps de Régina Graham. Par un froid matin d'hiver, l'adolescente avait quitté la maison pour se rendre au hameau voisin porter un panier de patates à une famille dans le grand besoin. Ses parents ne s'attendaient pas à son retour avant le jour d'après. Le lendemain matin, un homme en route pour Mégantic avait aperçu la jeune fille assise, adossée à la grosse roche. Il lui avait crié. N'obtenant pas de réponse, il s'était rendu auprès d'elle et l'avait trouvée gelée, dure comme la pierre qui se trouvait derrière elle et que son corps ne touchait même pas. Pourtant il n'y avait eu aucune tempête dans les dernières vingt-quatre heures. Pourquoi donc avait-elle quitté la route? Une effroyable rumeur avait circulé par tous les cantons voulant que Régina se soit laissée mourir par amour. Celui qu'elle aimait et qui avait émigré aux États, soi-disant pour un temps seulement, lui avait, disait-on, écrit une lettre dans laquelle il lui avouait qu'il ne reviendrait jamais ni vers le froid qu'il haïssait ni vers elle malgré ses plus beaux sentiments. Alors Régina avait choisi de finir ses jours par le gel, ce gel que son fiancé avait fui, comme pour le narguer et s'engourdir dans le froid comme elle s'abandonnait dans les bras de son amoureux avant qu'il ne parte à tout jamais.

Avec les années, le rocher de la gelée était devenu lieu sacré des amoureux qui venaient, par les beaux soirs d'été, s'y échanger des serments en se racontant, le coeur attendri, la légende de Régina Graham. La pierre était encavée de dizaines de paires d'initiales dont la plupart étaient entourées d'un tracé grossièrement cordiforme. Marion et Donald les examinèrent une fois encore dans l'espoir d'en découvrir de nouvelles qui leur révéleraient peut-être des amours neuves, fraîchement écloses comme les fleurs du printemps.

Les leurs s'y trouvaient aussi, gravées là pour l'éternité par la main de Donald. Il s'était servi d'un ciseau de nielleur pour que le travail soit le plus beau, le meilleur comme il le voulait de tous ses travaux. Cependant, il avait choisi de mettre le M de Marion dans le D de Donald et leur inscription, contrairement à celle des autres, ne comportait que l'initiale de leur prénom, ce qui les rendait difficiles à identifier. De plus, elle était entourée non pas d'un coeur comme la plupart mais d'un fer à cheval. «Pour la chance,» avait-il soutenu. «Parce que j'aime beaucoup les chevaux,» avait-elle renchéri.

Marion s'appuya contre le rocher à la manière que l'avait peut-être fait Régina Graham pour consolider sa grande décision. Donald se mit devant elle, les bras croisés dans sa pose caractéristique. Ainsi, debout entre le soleil et la jeune fille, plus haut dans la pente qui donnait sur le ruisseau, il avait allure de géant. Les rayons solaires accentuaient les éclats roux de ses cheveux châtains. Pour la première fois, elle se rendit compte qu'il se laissait pousser une moustache par une ligne de poils clairsemés cheminant sans presque se faire voir au-dessus de sa lèvre supérieure. Elle fut sur le point de sourire à la chose mais le regard de Donald s'empara du sien. Quelque chose d'indéfinissable la subjuguait dans ces yeux profondément enfoncés faits pour dire mille choses et pour en garder mille autres. Elle trouvait une ressemblance entre leur scintillement et le bruit de l'eau qui lui parvenait depuis l'autre côté de la grande roche où elle coulait en cascade dans une gorge étroite et escarpée. C'était que la lumière du soleil se réfléchissait dans les bouillons et remous pour rebondir dans le regard du jeune homme. Ainsi la dualité de deux sens fort différents devenait rencontre et unité en l'âme de la jeune fille.

Elle oubliait sa mère comme cela est fréquent chez les femmes éprises. Le vent fraîchissait juste bien pour rendre l'heure magnifique, chasser les moustiques, insuffler à sa chevelure des étincelles par milliards.

—Tu veux boire de la belle eau pure venue des grands bois? demanda-t-il d'un air entendu.

Il se rendit au ruisseau, plongea les mains.

—Tu vas voir la belle tasse que j'ai, cria-t-il pour créer un étonnement.

Il se lava, se frotta les paumes puis les mit en panier et recueillit une pleine jointée d'eau qu'il porta, coulant entre ses doigts, jusqu'à elle. Marion avait les coudes contre le rocher, la tête rejetée en arrière, les yeux fermés. Donald lui présenta son offrande, l'avertissant:

—Bois avant qu'il ne reste rien.

Elle rouvrit les yeux puis les lèvres. Les gouttes mouillèrent son corsage puis sa bouche et son menton. Elle s'abreuva au peu qu'il restait. Ses muscles génaux saillirent. Il crut qu'elle en voulait encore. Le demanda.

—Je n'avais pas soif... mais elle est bonne, si bonne...

Il vint au jeune homme une autre idée. En cueillant son eau, il avait aperçu le dos noir de plusieurs truites plus près du rocher où l'onde était calme et formait un petit bassin sans profondeur. Il en offrirait quelques-unes à Marion. Il avait bien attrapé des carpes déjà avec ses mains nues mais il lui eût fallu être muni de pattes d'ours pour capturer une truite, un poisson bien trop vif et nerveux. Il y avait un autre moyen. Mais celui-là bloqua aussi dans sa tête. Le truc consistait à ôter son pantalon, à lui attacher les jambes avec des noeuds puis à s'en servir comme verveux. Devant elle pareil geste eût relevé de la plus condamnable immodestie et un observateur, l'oeil au guet les surprenant, aurait colporté à leur sujet par tout le canton et même ailleurs des cancans d'apparence.

Il lui restait une façon de réaliser son dessein: utiliser sa chemise. Les manches étaient trop courtes pour qu'on puisse les nouer. Qu'à cela ne tienne, il les attacherait avec ses lacets de bottes.

–Je vais boire à mon tour, dit-il en disparaissant derrière le rocher.

Après avoir fabriqué son verveux de fortune avec sa chemise de futaine à carrés rouges et noirs, il repéra le meilleur endroit entre deux pierres sèches, plates, à fleurement de l'eau et entre lesquelles devraient passer les poissons effrayés par le bout de branche qu'il glisserait sous le rocher, lequel devait sûrement abriter du soleil des dizaines de belles truites. Nul doute que plus d'une se maillerait, s'empocherait dans sa chemise. Il posa son piège puis sauta sur l'autre rive où il trouva une branche laissée là par d'autres pêcheurs.

Pendant ce temps, Marion se laissait bercer par la chaleur du soleil tempérée par la brise folichonne qui balayait ses cheveux. Elle avait perdu toute conscience du temps qui passait. L'avenir, l'angoisse, la peur: tout disparaissait derrière un présent de toutes les splendeurs.

Donald inséra la branche sous la roche dans le bassin. L'eau se brouilla; des bouillons montèrent à la surface. Il ne put le voir mais il sut qu'il avait délogé quelques poissons. Il rejeta la branche sur l'autre rive et empoigna son verveux qu'il sortit de son lieu d'embuscade. Et il sauta sur la berge, éclaboussé par l'eau qui s'échappait de la chemise, sûr d'y trouver de belles captures pour Marion. Il mit son appareil par terre. L'eau finit de s'écouler. Les pans de la chemise bougeaient l'un sur l'autre; il les ouvrit et vit une truite luttant pour sa vie dans de vives torsions désespérées. Bon, la pêche n'avait rien de miraculeux mais il n'était pas bredouille au moins.

–Marion, regarde!

Elle tourna la tête. C'est sa poitrine nue qu'elle aperçut. Elle baissa aussitôt les yeux et les garda pour elle-même. Des sentiments allant à l'encontre l'un de l'autre s'abattirent sur son âme. La peur du péché. Mais aussi la curiosité et le remords d'avoir perdu de vue son devoir. Et, d'autre part, cette eau si pure, ce soleil si beau, ce vent si doux!

–Regarde ma truite!

Elle releva les yeux et vit le poisson dont les frétille-ments commençaient déjà à s'épuiser.

–C'est pour ton souper, dit-il, l'oeil content.

–Qu'est-ce que t'as fait pour la prendre?

–Regarde: avec ma chemise.

Une ligne soucieuse vint barrer le front de la jeune fille. Quelque chose en elle refusait la mort de cet être fragile, piégé, abusé. Elle dit:

–Redonne-lui sa liberté, Donald.

–Mais...

–Je te le demande.

–Mais tu en manges souvent...

–Mais je ne m'en aperçois pas quand on les attrape. Donne-lui une chance et peut-être que ça te sera rendu un jour ou l'autre...

Donald pencha la tête. La bouche du poisson criait en silence, l'air libre étouffant ses appels de détresse. Ses dé-battements n'étaient plus que sporadiques maintenant. Il était peut-être déjà trop tard. Quelque chose de glacial, une sorte de frisson parcourut l'échine du jeune homme. Un sentiment profond et bizarre, indéfinissable, anima son esprit. Il ramassa la truite et la jeta dans l'eau du bassin. Pendant une seconde, le ventre blanc lui indiqua que la mort était déjà là et il regretta d'avoir pêché ce seul poisson, lui qui avait déjà tué des dizaines de cerfs et attrapé des milliers et des milliers de poissons dans toutes les rivières du canton et plusieurs lacs dont, surtout, le lac Mégantic où il pêchait au moins vingt fois par année, été dans une embarcation comme hiver sur la glace.

Marion entendait dans son imagination le râle sibilant de sa mère cherchant à reprendre son souffle. Elle suppliait la vie de se réinstaller. La truite flacota soudain. Sa nageoire natatoire battit l'air, l'eau, disparut. Donald voulut cacher son sentiment sous une voix flûtée, chantonnante:

–Ton souper qui vient de s'en aller.

–Il aurait eu un goût amer.

Donald n'ajouta rien. Il prit conscience de la nudité de sa poitrine et reprit sa chemise dont il dénoua les manches et qu'il tordit.

–Elle est immettable, dit Marion. Étends-la au soleil sur le rocher. Elle va sécher le temps qu'on va ramasser de l'herbe aux ânes.

Et elle s'éloigna, le regard prude cherchant à repérer le précieux végétal censé redonner un peu de vie à sa pauvre mère. La tristesse revint l'habiter.

–Attention pour pas ramasser de la jusquiame, lui cria Donald qui, après avoir étendu sa chemise, se dirigeait dans sa direction.

–Je connais ça, voyons!

L'endroit ressemblait à une éclaircie. En fait on se trouvait dans le couloir tracé dans la forêt par le passage d'un feu trente ans auparavant. Épinettes et sapins avaient pris toute la place voire trop puisque les plus gros ne faisaient pas encore huit pieds de hauteur.

–On dirait que t'en as trouvé une belle talle!

Mais il regardait plus la silhouette féminine gracieusement courbée que le lit de fleurs sauvages. Elle sentit ces yeux d'homme sur elle, prévint leur faiblesse:

28

–Tu as vu mes bottines comme elles sont savatées, fit-elle en les montrant après avoir tiré sur sa robe à la taille.

Aussitôt elle trouva son geste incongru. En n'importe quel autre moment que celui-là, jamais elle n'aurait attiré l'attention de quelqu'un, surtout celle de son ami, sur ces chaussures honteuses.

Il fut sur le point de dire: «Quand nous serons mariés, je t'en achèterai des neuves chaque année.» Mais il se contint. Et il voulut plaisanter mais cela ne parvint qu'à augmenter l'embarras de la jeune fille.

–Ce qui compte, c'est pas les bottines mais ce qu'il y a dedans.

Elle plissa les yeux et se remit à sa cueillette, cherchant à chasser de son esprit ce corps d'homme à moitié nu, velu. Bien sûr qu'elle en avait vu bien d'autres, dans les champs d'abatis, lors des récoltes ou de corvées, mais la sueur les couvrait de pudeur tandis que là, dans cette intimité de l'immensité, cette nudité devenait charnelle donc suspecte à coup sûr au regard du Seigneur et de leur religion.

Le reste du temps où ils cueillirent des végétaux jusqu'à en avoir les mains pleines, elle se montra de la plus grande discrétion, évasive. Il perçut son malaise et ne tarda pas à se rhabiller. On reprit aussitôt le chemin de la demeure des McKinnon que l'on atteindrait dans un moyen quart d'heure.

Il leur fallait repasser par le même endroit où ils s'étaient assis sur un tronc une heure auparavant. Quand ils y furent, Marion s'arrêta soudain, là même où elle avait raconté son rêve à Donald. Derrière un arbre tombé, à moitié caché par le feuillage vert, se trouvait un jeune chevreuil mâle à la robe brune. Il releva la tête, vit le couple, détala aussitôt par hauts bonds majestueux, légers et silencieux..

Marion ferma les yeux pour ne plus voir ni la bête qui s'enfuyait, ni le lac, ni le soleil, ni le ciel. La peur de son rêve la reprenait de nouveau. S'y ajouta l'angoisse que provoquait en son âme une image plus pénible encore: celle de sa mère en train de rendre le dernier soupir, étouffée dans son oreiller.

Au moment de repartir, la jeune fille regarda le ciel dans toutes les directions pour lui demander grâce. Par-delà la montagne au fond de l'horizon s'amoncelaient de gros nuages sombres, gorgés de menace, venus tout droit de l'ouest.

Dans leur marche silencieuse, elle se mit à prier de toutes ses forces qu'elle savait si faibles...

Donald se disait qu'il aurait pris garde de ne pas faire de mal à cette main frêle si seulement il avait pu la tenir dans la sienne. Qu'il eût aimé serrer, serrer fort afin que son coeur puisse se libérer de son trop-plein de vibrations emprisonnées. Il se prit à rêver de la conduire sur la montagne où il s'était rendu parfois et d'où on pouvait apercevoir des horizons presque sans fin, des dizaines de lacs de tous les cantons et là-bas, tout là-bas vers l'est, la chaîne qui se perdait quelque part aux États-Unis, quelque part ailleurs au monde...

Lorsqu'au sortir du sentier de forêt parut la maison de Marion au pied d'une colline douce, le couple se sépara un peu en prenant une distance normale. La jeune fille aurait aperçu son père devant la maison qu'elle se serait inquiétée, mais il n'y était pas. Tout paraissait désert autour des bâtisses, comme mort. Et c'est pourquoi l'anxiété s'installait en elle à chaque pas qu'ils faisaient.

Et Donald ne trouvait plus de mots à lui dire. Il n'en cherchait pas non plus. Les choses seraient ce qu'elles devaient être, ni plus ni moins...

ΩΩΩ

Donald et Marion

Au bord du soir, dans les cantons,
Des amoureux par longs silences,
Se faisaient douces confidences.
Marchant tout seuls au pied des monts,
Allaient Donald et Marion
À la recherche d'herbe aux ânes.
Plantes qui deviendront tisane
Et seront fleurs de guérison
Pour une mère moribonde.
En leur randonnée vagabonde,
Ils ont déclaré sans détour
À la montagne de Chesham
Et à la Régina Graham
L'éternité de leur amour.

Chapitre 2

Quand siffle le train

Le pénible rêve de Marion n'était point qu'ésotérique. Il avait pris racine dans une réalité trop tangible hélas! Depuis plusieurs semaines, Donald lui parlait de la vie dans l'Ouest, cette vie d'aventures tant exaltée par les almanachs et les journaux du temps. Il répétait ce qu'il avait lu ou entendu. Des milliers de jeunes gens étaient là-bas en train de s'enrichir dans ce pays de plaines immenses et fertiles où l'or coulait dans les rivières et où l'argent roulait dans les poches. On payait les cow-boys le gros prix pour garder les troupeaux ou bien aider à les convoyer sur d'interminables distances depuis leurs gras pâturages jusqu'aux gares ferroviaires américaines. Il n'y avait, disait-on, pas assez d'hommes dans les prairies de l'Ouest pour suffire à ramasser toutes les richesses qu'elles dispensaient avec prodigalité.

Le mirage brillait dans les yeux de Donald quand il parlait de tout cela. Et quand il le faisait devant Marion, il devinait bien qu'elle s'en attristait mais il ne pouvait s'empêcher de répéter ce qu'il savait de neuf sur l'Ouest. Et pour cacher la séduction qui s'exerçait sur lui, il tâchait sans grande conviction de montrer l'autre côté de la médaille. L'Ouest ne grouillait-il pas de vermine? Voleurs de bétail, assassins, pilleurs de banques, hors-la-loi de toutes sauces, maniaques de la gâchette faisaient chaque semaine la une des journaux de l'Est des deux pays. Des noms évoquant le crime et suscitant la terreur circulaient sur les lèvres des parents qui voulaient empêcher leurs fils de partir pour là-bas.

En tête de liste, les frères Jesse et Frank James qui, avec leur gang appelé au Missouri les James Boys, attaquaient et dévalisaient banques et trains et ce, depuis quinze ans c'est-à-dire depuis la fin de la guerre de Sécession qui les avait formés à la guérilla à cheval. Par malheur, leur mauvaise renommée ne faisait pas l'unanimité; beaucoup de gens et de journaux les considéraient comme des victimes de la guerre que leur courage d'autrefois continuait d'animer. Cinq ans auparavant, les agents Pinkerton avaient attaqué la maison paternelle des James en jetant par une fenêtre un engin explosif, tuant le cadet de la famille âgé de huit ans et arrachant le bras de la mère. Or, Frank et Jesse ne se trouvaient même pas dans la région alors. De victimes, on en fit des héros. Et si leur nom terrorisait les bonnes âmes bien établies, il faisait rêver les jeunes gens en mal d'une vie aventureuse.

Billy le Kid avait le même âge que Donald Morrison. Mais il tuait des hommes depuis cinq ans déjà selon des journalistes qui se plaisaient à barbouiller de couleurs sanglantes cette période mystérieuse de la vie de l'adolescent. On avait rapporté avec tous les détails sa participation à une guerre de clans qui avait été perdue par le sien et dont il avait été le seul rescapé. En cette année même de 1880, Billy n'était plus l'attaquant mais le fuyard puisqu'un shériff avait été engagé exprès pour le capturer ou l'abattre à vue. Il tenait en haleine tous les lecteurs des articles de journaux sur l'Ouest et beaucoup de jeunes en leur for intérieur lui vouaient une drôle d'admiration.

Et il y avait les Younger, amis des James et tout aussi turbulents et mordus par le diable. Et des solitaires comme Bill Longley jugé en 1877 et qui avait encoché trente-deux fois la crosse de son arme, comme John Wesley Hardin qui avait tué un ronfleur de la chambre voisine de la sienne en tirant vers sa voix dérangeante à travers la cloison.

Tristes sires aux yeux des conformistes et des gens bien, tous ces personnages appelaient à l'aventure les jeunes gens de l'est; et pour ces deux raisons, l'encre en avait fait des légendes vivantes.

Devoir côtoyer ces bandits n'inquiétait pas outre mesure; après tout, sauf exception, ils ne tuaient pas à tort et à travers, et ils ne s'en prenaient qu'à ceux qui défendaient des sommes d'argent à voler. Et puis, ils étaient des Blancs. Car les dangers les plus sérieux auxquels on pouvait être confronté dans les plaines venaient, disait-on, des Indiens. Du moins de ce qu'il en restait. Il n'y avait même pas cinq ans que le septième cavalerie de Custer avait été massacré par les Sioux de Sitting Bull à Little Big Horn. La plupart des tribus, du moins celles du Nord, étaient maintenant parquées dans des réserves, et tranquilles mais s'il fallait qu'un messie se présente, se lève et fasse la grande réunification de ces véritables troupeaux de meurt-de-faim, tout l'Ouest pourrait alors être mis à sac, à feu et à sang.

Un marchand général de Mégantic était abonné au *Montréal Daily Star* qu'il recevait avec trois jours de retard. Mais qu'importait aux jeunes gens des environs qui s'en arrachaient les pages rapportant les dernières nouvelles en provenance de l'Ouest! Parmi ceux que tenaillait le goût de partir, il y avait le meilleur ami de Donald Morrison, Norman MacAuley. Chaque dimanche, il restait à flâner au village. Et il feuilletait tous les journaux de la semaine pour son plus grand plaisir. Et le soir, on se retrouvait pour jaser de ce qu'il avait lu.

Ω

Après le souper de ce dimanche, Donald se rendit chez les MacAuley. Ils habitaient à un demi-mille des Morrison dont ne les séparait qu'un voisin commun, les Edwards.

Les jeunes gens bavardaient sur la galerie, chacun assis sur un banc de bois, l'un d'eux, Norman, adossé au mur de la maison et les pieds croisés haut, accrochés à la tablette d'une colonne du garde-soleil, et Donald penché en avant, la tête presqu'entre les genoux, explorant du regard des planches grises, arrondies et ajourées, comme pour y lire les récits et descriptions que leur conversation exposait et supposait.

Le père de Norman, un homme tout en nez, vint les rejoindre, avec à la bouche, tenue droite une pipe malodorante qui par son épaisse fumée semblait consommer de la paille séchée plutôt que du tabac. Les bouts tombants de sa moustache épaisse lui donnaient un air triste qu'accentuait un grand regard hagard et la chevelure semblable à du crin de cheval. Donald voulut lui céder son banc. L'homme refusa d'un geste à main ouverte et se rendit plus loin prendre place sur une bûche de bois d'érable qui servait de siège supplémentaire en cas de besoin.

–Eh bon, mon petit Morrison, comment elle va, la mère de la petite McKinnon de Marsden? demanda-t-il d'une voix fluette qui contrastait avec sa tête brutale.

Malgré les douze bons milles qui séparaient Marsden de Mégantic, on se connaissait dans grand et surtout on savait qui souffrait de telle ou telle maladie, particulièrement de la consomption. Mais le mot ne fut pas lancé.

–Suis allé par là aujourd'hui. Elle est toujours pareille. Elle a le souffle qui piétine...

–Ça s'est trop désâmé à travailler, ce monde-là. Les terres de par là, c'est fourbi de rocailles. C'est pas comme chez vous, mon gars; Murdo Morrison, c'est la meilleure terre dans trois cantons qu'il a, lui.

–Ce qui veut dire, ajouta Norman, que toi, Donald, tu vas hériter du plus beau bien de Mégantic.

–D'autant plus qu'on s'agrandit encore cette année, enchérit Donald.

–Justement, tu pourras dire à Murdo qu'on va aller vous aider cette semaine dans votre abatis. Nous autres, c'est l'année prochaine qu'on va en faire et là, on vous demandera de nous rendre la pareille.

Puis la conversation revint au sujet qui l'animait avant

l'arrivée du père, comme si Norman eût voulu l'avertir à mots couverts qu'il ne serait peut-être plus là l'année suivante pour aider à l'abatis.

–Comme ça, ils auraient commencé le grand nettoyage dans l'Ouest? fit Donald qui voulait entendre une autre fois ce que Norman avait glané dans le *Montreal Daily Star.*

Moustachu comme son père, les yeux marrons et brillants, Norman mit de l'intonation dans sa réponse:

–On dit que le juge Parker a fait lever des groupes de volontaires pour accompagner les marshals. Il proclame que dans un an pas plus, l'Arkansas va être propre comme un sou neuf. Ailleurs, c'est pareil. Il y a le shérif Pat Garrett qui pourchasse Billy le Kid, qui le suit à la trace le nez dans le... Il y a cinq cents dollars sur le tête du Kid et dix mille sur celle de Jesse James.

Le père MacAuley éclata d'un rire qui n'éclairait pas son visage pourtant. Il n'était que l'expression de sa plus totale incrédulité.

–Ils ne réussiront jamais à nettoyer l'Ouest. L'Ouest, c'est trop grand, c'est immense. Il faudrait un shérif par cent personnes et encore. Un hors-la-loi qui veut se cacher dans la grande nature, c'est comme de chercher une aiguille dans un mulon de paille.

Donald le regarda d'un air étrange. Il recevait mal ces mots-là. En sa tête, la justice était plus grande et puissante que tous les mécréants réunis. L'homme ajouta en hochant la tête à plusieurs reprises:

–Non, non, non... vous pouvez me croire.

Il savait l'attrait qu'exerçait sur Norman l'Ouest et ses récits. Et il voulait leur opposer sa crédibilité paternelle.

–Si les hommes de loi sont trois fois plus nombreux qu'avant, ils auront trois fois plus de chances de traquer les criminels, c'est net.

Donald écoutait l'échange sans rien dire. Il sentait l'opposition du père au rêve de son fils tout comme il percevait le désarroi de Marion quand il l'entretenait des grandes plaines. La différence, c'était que lui, Donald Morrison, avait un destin tout tracé: il serait fermier à Mégantic sur la terre familiale qui lui reviendrait à lui, le benjamin. Norman se servit d'un autre argument, plus convaincant et radical:

—Et plus il y aura de pendaisons publiques comme celles de la semaine passée, plus les bandits vont avoir peur. C'est la meilleure manière pour avoir la paix.

Comme Donald, le regard planté dans le bois coti du plancher de la galerie, le père protesta à nouveau mais en silence et par les seuls hochements de sa tête. Norman insista, stimulé par l'obstination:

—Dix mille personnes ont vu les meurtriers se balancer au bout d'une corde.

—Oublie pas une chose, mon garçon, c'est que les malfaiteurs aiment se donner en spectacle. Mourir pendu, c'est leur plus grande gloire. Plus il y aura d'exécutions publiques, plus il va se trouver d'hommes pour chercher sans même s'en rendre compte à poser en vedettes.

—Un homme voudrait-il mourir sur la potence devant des milliers d'autres rien que pour faire du théâtre? Là, moi, je trouve que vous y allez un peu fort, le père.

L'homme fit gicler de la salive brunâtre d'entre ses dents et le jet se perdit quelque part dans la poussière au bas de la galerie. Il avait une grande chose à dire. Le moment était venu. Il pointa Norman du bouquin croche de sa pipe, déclara:

—C'est pourtant exactement ça que les grands bandits recherchent dans le fin fond d'eux autres-mêmes. Un bandit, c'est comme un homme politique, ça aime ça quand le monde les regarde; ils veulent avoir l'attention sur eux autres. En dedans de nous autres, il y a un côté qui dit noir et l'autre qui dit blanc. Ils ne veulent pas être pendus mais ils veulent. C'est pareil pour toi. T'as peur d'aller dans l'Ouest et en même temps, ça t'attire. Je t'empêcherai jamais de partir si t'en as envie mais tu m'empêcheras pas de penser que c'est dangereux pour un jeune de ton âge. C'est risqué pour ta vie, ta santé mais surtout peut-être pour ton âme. Les mauvaises fréquentations, les saloons, la boisson, la débauche: ça vous conduit un homme pas rien qu'en prison mais aussi tout droit en enfer. Oublie jamais ça, là, Norman, oublie jamais ça!

Démasqué, Norman baissa les yeux. Le rouge lui empourpra les joues. Les mots du père faisaient tournoyer au creux de son coeur, en des lieux inconnus, une émotion fort bizarre, perverse puisqu'elle lui fit aussitôt penser au péché, et qu'il fallait donc rejeter loin de sa tête.

Donald se dit à lui-même qu'un homme pouvait bien émigrer dans l'Ouest sans mettre son corps et son âme en péril. N'affluaient-ils pas par milliers les pionniers là-bas, dans les grandes plaines, et ils n'en mouraient pas tous. Comme s'il avait deviné les pensées du visiteur, le père MacAuley poursuivit:

–Par exemple, dans le cas d'une famille, ce n'est pas tout à fait la même chose. Les bandits ne s'en prennent qu'à ceux qu'ils veulent détrousser, pas aux femmes et aux enfants ou ben aux bons pères de famille. Quant aux hommes mariés, ils sont à l'abri des mauvaises filles...

Il réfléchit un moment, se racla la gorge comme pour y trouver un surplus de sagesse, reprit:

–Faudrait pas oublier d'un autre côté qu'ils ne sont pas rares les fermiers qui ont perdu leurs chevaux et leurs cheveux aux mains des Apaches ou des Sioux. Y'a le général Custer qui y a goûté à la médecine indienne en 76. Ses beaux cheveux blonds qui lui flottaient sur les épaules, je te dis qu'il a pas fait de vieux os avec...

–Il s'est jeté dans la gueule du loup comme un pauvre imbécile, opposa Norman qui avait tout lu sur la question. Il voulait toute la gloire pour lui tout seul et il n'a pas attendu les renforts... tout comme l'a fait le général Montcalm sur les plaines d'Abraham. Peut-être qu'il en était un autre à vouloir mourir en héros à tout prix?

–Ceux-là qui se font scalper sont nombreux, hein! Ça,

nos journaux nous les cachent ou ben ils n'en savent trop rien. Les Sauvages, c'est des moyens sauvages!...

– Mais les temps changent, les temps changent, répéta Norman. Les Indiens commencent à comprendre qu'à chaque tête de Blanc qu'ils scalpent, ils se font abattre cinq des leurs. Il en reste de moins en moins capables de se battre et surtout avec le goût de le faire. C'est une race appelée à disparaître. Le président Grant l'a déclaré: pas moyen de les civiliser!

–Je serais surpris d'un pareil discours par le président, fit le père d'un ton sceptique.

–Ou c'est peut-être le général Sheridan...

Pendant un long moment, Donald perdit le fil de leur conversation. Son coeur et son esprit se portèrent vers ses parents. C'est par leur existence et par celle de Marion que passerait son avenir. Il était entendu par la coutume que le bien paternel lui serait dévolu moyennant quoi il prendrait soin de ses parents jusqu'à leur mort. Ses frères et soeurs avaient tous quitté la maison pour fonder leur propre foyer. Son père et sa mère étaient entrés dans la soixantaine. Leur temps était presque venu de confier l'attelage à des bras plus jeunes et plus énergiques. Le pourraient-ils? Il y avait toutes ces dettes à rembourser... Il y verrait. Il ferait chantier, couperait des arbres pour en faire des poteaux pour le télégraphe; plusieurs de Mégantic en vendaient déjà.

Et Marion deviendrait sa compagne. Ils auraient plusieurs enfants. Il pourrait l'épouser dans un an ou deux. Il aurait aimé que la maison fût améliorée, un peu plus confortable mais l'argent manquait. Murdo s'était endetté pour établir ses autres fils. Il avait emprunté de l'argent à trois voisins du rang dont MacAuley. Et les dettes pesaient de plus en plus lourd sur les épaules de l'homme vieillissant. Homme d'honneur, d'une seule parole, il voulait à tout prix remettre les sommes dues dans les délais entendus...

–Quelle est ton opinion, toi, Donald? demanda Norman à son ami.

L'autre sursauta, se redressa.

–Rapport à quoi?

–Distrait! Encore parti pour Marsden? Envolé auprès de la belle Marion McKinnon?

Un sourire discret fut à la fois réponse et excuse.

–De l'idée qu'un jeune homme comme nous autres qui commencerait avec sa terre claire à lui et mille dollars dans ses poches deviendrait le fermier le plus prospère des cantons avant dix ans.

Donald se gonfla un biceps, dit:

–Avec du bras, c'est certain! C'est ce que je dis souvent à mon père.

Norman leva les bras, écarta les doigts qu'il mit en panier pour figurer l'abondance et déclara, le sourire à l'évidence:

–Suffirait de deux ans dans l'Ouest... peut-être même rien qu'un an et un gars aurait son beau mille dollars dans sa poche de fesse.

Son père achevait de remplir sa pipe qu'il bourra et foula du pouce. Il alluma avec un sourire paterne. Puis il souleva ses pieds bottés de chaussures en cuir racorni et sec pour les appuyer au morceau le plus bas de la rampe de la galerie. Il haussa les épaules et dit comme pour en finir avec le sujet:

–Si c'est ton idée, garde-la!

Puis il cracha si loin par-delà ses bottes qu'on eût pu penser qu'il désirait arroser tout l'Ouest de ses humeurs flavescentes. Et il s'adressa à Donald:

–Mon petit Morrison, on va-t-il aller à tes noces dans le mois de juillet?

Donald se pencha à nouveau la tête vers les planches de la galerie, disant:

–Non... ça va prendre plus de temps que ça.

–Ben moi, je pense! contredit Norman qui désirait en savoir plus.

–Non, voyez-vous, Marion, il faut qu'elle s'occupe de sa famille. Sa mère est trop malade. La noce, ça ira pas moins qu'à l'année prochaine...

Et Donald releva la tête pour regarder dans le lointain au-dessus du lac, vers la montagne solitaire qui, à mesure que le soleil baissait sur l'horizon, se délinéait avec plus de précision.

–Les McKinnon, c'est du monde solide. La petite jeune fille, elle te fera une femme sans pareille, dit le père.

–C'est que les plus vieux de famille sont toujours les meilleurs, plaisanta Norman avec un coin narquois au bord du sourire.

Donald fit une moue qu'il exagéra par le ton:

–Je te rappelle que moi, je suis un dernier de famille. Je te remercie...

On continua ainsi à bavarder de peu de chose en un pays où rien n'alimentait les conversations hormis la naissance et la mort. Et les rêves de la jeunesse. Une heure plus tard, Donald retourna chez lui. Il jongla tout le long de son chemin devant la brunante qui suivait ses pas. En route, il fut dépassé par deux attelages lancés à bonne allure: des voitures fines à grandes roues bandées de cerceaux de fer et qui chuintaient sur les cailloux en les enfonçant dans la terre durcie et poussiéreuse. Chacune ralentit à sa hauteur. On lui offrit de monter. Il déclina respectueusement les propositions. Il avait besoin, dit-il, de délier ses muscles engourdis par l'inactivité de ce dimanche. C'était plutôt qu'il voulait réfléchir tout à souhait dans une solitude qu'il fréquentait avec agrément le plus souvent. Tournaient sans cesse dans son esprit les échanges entendus chez les MacAuley. Un quart d'heure s'écoula sous ses pas modérés. Puis un autre. Devant lui, les courbes se redressaient au ralenti. Et les pentes s'aplanissaient en douceur.

Perdu dans l'interminable remous de ses pensées, il ne releva la tête qu'au dernier moment, rendu à proximité de la maison, une demeure brillante et riante, blanche comme l'hiver, aux fenêtres qui ressemblaient à de grands yeux accueillants mais dont les vitres en cette heure du soir, rougissaient de par les rayons d'un soleil penché. L'une de ces ouvertures, divisée en quatre carreaux, donnait sur la cuisine et permettait d'apercevoir sur une tablette à rebords sculptés par les mains de son père une horloge d'un bois châtain admirablement ciselé dans des fioritures ajourées qui découpaient le soleil en autant d'éclats. C'était Donald qui l'avait offerte à sa mère un été où il avait travaillé à l'érection de la gare lorsqu'enfin le chemin de fer avait fait ses derniers milles lents et poussifs jusqu'au village de Mégantic.

Le jeune homme fit quelques pas encore, les yeux inondés de lumière. Puis il s'arrêta. Il fut alors témoin d'une scène banale mais qu'il n'oublierait jamais et qui balaya toutes ses réflexions de la route.

Sa mère s'approchait de la tablette de l'horloge. Il put voir le profil familier en se plaçant à contre-jour pour éviter l'éblouissement par les rayons solaires. La femme aux cheveux gris ramassés sur la nuque en un gros chignon lâche en forme de panier dut se soulever sur le bout des pieds pour atteindre la tablette. Puis du bout des doigts, par plusieurs petits gestes répétés, elle tira l'horloge qui finit par s'incliner et lui tomber dans les mains. Après l'avoir déposée sur la table au centre de la pièce, elle retourna à la tablette, chercha en tâtonnant , trouva une clef noire et revint sur ses pas. Elle ouvrit la petite porte ronde en verre et remonta le ressort de l'horloge de sept tours des doigts bien comptés.

Donald épiait chaque geste, chaque mouvement. Et se laissait émouvoir. Une vague de tendresse au moins égale à celle ressentie dans l'après-midi en présence de Marion mais d'un autre genre vint adoucir les traits de son visage. Quelqu'un passant par là n'aurait jamais pu lire dans son regard un sentiment aussi peu masculin qu'il aurait muselé loin au fond d'une âme rugueuse, mais voilà que dans la solitude et le silence de ce soir tombant, il se laissait bercer par l'émotion comme si quelque magie l'avait tout à coup ramené vingt ans en arrière dans la sécurité d'une première enfance vécue sous les soins attentifs d'une mère dévouée.

Il reluqua de cette façon tant que sa mère n'eut pas finir d'accomplir son rituel qu'elle entourait d'une lenteur méticuleuse comme si l'horloge avait été l'objet le plus précieux au monde. Elle regarda l'heure puis s'arrêta soudain. Elle percevait une présence autre que celle de son vieux qui fumait sa pipe, engoncé dans une vaste chaise berçante. Mais elle ne ressentait ni malaise ni inquiétude; des ondes favorables gagnaient son esprit. Elle tourna la tête.

Mais elle ne vit rien de plus par la fenêtre qu'un gros morceau de soleil fort qui, tel un pan de feu, allait éclabousser les planches disjointes du plancher. Elle ne put en supporter l'éclat et baissa les yeux en se disant que c'était la chaleur des rayons qui avait dû ainsi la pénétrer, et que l'ami qui lui voulait du bien, c'était simplement le Seigneur à travers le plus beau joyau de sa création.

Donald crut que sa mère l'avait vu. Il camoufla aussitôt son coeur sous un front soucieux et entra. Il arrivait à temps pour remettre à sa place sur la tablette, l'horloge gorgée d'une nouvelle détermination. C'est la femme qui la lui confia.

–Quen, grimpe-moi ça à sa place!

Il le fit en silence puis sans dire un mot, s'assit. Sa mère se rendit à une armoire y prit la pipe que Donald ne fumait pas autrement qu'à la maison, le soir, à la brunante, et elle la bourra de tabac. Puis elle prit une allumette et se rendit auprès de son fils en demandant des nouvelles de Marion et de sa mère. Donald hocha la tête dans une grimace qui exprimait la désolation et l'impuissance. Il prit la pipe, la mit dans sa bouche. La femme gratta l'allumette, posa la flamme délivrée sur le tabac. Le jeune homme se sentait pris pour un enfant; il s'empara de l'allumette et finit d'embraser le contenu de la pipe. La femme marcha lourdement dans sa robe de gros coutil traînant sur le plancher et le balayant jusqu'à une chaise entre la table et le poêle, et qui se trouvait dans le troisième angle du triangle formé aux deux autres coins par Donald et Murdo. Elle se laissa tomber comme si la terre avait été son fardeau et elle émit, plus pesamment encore, un soupir plein de lassitude.

–La pauvre femme! Moi, je pense qu'elle est prise par la consomption! Si jeune encore!...

Donald sursauta. Jamais on n'avait prononcé ce mot à la fois terrible et honteux devant lui. Il s'insurgea:

–Mais non, maman, c'est rien qu'une bronchite! Le docteur Millette l'a dit pas plus tard que la semaine passée encore.

–Moi, je suis enclin à penser comme ta mère, dit Murdo en retirant de sa bouche le bouquin mâchouillé de sa pipe afin de laisser s'échapper un nuage bleu qui monta vers le plafond bas en se dispersant.

Les arcades sourcilières proéminentes comme celles de son fils, la moustache épaisse plus blanche que noire, le crâne nu et luisant, l'homme accusait un sérieux plus âgé que lui-même et une mine encore plus vieille bien qu'il parût solide dans son corps trapu.

Profondément soucieux de l'avenir de ses enfants, il craignait que la mort de la femme McKinnon n'empêchât Marion d'épouser Donald à cause de son rôle d'aînée de famille. Elle devrait s'occuper des autres, du moins jusqu'au jour où le veuf se remarierait, ce qui voudrait dire sans doute deux ans et plus. Ne vaudrait-il pas mieux que Donald tournât ses yeux ailleurs, vers d'autres jeunes filles plus disponibles? Mais la teneur mesquine de sa pensée spontanée lui déplut et il la chassa sans pitié. Marion souffrirait bien assez de son deuil sans, par surcroît, qu'on lui achève le coeur en lui arrachant Donald. Car, un aveugle l'aurait vu, elle l'aimait de toute son âme, de toute sa jeunesse si belle et si prometteuse.

Un moment, il se rappela de cette partie de sucre qui avait réuni plein de monde à la cabane par un étincelant dimanche d'avril. Les cris de joie fusant de partout. Les poursuites dans la neige autour des arbres. Les yeux ensoleillés de Marion quand elle le regardait par-dessus la panne à sirop. Et son inquiétude maternelle quand elle l'avait vu grimper dans un érable plus haut que les autres pour saluer la montagne...

«Elle a besoin de lui, la fragile petite Marion,» se dit-il. «Et plus encore que nous autres ses parents! Et qu'importe la tuberculose; ce n'est pas un costaud comme Donald qui l'attraperait. Un hercule comme lui, il avait de la force à revendre à crédit. Il en communiquerait à la Marion pour lui aider à traverser l'orage dont les menaces ne trompaient encore que ceux qui voulaient l'être.»

–Ta mère, elle connaît ça, la consomption, dit Murdo en avertissant son auditoire du bouquin de sa pipe. L'année avant que tu viennes au monde -hein Sophia, c'était ben en 59?- elle a vu mourir une de ses soeurs. Il y a certains signes qui parlent comme si la personne était un livre ouvert... Tu peux être sûr que c'est pas pour te faire de la peine qu'on te le dit mais pour que la Marion, tu la traites avec toute la prévenance...

–C'est mieux d'envisager le pire, coupa Sophia. Mais c'est pas à toi de le dire à Marion. Surtout que si on se trompe, c'est toi qui aurais l'air fou.

Passé un premier mouvement d'incrédulité auquel s'ajouta une forme de révolte, les mots inquiets de Marion lui revinrent en tête et devant l'autorité compétente et la profonde conviction de ses parents, il finit par se résigner tristement. Puisque telle était la volonté du Seigneur, il fallait bien et c'était mieux s'y soumettre humblement. Il se livra quand même à une velléité de doute:

–Pourquoi le docteur Millette...

Il ne put poursuivre.

–Le docteur le sait mais un docteur garde ça pour lui le plus longtemps qu'il peut, dit Murdo.

–C'est un manque de courage et d'honnêteté, ça, coupa Donald à son tour. Les Canadiens français...

Il fut sur le point de dire en l'air une chose qu'il ne pensait pas puisqu'il avait été le premier à défendre le docteur

Millette ce jour-là devant les doutes de Marion.

Son père l'interrompit encore:

–Tu te trompes de deux manières. D'abord les Canadiens français sont pas plus ou moins honnêtes que nous autres; ensuite un docteur intelligent ne doit pas dire toute la vérité à ses malades. Surtout quand la mort est au bout. Je pense que ça prolonge la vie. Je pense aussi que ça évite de grandes souffrances. Des souffrances là-dedans qui sont peut-être les plus dures...

Et l'homme se pointa le coeur du bout de sa pipe.

–On avait pensé te prévenir avant aujourd'hui vu que la tuberculose, c'est une maladie qui s'attrape, mais on a décidé d'attendre. Suffira que tu te montres prudent.

–Pourvu que tu te tiennes correctement avec elle, dit Sophia, l'oeil sévère.

–C'est ça, embrasse-la pas, garde tes distances, dit le père sans beaucoup de mordant dans la voix.

Mais Donald ne voulait plus poursuivre sur ce propos bouleversant et inutile. Et il entreprit de rapporter les nouvelles des journaux qu'il avait apprises de la bouche de Norman MacAuley. Il se trouvait une larme inopportune dans le coin d'un de ses yeux. C'était que la fumée de tabac piquait. Heureusement, la pénombre s'épaississait.

Sophia se rendit allumer une lampe mais garda la mèche basse pour ne pas gaspiller d'huile. La flamme dansait en ombre chinoise sur les murs. On veilla une demi-heure. Il repoussa les offres de sa mère qui s'inquiétait de son estomac. Il avait mangé du pain et de la crème sûre sucrée chez les MacAuley. Puis, le coeur maussade, Donald monta à sa chambre. Sur une table de chevet en bois grossier équarri à la hache, il y avait un petit vase de fer blanc servant de bougeoir; il y mit de la flamme et se coucha à demi pour ne pas s'endormir de suite. Il voulait ordonner toutes ces idées qui se bousculaient dans sa tête. Mais le sommeil le prit à bras-le-corps, le surprit en traître.

Ω

Il s'éveilla matinalement. La bougie avait fondu, disparu. Il resta là, un moment, après avoir constaté qu'il était tout habillé. Un rêve de la nuit lui revint en mémoire. Il y avait un lit, un moribond, un cierge. Dans le lourd silence, dix mille personnes regardaient le mourant. D'immenses portes métalliques se refermaient en claquant sinistrement et leur bruit infernal allait frapper la montagne pour revenir en écho. Vêtue d'une longue cape noire, la mort avait posé sa main décharnée sur le cou du malade et s'était mise à couper l'arrivée d'air en disant: «Il fut condamné à mort; il n'a plus le droit de respirer.»

Que pouvait donc signifier ce fouillis d'images? Un mélange épars de bribes de la journée du dimanche sans plus, finit-il par se dire en se levant. Et il se dirigea à la petite fenêtre ouverte qui livrait en paquets vivifiants de grandes mesures d'air frais et odorant. Il respira, étira les bras, se frotta les yeux. Puis il regarda comme depuis toute sa vie le lac Mégantic, les montagnes au fond de l'horizon, le ciel vers l'ouest.

Ω

Ce jour-là, dans l'abatis, il raconta son rêve à Norman MacAuley qui s'en amusa.

–C'est mon histoire de pendaison publique qui t'aura fait peur. Tu n'as absolument rien à craindre étant donné que ton destin, à toi, ne te conduira pas vers l'Ouest et encore moins vers la potence.

Durant l'après-midi, un voisin venu aider fit comprendre à Murdo qu'il se trouvait dans un certain besoin d'argent puisque le moment était venu pour lui aussi d'établir un de ses fils. Et il demanda au père de Donald de lui rembourser la somme qu'il lui avait prêtée si cela était possible. Et il lui donnait tout le temps requis, deux, trois mois s'il fallait, pour la réunir.

Durant tout le repas du soir, Murdo garda un noir silence. Ensuite il ne fuma pas comme il le faisait toujours à cette heure-là. Il pignocha dans son assiette, ne la finit pas et quitta la table pour s'en aller dans sa chambre sous le regard inquiet de Sophia et celui non moins inquisiteur de Donald. Et il ne reparut pas.

Donald sortit et passa quelque temps dehors. Il arpenta la terre en traçant des plans imaginaires pour l'attribution des prairies à telle ou telle culture. Ses rêves de champs herbeux et de cheptel grand et gras n'empêchèrent point l'inclémence du ciel. Une averse passa. Il pressa le pas, rentra.

La cuisine était déserte. Ses parents discutaient dans leur chambre. Leurs éclats de voix traversaient la porte, ceux de Murdo principalement. Il ne s'agissait pas d'une querelle et Donald le savait bien. On ne se chicanait jamais sous ce toit quels que soient les événements. Quand Murdo élevait la voix, c'était toujours pour s'en prendre à la fatalité. Il n'aurait même jamais pu s'en prendre à un ennemi s'il en avait eu un seul dans le canton. Il y avait donc un problème majeur qui inquiétait Donald au plus haut point. Une question d'argent, c'était évident! Mais le jeune homme dut dormir sans savoir précisément.

Au matin, Murdo s'endimancha. Il demanda à son fils d'atteler la jument sur une voiture fine. Et à une question, il répondit laconiquement qu'il se rendait au village. Cela voulait dire qu'il confiait l'abatis à Donald.

Et le jeune homme ne voulut pas questionner sa mère. Cela lui eût paru malséant. Il appartenait à son père seulement de dire ce qui le tracassait. On finirait bien par le lui dire. Norman arriva pour entreprendre la seconde journée de corvée. On s'entretint longuement encore de leur sujet favori: l'Ouest. Malgré cela, Donald garda les sourcils froncés, le front barré par les questions, l'angoisse au coeur.

Au souper, quand on fut à table, Murdo se décida enfin à renseigner Donald. C'est accablé par la honte qu'il le fit:

–Tu dois et tu as le droit de savoir, avoua-t-il sans lever les yeux. Ce que j'ai fait aujourd'hui te concerne autant que nous, tes parents, puisqu'il s'agit de la terre.

Puis il centra sa cravate brune à motifs imprimés jaunes,

une pièce de vêtement au noeud inégal qui l'étouffait autant que son col blanc exagérément sorti de son veston noir. Il poursuivit à mi-voix comme pour cacher une partie de son embarras à un auditoire imaginaire:

–Aujourd'hui, j'ai emprunté tout ce qu'il faut pour régler mes dettes au grand complet. C'est pas trop endurable de devoir de l'argent à son monde, surtout à ses proches voisins. Par les yeux qu'ils te font, tu le sais, qu'ils voudraient se faire rembourser, mais ils n'osent pas toujours le demander. Faut penser qu'ils sont autant dans le besoin que nous autres, des fois dans leur vie. De même, on va avoir la paix. Et on va marcher la tête haute, aussi haute que tout le monde...

Donald ressentait à la fois un soulagement certain à l'idée de voir tous les créanciers payés et une inquiétude peu agréable de savoir qu'on serait désormais entre les mains d'un seul prêteur. Il y avait pour lui dans une dette une sorte d'enfermement détestable; pourvu que cette prison sans barreaux ne devienne pas insoutenable!

–Qui vous a avancé l'argent?

–C'est le major Malcom McAulay... Tu dois le connaître, Donald.

–Je le connais de vue.

–C'est pas un parent de la race à Norman.

–C'est sûr, le père. MacAuley et McAulay, ça s'écrit pas pareil et ça se dit pas pareil non plus.

Hélas! Murdo ne savait pas lire et il prononçait fort mal, ce qui lui importait peu car si sa parole était mal dite, par contre elle valait sa vie et jamais il ne l'aurait reniée pour un royaume. Il dit:

–Le major, ça fait son affaire de prêter de l'argent... C'est pour ainsi dire son métier. Il a pris une hypothèque sur la terre. Pas trop grosse: deux mille dollars. Dans dix ans, ça sera fini de payer. Puis on se fera pas d'autres dettes étant donné qu'il nous reste rien que toi à établir et que tu vas t'établir ici.

Sophia protesta sans véhémence, comme elle l'avait fait plusieurs fois depuis le retour de son mari:

–Deux cents dollars par année, jamais on pourra rembourser ça!

– Inquiète-toi donc pas pour rien, dit Murdo en se passant la main sur le crâne dans un vieux réflexe pour remettre en ordre des cheveux qui brillaient par leur absence depuis plusieurs années.

–On n'arrivait même pas à rembourser cent dollars par année sur nos dettes avant; comment en payer deux cents à partir d'aujourd'hui?

L'homme se leva sans dire un mot et il se rendit à la fenêtre. L'argument de Sophia était de taille. Mais il s'était dit qu'en faisant des poteaux pour le télégraphe... Et puis il comptait sur la Providence qui ne les laisserait pas perdre leur bien. Donald et sa mère s'échangèrent des regards interrogateurs, attendant une réponse du chef de famille, celui de qui devaient originer toutes les solutions. Pressé par le silence, Murdo bredouilla:

–C'est certain que le bon Dieu qui nous éclaire va nous venir en aide. On arrivera toujours à se débrouiller. Quand on veut, il survient toujours une occasion. Les oiseaux du ciel ne sèment ni ne moissonnent et pourtant le Seigneur en prend soin...

–Faut dire que les oiseaux passent leurs journées entières à courir les mouches et les graines, osa Donald. Va falloir qu'on se retrousse les manches aussi nous autres.

–On va se débrouiller, répéta Murdo avec un brin d'impatience dans la voix.

–Oui, mais comment? demanda Sophia à voix pointue dont Murdo interpréta l'accent comme un blâme.

Il s'impatienta:

–J'en sais trop rien!

Il frappa la vitre du doigt, ajouta:

–S'il faut que je parte pour l'Ouest pour un an ou deux,

je le ferai. Suis capable de monter un cheval et de garder des vaches.

Pour un étranger observant la scène, il y aurait eu de quoi rire. Un homme de cet âge prétendre partir pour les grandes plaines. Chevaucher à vive allure, attraper des veaux, les tenir, les marquer, diriger des troupeaux dangereux: il fallait pour ça un Donald Morrison, jeune et solide, pas un Murdo fatigué et usé.

La mère et le fils avaient le coeur dans l'eau tant la scène leur apparaissait pitoyable. Un long silence écrasait la pièce depuis les grosses poutres apparentes du plafond jusque dans chaque recoin, aussi bien derrière le poêle à trois ponts que dans l'escalier tournant menant à l'attique. Seule l'horloge parlait et son discours disait déjà l'échéance du versement sur l'hypothèque.

Il fallut le chien pour redonner vie à cette scène figée. D'abord, il émit un cri plaintif puis il sortit de son refuge sous le poêle et il marcha lentement dans son vieux bruit griffu jusqu'à son maître qu'il regarda, examina avec des yeux agrandis, inquisifs. Il renifla autour des pieds de l'homme sans trouver de réponse aux questions de son instinct qui percevait l'angoisse rôdant. Il baissa la tête; ses yeux se perdirent dans sa longue laine grise et il se rendit auprès de Donald. Il se leva sur ses pattes arrière, sila encore pour savoir: nulle réponse. Le jeune homme lui frotta rudement la nuque puis le repoussa. La logique animale brumeuse inscrite dans sa substance lui commanda de se rendre jusqu'à Sophia qui saurait le rassurer. Il tricota entre les pattes de la table, halenant çà et là, arriva à la femme. Elle l'ignora tout à fait et il dut retourner bredouille dans son territoire et à sa solitude. Mais il resta à l'affût, oreille tendue.

Donald quitta la table sans rien ajouter au peu qu'il avait dit jusque là. Il se rendit à sa chambre, s'allongea sur son lit. Les mains croisées derrière la nuque et le regard plongé dans l'absence, il entreprit de chercher une solution au problème nouveau créé par la résolution d'un autre. Poser la question, c'était se tromper lui-même car la réponse était déjà toute faite dans sa tête. Sans réfléchir, son père avait lancé l'idée de partir pour l'Ouest; il était clair que c'était à lui, l'héritier du bien paternel, de sauvegarder son avenir en partant pour un an.

«Go West, young man!» C'était écrit partout: dans les livres, les almanachs, les journaux et souvent même sur des affiches placardées dans les gares.

Non seulement pourrait-on assurer le paiement annuel sur l'hypothèque mais encore, lui serait-il possible de ramasser du beau capital pour mieux s'établir, pour agrandir la ferme, améliorer les bâtisses, bref pour faire de Marion la femme du plus riche fermier du canton.

Oui, mais saurait-elle l'attendre, la Marion? Probable! Mais avait-il le droit de s'en aller à l'autre bout du pays, si loin qu'il ne pourrait en revenir que l'année suivante, alors qu'un grand malheur était sur le point de fondre sur elle? La question lui avait fait quitter la table. Il avait cherché refuge dans la solitude, sa meilleure conseillère, pour réfléchir à cela surtout. Rester, c'était risquer de perdre la terre et de condamner ses parents à la honte de se voir déposséder pour dette; partir, ce serait marcher sur le coeur de la pauvre Marion.

Le temps perdit ses droits. L'obscurité les lui redonna quand Donald émergea de ses pensées. Aucun bruit ne lui parvenait d'en bas: ses parents devaient dormir maintenant. Il se laissa glisser sur les genoux à côté de son lit, prenant garde de ne pas trop faire bruire la paillasse de paille, et il s'approcha de la fenêtre pour questionner le ciel. La voûte céleste n'était plus maintenant que du noir d'encre: ni quartier de lune, aucune lueur, pas la moindre étoile!

Il trouva une allumette sur la table de chevet, la frotta sur le plancher. Quand le clair-obscur se mit à danser devant ses yeux fatigués, il se rendit compte qu'il avait omis de remplacer la bougie qui s'était entièrement consumée l'autre nuit. Alors il laissa brûler la tige de l'allumette jusqu'à ses doigts et, au dernier moment avant de se brûler, il jeta le bout dans le plat de fer blanc.

Il demeura longtemps là puis assis sur le bord de son lit à chercher la lumière, les bonnes réponses dans ses pensées houleuses et des sentiments contradictoires. Et parfois, le pénible rêve dont s'était plainte Marion lui revenait en mémoire.

Ω

Dans les jours qui suivirent, Donald se fit peu loquace. Quoique incertain, le ciel avait quand même permis aux hommes de nettoyer deux âcres d'un terrain particulièrement difficile, embroussaillé, rocailleux. Le jeune homme travaillait comme un déchaîné et quand venait le temps de s'arrêter, il trouvait refuge dans un silence taciturne qui inquiétait sérieusement son meilleur ami. En cette époque, les gens n'avaient pas le réflexe et l'habitude de sauter à pieds joints dans l'âme des autres pour l'ausculter. Norman attendit jusqu'au samedi pour demander à Donald ce qui n'allait pas. L'autre répondit par une simple question qui constituait un aboutissement, une conclusion et une décision:

—Si je te disais que nous allons partir ensemble pour l'Ouest après les foins, tu répondrais quoi?

—Yahououou... cria joyeusement Norman qui jeta aussitôt son chapeau cabossé le plus loin possible.

Au repas du soir, à la table des Morrison, il y eut le bavardage habituel quant aux travaux de la journée. Donald rayonna. Il finit de manger et entre deux gorgées de thé chaud et fort, il annonça sa décision de partir pour l'Alberta.

—C'est le bon moyen et probablement le seul comme le disait papa. Sauf que c'est moi qui irai parce que je suis jeune, en bonne santé et..

—Mais c'est qu'on a besoin de toi ici, murmura Murdo suite au regard bourré de remontrance que lui avait adressé Sophia à l'annonce faite par leur fils.

—Cet été, je vais vous aider pour les foins et ensuite, je partirai.

—Oui, mais il y a tout le reste. Tout seul, je vais manquer

de forces. J'ai soixante-huit ans, Donald, pas vingt-deux ans comme toi.

–Vous vous sentiez capable de partir pour l'Ouest l'autre jour...

–Je disais ça pour parler, pour rien dire...

–Vous pourrez compter sur mes frères Norman et Murdoch. Pour les plus gros travaux, ils viendront vous donner un coup d'épaule et moi, pas tard le printemps prochain, je serai revenu. Vous êtes capable de vous occuper des vaches tout seul.

–Tes frères ont leur barda à faire eux autres aussi, opposa Sophia qui buvait à petites gorgées depuis sa tasse enveloppée de ses mains et tenue haut devant son visage, presqu'aux yeux.

–Et il y a les voisins qui pourront vous aider de temps en temps. Ils vont comprendre pourquoi je suis parti et vous leur direz que c'est pas pour longtemps. On leur a donné beaucoup de temps, nous autres, dans le passé.

–Oui mais ils nous l'ont rendu.

–Les voisins ont aussi leur ouvrage à faire, commenta Sophia qui cherchait à réfuter tous les arguments.

Donald s'enflamma:

–Dans un an, rien qu'une petite année, je serai là avec tout l'argent qu'il faut pour m'établir solidement, pour m'établir à demeure, sans dettes et avec un petit magot devant moi pour me marier.

Sophia, le visage mafflu auquel des paupières tombantes donnaient un air accablé, se contenta de hocher la tête à plusieurs reprises en soupirant.

–Maman, l'ouvrage va se faire quand même ici, vous allez voir, insista son fils.

–Par qui? lança-t-elle blasée. Regarde ton vieux père usé par le temps et la misère...

C'était par le sentiment qu'elle espérait dissuader Donald

de partir. En femme avisée, elle atteignait souvent ses buts en passant par cette voie. Mais les décisions finales relevaient des hommes.

–Tout chacun va y mettre la main: Murdoch, Norman, les voisins...

Elle s'obstina:

–Ils ont tous des bouches à nourrir...

Il perdit patience.

–Maudite histoire, si mes frères sont trop sans-coeur pour s'occuper du père durant un an, que le diable les emporte avec lui dans son enfer!

Les remords de Murdo se transformèrent en colère excessive. Il s'insurgea, il frappa la table de son poing crispé, s'écria:

–Donald, ne prononce jamais plus des mots semblables sous ce toit. C'est assez pour nous attirer tous les malheurs sur la tête.

Mais le jeune homme ne se laissa pas démonter. Il dit avec fermeté et autorité:

–Ce que je veux dire, c'est qu'après vous être endetté pour les aider à s'établir, la moindre chose qu'ils puissent faire pour vous, c'est de vous aider quand je ne serai pas là. Et puis on discute sur leur dos comme si Norman et Murdoch étaient des égoïstes qui refuseront leur aide. Ils ne vont pas vous laisser avoir de la grosse misère. S'il faut que je leur envoie des petites récompenses en argent de temps à autre, je le ferai. Des Écossais comme nous autres, ça se serre les coudes quand c'est le temps!

Ce ton conciliant et sûr de lui calma le père qui replongea ses yeux dans sa tasse.

–Je comprends que ça vous fasse un peu peur de me voir partir: il se dit tant de choses sur l'Ouest. Premièrement, je vas faire attention à moi et deuxièmement, c'est rien que pour un an.

–On dit ça! fit Murdo.

–Et la Marion, elle? s'enquit Sophia.

Donald ne répondit pas sur-le-champ. Il se leva et marcha jusqu'à la fenêtre pour regarder au loin un jour iridescent qui commençait à coiffer les montagnes.

–Ça, laissez-moi faire. C'est à moi d'arranger les choses avec elle.

–Elle est trop timide, la petite fille, pour faire valoir son point de vue, dit Murdo. Tu vas lui briser le coeur en partant. Elle t'aime et elle pense que tu vas la marier bientôt. Elle ne dit pas ces choses-là, mais on peut les lire dans ses yeux...

–Vous pensez pas que ça vaut la peine de se séparer pour un an? Une fois fait, c'est tout le monde qui va en profiter, à commencer par Marion.

La discussion se poursuivit encore longtemps. Elle passa et repassa sur les vieilles considérations quant aux dangers de l'Ouest: les saloons, les voleurs, les tueurs, les Indiens...

Donald resta inébranlable. Sa décision était entourée d'une muraille imprenable. Il avait soigneusement pesé le pour et le contre et avait arrêté son destin. Ses parents surent qu'il n'en démordrait pas. Leur fils, quand il avait fini de se poser des questions et de branler dans le manche, agissait en ligne droite avec l'entêtement d'un Écossais authentique. Cette détermination se pouvait lire dans la découpure des traits de son visage avec ce nez qui pointait droit devant, ces yeux qui approfondissaient toutes les choses, ce front carré donnant le ton à un crâne taillé à la hache, recouvert de cheveux abondants mais très courts. Une sorte de fermeté loyale émanait de l'ensemble de sa personne auquel une moustache s'épaississant ajoutait bien deux ou trois années.

–Tu es majeur, conclut Murdo qui finit par se résigner. Pars si tu veux. Mais ne t'attends pas de trouver nécessairement ce que tu veux là-bas. Et si tu ne le trouves pas, ne reproche jamais à ton père d'avoir mené sa vie d'une manière qui t'oblige à te sacrifier...

Ferme de Murdo Morrison à Mégantic

On remarque en arrière-plan le lac Mégantic gelé.

C'est pour cette ferme qui doit lui revenir en héritage que le jeune
Donald Morrison s'exile dans l'Ouest début des années 1880.

–C'est pas un sacrifice... Partir un an, ça va me faire du bien, ça va m'aider pour toute ma vie, pas rien qu'à cause de l'argent mais aussi parce que je vais avoir vu quasiment le monde entier.

Il se fit une pause. Donald regardait toujours par la fenêtre le lac et les montagnes comme s'ils avaient été de grandes prairies herbeuses. Puis il dit une fois de plus ce qu'il avait répété à maintes reprises mais en des mots nouveaux qu'il voulut encore plus convaincants:

–Dans six ans soit cinq ans après mon retour de l'Ouest, toute la terre sera faite d'un travers à l'autre, du grand chemin jusqu'au trécarré. Je vas m'engager du monde: un homme. Vous, le père, vous n'aurez plus rien qu'à nous regarder faire par le châssis en fumant tranquillement votre pipe. Vous vous reposerez pour le restant de votre vie si vous voulez...

Murdo grogna:

–C'est pas à rien faire qu'un homme se repose. Mon ambition et ma plus grande gloire, ce serait de mourir la faucille à la main. À l'ouvrage comme un vrai Écossais! Et c'est ça qui va arriver.

–C'est pas forcément toi qui vas décider, dit Sophia. Si tu étais jeté à terre, cloué au lit comme la mère de la blonde à Donald, c'est dans ton lit que tu mourrais, pas la petite faux dans tes mains.

–Je le sais que nos vies sont entre les mains du ciel mais on a de quoi à y faire, nous autres aussi.

–L'autre fois, fit Donald, vous disiez que les oiseaux ne sèment ni ne moissonnent comme le dit l'Écriture...

–C'est ça: il y a des deux. On fait notre possible puis le Seigneur nous vient en aide.

La remise en question répétée, les objections, les reprises: voilà le processus qui permettait à ces âmes frustes, toujours indécises quand les voies n'étaient pas tracées d'avance par les autorités civiles ou religieuses, d'asseoir définitivement et solidement une intention déjà plus ou moins établie. Et lorsque l'un tranchait sur un ton solide, ferme, arrêté, il fallait souvent comprendre, voir en filigrane un appel à une discussion ultime.

Donald déclara fort et net:

–Si je ne pars pas, on court au désastre; donc la question est réglée, je pars.

Plutôt de s'objecter par des mots, Murdo s'enveloppa le visage de mains tremblantes et il serra fort pour geler des larmes qui montaient trop vite et ainsi mieux maîtriser sa douleur morale. Il haussa les épaules pour signifier à son fils qu'il se pliait à sa décision.

Sophia avait quitté en douceur et en discrétion. Donald l'avait vue partir sans la voir. Il réalisa tout à coup qu'elle n'était plus là, qu'elle s'était réfugiée dans la chambre, que la pauvre femme y pleurait très certainement. Mais il demeura impassible. Après tout, il ne serait pas le premier à quitter la maison et sa mère avait réagi de la même façon chaque fois qu'un enfant avait quitté le nid. Sauf que lui, maintenant, était le benjamin de la couvée et le seul oiseau toujours là. Malgré tout, ces pleurs de ses parents avaient quasiment de quoi le réjouir. Il s'imaginait que ce serait mille fois pire si on les expulsait de leur maison, de leur ferme faute d'avoir payé leurs dettes et rencontré leurs obligations quant à l'hypothèque.

Il se rendit à sa chambre et cessa de penser à eux. Il fallait quelqu'un de raisonnable dans cette maison et c'était lui. Si leur âge avait fait se réduire les forces morales de sa mère et surtout de son père, il compenserait par la sienne.

Un peu plus tard, il redescendit afin de procéder à un rituel du samedi après-midi. Tout d'abord, il se monta un paravent de fortune et de pudeur autour du poêle et de l'évier, constitué d'un séchoir à linge et de grands draps de lin jaunâtres et épais. Puis il se rendit quérir une grande cuve de bois pendue au mur derrière la maison. Il ne manquait plus pour compléter cette salle de bains parmi les plus modernes chez les gens ordinaires des cantons qu'une barre de savon du pays et quelques guenilles, les unes pour laver la peau et les autres pour l'essuyer. Ensuite il retourna à sa chambre prendre son habit du dimanche, un col, une chemise, une cravate, des chaussettes propres et ses souliers fins. Un bassin d'eau était déjà à chauffer sur le deuxième pont du poêle. La vapeur disait qu'elle était prête.

Par tous les cantons, des jeunes gens se bichonnaient ainsi pour aller voir leur fiancée. Il fallait partir tôt car les parents ne toléraient pas qu'on veillât plus tard qu'eux. Jeunesser avait ses règles strictes en cette communauté pieuse et qui possédait le même respect de sa religion et de la morale que l'autre communauté qui formait le pays, les Canadiens français tout aussi nombreux que les Écossais maintenant dans le secteur immédiat de Mégantic. Et puis, certains comme Donald Morrison avaient longue route à faire. Un bon douze "miles" dans son cas puisque Marion demeurait à Marsden (Milan). Or la jument des Morrison n'était pas la plus véloce du canton.

Le repas fut pris tôt. Des oeufs durs, du lait câillé saupoudré de sucre d'érable, du pain de ménage mais surtout un silence solennel. Il fallait digérer cette journée indigeste.

Puis Donald attela la Gueuse et prit la route de Marsden. Il fit trotter l'animal sur plusieurs arpents au mille. Et pourtant, il n'avait guère hâte de se trouver en face de Marion, d'avoir à lui avouer la nouvelle et pénible décision qui la heurterait car si elle ne l'avait jamais déclaré en des mots clairs, il savait qu'elle l'aimait profondément. Par bonheur, l'argument-clé lui revenait toujours sur le bout de la langue: un an, seulement un an, pas plus qu'un an là-bas, dans l'Ouest, quoi qu'il arrive, quelles que soient les circonstances.

Chemin faisant, Donald salua plusieurs enfants. On le voyait venir de loin dans sa flamboyante voiture fine astiquée de bout en bout et que le soleil encore haut puisqu'on était en juin, embrasait de tous ses feux, des feux noirs rendus par le cuir de la banquette et du harnais, les bois de la carrosserie et des menoires, les aciers des lames de ressort, et des feux rouges remis à l'oeil par les rayons des roues et les accessoires de l'attelage. Salut mon petit McNeil, salut mon petit Picard. Il parlait en gaélique ou en français selon la nationalité de ceux qu'il rencontrait. L'intolérantisme n'avait guère sa place dans les cantons quoique le mouvement vers ceux de sa communauté de préférence en certaines circonstances fût naturel là comme partout ailleurs de tout temps. Les petits se cachaient souvent derrière les plus grands mais tous étaient près du chemin pour recueillir cette belle surprise sans cesse renouvelée d'un passant aux allures de grand seigneur qui prenait la peine de les saluer et de leur sourire. Souvent réservé avec ceux qu'il ne connaissait pas, Donald devenait lui-même un enfant parmi les enfants: mu par de beaux rêves dorés, animé de joyeusetés, découvreur, pétillant, batifolant dans une liberté sans mesure mais sans cesse de retour à son port d'attache.

Un peu plus d'une heure de belle route peu accidentée le mena à Marsden. La Gueuse s'arrêta dans la cour à côté de la maison des McKinnon, soulagée, suant, la broue entre les jarrets. Donald descendit, détela, conduisit la bête à la grange, une étroite bâtisse basse, comme engoncée dans la terre.

La Gueuse hennit quand elle entra dans la stalle que son maître lui allouait. L'odeur du foin peut-être? Celle de l'eau? Ou probablement celle d'une autre jument voisine de parc, blonde comme les blés, à naseaux frémissants, secoués, paraissait-il, d'un tic nerveux. Donald se rendit chercher une brassée de vieux foin archisec, des restants de l'année précédente, et il soigna sa bête. Il voulut en donner aussi à l'autre jument qui le gratifia d'un coup de tête et d'une tentative pour le mordre. Au moment de repartir pour la maison, une voix se fit entendre et qu'il reconnut mais qu'il n'attendait pas:

—Je vais envoyer ma jument à l'herbe d'abord qu'on va pas s'en servir avant demain, dit le père de Marion.

Donald savait la bête chicanière. Il dit:

–Peut-être qu'à les laisser plus longtemps ensemble, elles finiraient par s'entendre!

L'homme rajusta son chapeau qu'il portait toujours sur sa nuque et déplaçait souvent pour le remettre chaque fois au même endroit de toujours, geste qui lui donnait l'impression de brasser un peu ses idées.

–Justement pas! La mienne est bonne de route, mais c'est une solitaire et elle n'endure pas les autres.

Il se rendit détacher la bête, la fit reculer d'un bras fortement secoué par les coups de tête, puis il la conduisit jusqu'au champ de pacage dont la barrière touchait presque la grange.

Donald attendit dans l'embrasure de la porte de l'étable, observant l'autre. Le coffre solide, le pas alerte qui imprimait à sa colonne un mouvement de ressort, un cou de taureau, l'homme lui donnait à penser à un bison: image qu'il eût été le seul à se fabriquer ainsi et qui naissait de ses préoccupations du jour en train de devenir des obsessions. Et cela le mena à réfléchir une fois encore sur les mots les plus judicieux à servir à Marion pour lui annoncer son départ.

L'homme donna une claque sur la fesse de sa jument blanche mouchetée; elle sursauta, sauta dans une torsion et une ruade et elle se mit à courir vers le sommet de la pente où il ne se trouverait plus d'êtres humains pour l'attacher, la picosser, l'achaler. Puis il referma la barrière et rajusta le collet de broche afin de la fixer à la clôture.

–Quen, comme ça, elle va sauter tant qu'elle va vouloir sans se chicaner avec personne, commenta le personnage dans une moue de débarras.

–J'aurais pu attacher mon cheval dehors, moi aussi.

–Non, non, non, protesta McKinnon de retour auprès du jeune homme. Aurait fallu que je la mette à l'herbe aujourd'hui. C'était entendu qu'on devait se rendre à Winslow pour le souper mais ma femme... elle a beaucoup de misère à respirer aujourd'hui. Winslow, c'est à une bonne heure d'ici, hein! Si elle prend un peu de mieux, on se reprendra la se-maine prochaine.

L'homme rajusta son chapeau encore une fois; il regarda au loin le front soucieux, soupira:

–Si sa maudite bronchite peut donc la lâcher qu'elle se relève un bon matin!

Incapable d'ajouter quelque chose d'optimiste, Donald laissa son regard se perdre dans la forêt. Il dit:

–Ça commence à être sec; que le Seigneur nous protège des feux!

McKinnon regarda dans la même direction mais sans rien voir, l'oeil désabusé. Et il revint aussitôt à la seule chose qui le préoccupait ces jours-là:

–Le plus dur, c'est d'essayer d'encourager quelqu'un qui dépérit à vue d'oeil.

Donald comprit que l'homme avait une idée assez juste du mal dont souffrait sa femme. Au fond, il se doutait de la cruelle vérité mais en surface, il refusait de l'envisager. Peut-être valait-il beaucoup mieux faire de même. Et il regretta les doutes qu'il avait émis à l'endroit du docteur Millette. Et il parla à nouveau des risques d'incendie de forêt comme il y en avait chaque année quelque part dans la province. Le ton un peu péremptoire, il déclara:

–D'abord qu'il faut faire de l'abatis quand même, autant que ça se fasse par la grande nature du Seigneur!

McKinnon lui mit une main dans le dos comme pour le pousser en avant, dit:

–Entrons! La Marion, elle t'attend même si elle va faire semblant qu'elle ne t'a pas vu arriver.

L'observation plut à Donald. Il sourit intérieurement. Et il emboîta le pas à cet homme au front labouré par les rides de l'angoisse et qui devint plus songeur encore après avoir jeté un coup d'oeil à quelques-uns de ses enfants qui jouaient plus loin sur le chemin gris avec d'autres du voisinage. Quand la brunante étendrait son aile sur le canton, les plus vieux ramèneraient les autres à la maison.

Cette bâtisse n'était pas aussi bonne que la demeure des Morrison. La jouée du mur étant plus mince, cela signifiait que l'isolation par les planches et l'épaisseur de bran de scie était moindre. Était-ce la rigueur des nuits de janvier qui avait condamné à mort la mère de Marion? La consomption, quelle épouvantable façon de mourir à petit feu dans une agonie qui n'en finissait pas! Malgré la douceur du soir, Donald frissonna à ses propres pensées. L'autre loqueta pour avertir qu'il entrait. C'était la façon de frapper des gens polis et prévenants.

L'intérieur, lui, ressemblait fort à celui de la maison des Morrison à Mégantic. Deux pièces à chaque étage. En bas, une cuisine et la chambre des parents. Et en haut, deux chambres où logeaient tous les enfants. Tout y respirait l'ordre, la tranquillité, la propreté. Flottaient dans l'air des odeurs d'été, de foin coupé, de fleurs, de feuillus qui entraient à profusion par des fenêtres toutes grandes ouvertes et bloquées par du fin treillis. Car on était au point maximum de la saison des moustiques. Les maringouins traquaient tout ce qui ne bougeait pas assez nerveusement, forçant les chevaux à courir frénétiquement vers nulle part et les vaches à se cornâiller dans des attaques libératrices. Ils s'infiltraient partout, par les moindres interstices des murs de granges et chambranles de portes, hypocritement, habilement, comme des guerilleros d'une armée intraitable avec laquelle aucune trêve n'était pensable. Il y avait dans leurs aiguillons tous les subterfuges qu'il soit possible d'inventer pour profiter de leurs victimes: l'approche silencieuse, l'atterrissage en douceur, le forage indolore, le décollage vertical... Il fallait donner le maximum d'air à la malade qui souffrait si cruellement d'orthopnée tout en la protégeant de ces insectes impitoyables.

Il n'y avait personne dans la cuisine. McKinnon leva la tête et regarda vers l'étroit escalier qui, après un angle droit en son milieu, s'enfonçait dans un plafond de bois rugueux chaulé.

–Marion doit être dans sa chambre. Tu peux t'asseoir, mon gars.

Il approcha une berçante à Donald qui resta debout pour le moment comme n'osant s'asseoir pour une raison qu'il ne se donna pas. Il était là simplement, dans l'attente de quelque chose, ou quelqu'un.

McKinnon s'était trompé. La porte de la chambre s'ouvrit discrètement et livra passage à la jeune fille dont le visage tourmenté s'éclaira tout de même un peu quand elle vit son ami.

Elle referma la porte et dit à voix étouffée:

–Elle a encore recommencé à cracher du sang.

Elle désigna le bout de son petit doigt, ajouta:

–Et là, c'est des caillots gros comme ça.

McKinnon se mit à hocher la tête. Machinalement et pourtant rageusement, il ôta son chapeau et le jeta sur une chaise. Puis il serra les poings, les souleva comme pour frapper, écraser la fatalité, mais c'est elle qui les lui plaqua sur les flancs. Il espaça des pas hésitants vers la porte, se retourna pour dire sur un ton rude sonnant faux:

–Marion, reste avec Donald, moi, je vais m'occuper de ta mère.

Et il entra sur des pas feutrés. Sans l'avoir voulu, il laissa à Donald tout le temps de voir la malade. Vision insupportable! Des yeux vitreux à contours charbonneux croisèrent les siens. Une immense tristesse, un désarroi impensable en sortirent quand elle vit le jeune homme à son tour. Le visage blafard, anguleux, ossu, écrasé dans un oreiller blanc se retourna pour ne pas être vu plus longtemps. La femme avait honte de sa faiblesse, de son mal, de cette consomption qu'elle savait bien se trouver là au creux de sa poitrine. On ne s'alite pas quand on n'a pas encore quarante ans, se disait-elle souvent comme pour mieux alimenter son remords.

Donald questionna Marion des yeux puis des mots:

– Est-ce que je pourrais... aller la saluer?

Marion grimaça:

–Non... pas ce soir. Elle est trop faible et déprimée. Dans les jours qui viennent, elle prendra du mieux. Tu pourras la voir dimanche prochain.

Donald n'insista pas. Il s'inclina, replia son bras sur sa poitrine et se mit à jouer avec la chaînette de sa montre. Il avait un peu de mal avec son col dur qui l'emprisonnait un peu trop, mais il n'y songeait guère. Son veston était attaché par le seul bouton du haut afin que son foulard de soie restât bien en place, ce qui, par contre, ne rendait pas justice à la carrure de ses épaules.

Comme lui, Marion était à son mieux. Elle avait mis sa plus jolie robe, celle à fond brun et à fleurs d'amande, et qui, à cause de sa longueur, lui donnait de la grandeur. Sa taille se perdait dans les plis fins d'une jupe qui allait en s'élargissant pour recouvrir ses pieds et former un grand cercle inégal sur le plancher. Des mèches de cheveux lui retombaient sur une épaule; elle les rejeta dans son dos d'un coup de tête gracieux.

Elle marcha vers la porte et suggéra simplement:

–Allons-nous en dehors.

Chacun n'avait à découvert que la peau du visage et des mains; on se défendrait mieux des morsures des cousins et des mouches noires. Et puis, il y avait sur la galerie un éventail de fortune, fait de tissu de jute, très grand avec long manche et qu'il suffisait de tenir debout et de faire pivoter sur son axe pour qu'il génère un déplacement d'air suffisant à faire se déplacer aussi ces petits vampires indésirables devenus maîtres de la place et des cantons.

Il la suivit. Elle prit un bout du banc. Il mit l'éventail en place entre eux et commença aussitôt à l'agiter, disant:

–Fait beau, fait doux, ça sent bon. On dit que nos cantons, c'est le plus beau coin du monde. Mes parents sont venus au monde en Écosse: ils en savent plus long que moi sur la question. Parce que moi, j'ai pas vu grand pays dans ma vie...

Il s'interrompit. Le moment était loin d'être le bon pour annoncer sa décision de partir. Marion ne devait pas croire qu'il le faisait pour la recherche d'aventure. Son regard descendit le court escalier qui se jetait dans un lit de végétaux épars de chaque côté d'un étroit sentier de terre tapée. Le pied de la galerie était en herbe écrasée, mélange de sainfoin, de fougère et d'herbe à cochons, de plantain et de chou gras. Une végétation laissée à elle-même, sauvage et libre.

Puis il se fit une longue pause. Chacun resta là, adossé au bardeau gris du mur, muet, ému, intimidé. Donald brassait encore les mots pour dire sa décision. Il lui arrivait de la regretter comme en ce moment. Toutes ces images affligeantes qu'il venait de revoir en sa tête: l'angoisse dans les yeux de la malade, la rage muette de McKinnon, les peurs de Marion racontant son triste rêve dans un champ d'abatis...

La jeune fille laissait se perdre son regard dans des lointains familiers et pourtant chargés de mystère. Car si elle pouvait les apercevoir depuis son enfance, jamais elle n'aurait pris les risques de s'y aventurer seule comme les hommes, son père, Donald, les pêcheurs, chasseurs... Puis elle ramena ses yeux plus près, dans l'étang de l'autre côté de la route, une mare sombre, inutile et dangereuse pour les enfants, habitat des grenouilles, quenouilles et insectes de tout poil. Le soleil traversant les arbres coupait la surface de l'eau d'un trait large et brillant qui venait se refléter dans le regard timoré et mouillé de la jeune femme. Elle jeta soudain, la voix étreinte:

–Maman va mourir, je le sais.

–C'est pas une chose à dire!

–Maintenant, elle ne veut même plus que les enfants s'approchent de son lit. Il faut qu'ils restent à la porte de la chambre quand elle leur demande de venir la voir. Il n'y a plus que papa et moi qui avons sa permission pour aller jusqu'auprès d'elle. Elle dit que c'est plus prudent comme ça, que les enfants pourraient attraper sa bronchite et en mourir.

Je pense qu'elle fait de la consomption et qu'elle le sait au fond d'elle-même, et qu'elle sait qu'elle va en mourir.

Le jeune homme ne put se contenir; il dit, désolé:

–C'est aussi ce qu'en pensent mes parents.

La gorge serrée, Marion ne put empêcher des larmes de rouler sur ses joues pâles. Elle marmonna:

–Il ne faut pas, il ne faut pas.

Lui se mordit les doigts pour avoir trop parlé. Il avait le sentiment d'avoir enfoncé le poignard qu'une autre main, celle du Seigneur, dardait dans le coeur de la jeune fille. Et le pire n'était pas encore venu. Il aurait à la blesser plus atrocement encore avec l'annonce de son départ. Il se pencha en avant selon sa vieille habitude quand il s'asseyait ainsi dehors sur une galerie mais sans s'arrêter de faire bouger l'éventail. Et il dit entre ses doigts, une main sur la bouche:

–Peut-être... que le Seigneur fera quelque chose...

Comme une enfant coupable et punie, elle dit, résignée et impuissante:

–J'ai prié... prié de toutes mes forces... depuis des semaines et des semaines... Ici, à la maison, dans les champs, à l'église, pourtant sa santé va de mal en pis... Le Seigneur ne veut pas de mes suppliques...

–Il faut persévérer, il faut s'entêter. Le Seigneur va bien finir par nous entendre tous!

Marion voulait oublier pendant quelques minutes, une heure, la tragédie qui se déroulait dans la maison et dans son âme. Elle fit une proposition:

–Allons marcher sur le chemin jusqu'au lac, comme dimanche passé. La paix est si grande là-bas...

–Et les enfants?

Marion fut surprise de cette inquiétude. Les enfants restaient souvent sans aucune surveillance et s'il arrivait que l'un d'eux se perde dans la nature, on se mettait à sa recherche et on le retrouvait ou bien il revenait à la maison par ses propres moyens. Mais il se trouvait que la famille de Donald avait été bien moins nombreuse que celle de Marion et surtout que lui en était le dernier. En fait, il avait été suivi de loin par Sophia mais croyait l'avoir été de près.

–Papa est là.

Ils marchèrent à bons pas au début pour faire échec aux moustiques puis plus lentement, quand à l'approche du lac, le vent commença à se faire sentir. Sur la côte surplombant l'eau, on assista au coucher du soleil, grand disque rouge qui laissait traîner ses couleurs comme des pavillons étendus sur la surface noirâtre et argentée. On ne se dit à peu près rien. La nature discourait pour eux. Ce n'est qu'au moment de rebrousser chemin que Donald trouva enfin ce qu'il fallait dire à Marion pour que sa souffrance ne fût pas intolérable. Et c'était un serment, un serment qui l'engagerait pour l'éternité, lui qui n'avait jamais manqué à sa parole de toute sa vie, à l'exemple de Murdo, son père.

Il la fit s'arrêter, prit sa main dans les siennes, l'enveloppa en précaution dans un geste protecteur, un geste d'immersion d'elle et... en elle, et il dit, la voix contrainte:

–Marion... je voudrais que... tu deviennes ma femme... si tu le veux...

Elle ferma les yeux, hocha la tête.

–Pourquoi me demander cela maintenant, Donald? Tu sais bien que je ne le pourrais pas. Je dois m'occuper de maman, prendre soin de la famille. Il y a tant à faire dans cette maison. Et si maman mourait, ce serait pareil...

–J'ai pas fini... Moi non plus, je ne le pourrais pas maintenant. Il faut que je gagne de l'argent, beaucoup d'argent. Faut que je règle toutes les dettes sur notre ferme pour qu'elle soit claire à moi ensuite. C'est pour ça que je vas partir un bout de temps... pas longtemps mais un bout de temps... Aussitôt que je vas revenir, on va se marier. Je vais t'écrire souvent. Même si je vais être loin, ça sera comme si...

–Tu vas t'en aller dans l'Ouest, n'est-ce pas?

–Six mois, un an pas plus. C'est comme ça que je vais pouvoir ramasser de l'argent, beaucoup d'argent.

La brunante progressait, estompait leurs silhouettes. Le miroir de l'eau ne laissait plus maintenant deviner que des profondeurs noires et effrayantes. L'âme de Marion se transformait en gouffre sans fond dans lequel tout son être plongeait, tourbillonnait, se faisait aspirer par la solitude et un terrible sentiment d'abandon.

Elle ricana pour trouver la force de parler:

–Je savais bien que mon rêve finirait par se réaliser. Je le savais bien...

Il crut qu'elle parlait de leur futur mariage et déclara, bouleversé:

–Si tu acceptes ma demande, alors il faut qu'on s'embrasse. C'est ça, le sceau que les fiancés mettent sur leur serment...

En même temps, il l'entraîna vers lui, mit ses mains rudes sur ses joues, cherchant à scruter son âme par ses yeux. Mais il ne pouvait plus voir à cause de l'obscurité trop grande. Ses doigts devinrent fébriles quand il sut que leurs visages allaient se rejoindre, se toucher pour la première fois.

C'était une nuit sans lune. Des étoiles constellaient le ciel d'encre comme autant de petites graines d'espérance qui allumaient en la substance du jeune homme les feux de tous les désirs: celui d'aimer Marion à jamais, de lui bâtir un avenir dans le sien, de faire d'elle la mère de ses enfants. Il se sentirait un homme désormais et pour toujours. Et un vrai comme tous les hommes des cantons!

Sa griserie s'estompa et fut remplacée par le souci quand sa bouche toucha enfin le visage aimé car Marion avait les joues brûlantes, barbouillées de larmes, et il devinait bien qu'elle ne pleurait pas de bonheur.

–Qu'est-ce qu'il y a? Pourquoi pleures-tu? Parce que je vais m'en aller quelques mois?

Il se trouva stupide de poser pareille question. Elle avait

toutes les raisons de pleurer maintenant. Elle fit néanmoins un signe de la tête. Encouragé par cette marque d'amour, il enveloppa plus encore, avec toute la tendre fermeté qu'il pouvait, le doux visage afin de lui transmettre encore mieux son message, sa foi en l'avenir, son merveilleux projet:

–Vois-tu, c'est la solution à tous nos problèmes. L'argent va sauver mes parents et va nous sauver, toi et moi. En m'attendant, tu pourras prendre soin de ta mère, de ta famille. Comme ça, tout va s'arranger. On va s'attendre, on va s'écrire... De nos jours, c'est facile de s'envoyer des lettres; ça prend même pas trois semaines pour qu'une lettre en partance de l'Ouest arrive par ici. Tu peux me croire, je me suis renseigné à la gare. Quand je reviendrai, aussitôt que je reviendrai, on se mariera et on s'installera chez nous, sur notre terre à nous autres et rien qu'à nous autres.

Il la questionna des doigts et du ton. Elle refit un second signe de tête affirmatif. En elle, le désir de vider son corps de toutes ses larmes refoulées et son esprit de toutes ses peurs devint si aigu, si difficile à contrôler qu'elle y céda tout à coup violemment. Et elle se jeta dans ses bras, s'y lova, s'y abandonna pour trouver paix et délivrance. Toutes les pressions subies ces derniers temps éclatèrent, se transformèrent en longs sanglots agités, torrentueux.

Il la serra fort et longuement, ne se lassant jamais de lui caresser les cheveux, de l'apaiser par ses gestes répétés, rassurants. Quand il vit qu'elle commençait à se calmer, il lui dit:

–Tu vas voir, tu vas voir...

–Qui sait si, rendu là-bas, tu ne feras pas comme le fiancé de Regina Graham? Peut-être que tu m'oublieras bien vite, peut-être que tu rencontreras quelqu'un d'autre qui te fera réaliser que Marion McKinnon n'est qu'une pas grand-chose? J'ai peur...

Vibrant sous la torture exquise, il souffla les mots avec une foi si grande qu'il n'aurait pas pu en avoir une aussi forte dans le Seigneur lui-même:

–Oh, Marion, est-ce qu'un homme peut oublier ses parents? Est-ce qu'un homme peut oublier son pays? Est-ce qu'un homme peut oublier son amour, sa fiancée? Le Seigneur qui nous écoute m'est témoin et je le jure devant lui: à mon retour, si tu m'as attendu, je vais t'épouser. Le crois-tu maintenant? Il faut le croire, il le faut, Marion!

–Oh oui, je le crois!

–Tu m'attendras?

–Jusqu'à la mort...

Il se fit une pause consacrée à la foi que chacun avait dans l'autre. Alors fut scellé par leurs lèvres réunies le plus vieux, le plus universel et aussi le plus fragile de tous les serments, celui de l'amour éternel.

Ω

Le lendemain, Marion raconta leurs projets à sa mère. La femme approuva par des sourires composés mais authentiques. Et elle demanda à voir Donald la prochaine fois qu'il reviendrait.

C'est avec un respect sacré qu'il pénétra dans la chambre. La moribonde ayant demandé à rester seule avec le jeune homme, Marion referma la porte sur lui. Il resta empesé dans son habit du dimanche, attendant un mot, un geste de cette femme-spectre qui paraissait le regarder depuis un autre monde déjà. Pour libérer un peu sa gorge et donner à sa voix le maximum de force, elle toussota mais sans décoller d'humeurs catarrhales. Et elle dit avec un geste lent de la main droite aux doigts lâches désignant une chaise au pied du lit:

–Assis-toi là, Donald Morrison; j'ai demandé à te rencontrer avant... le grand départ.

Et elle regarda vers le plafond, vers un lointain connu d'elle seule. Le jeune homme obéit en cherchant des mots qu'il ne trouvait pas. Il se sentait de marbre comme Regina Graham au pied de son rocher.

La femme avait quand même meilleure mine que la veille

quand il en avait recueilli la furtive et terrible image. Par les bons soins de Marion, elle avait les cheveux bien brossés. Elle était redressée dans son lit et pouvait donc porter haut ses regards comme ceux d'une vivante fière. Sur la table de chevet avait été mis un petit bouquet de fleurs roses aux allures de marguerites avec bouton jaune au centre, et dont elle ignorait le nom. C'étaient des vergerettes cueillies par les soeurs de Marion aux abords de l'étang. Elle ne fit aucun préambule sur le temps, sur la santé de Donald et surtout pas sur la sienne, et alla droit au but afin de ne pas puiser trop dans sa maigre réserve de forces:

–La Marion m'a parlé de vos projets. Je voulais que tu saches de ma bouche que je les approuve. Tu es l'un des meilleurs garçons des cantons, je le sais.

Elle dut s'arrêter pour tousser à plusieurs reprises, le front barré par les rides de la douleur. À bout de souffle, elle poursuivit néanmoins:

–Je voulais te dire que j'ai une grande confiance en toi, Donald Morrison.

En même temps qu'elle prononçait lentement les mots, elle le regardait profondément, intensément, avec des lueurs de tendresse suppliante au fond des yeux:

–Je sais bien... qu'un jeune Écossais n'en fera jamais accroire à une jeune fille... surtout si ce jeune Écossais est un Morrison.

Le sourire franc du jeune homme fit fondre toute velléité de doute dans l'esprit de cette mère prévoyante. Car elle l'avait fait venir pour ancrer ses projets dans une sorte de serment tacite et silencieux, un serment de ciment fait à une mourante: une parole que le diable lui-même aurait eu du mal à trahir pour peu que ce démon fût de la race écossaise. Pour un instant, elle oublia les coups de couteau qui s'enfonçaient dans sa poitrine et jusqu'à l'angoisse de sa mort imminente.

Le souffle stertoreux mais la voix qui semblait s'être dégagée, elle dit:

–Ta décision de partir est bonne et sera profitable. Marion sera fort occupée en t'attendant. C'est pour ça qu'elle va t'attendre même si tu devais partir pour deux ans.

–Un an, madame, que j'ai dit.

–Mettons deux pareil. Tu serais resté que vous auriez pas pu vous marier plus vite.

–Si vous saviez comme je voudrais être déjà revenu!

–Tu prendras le temps qu'il faudra. C'est l'espérance de ton retour qui sera le meilleur soutien de Marion dans les heures dures qui s'annoncent pour elle à l'horizon. Il lui faudra des mois et peut-être des années pour qu'elle remplisse tous les devoirs que la vie va lui imposer. J'ai un train à prendre, comme toi, Donald Morrison; et je vais le prendre pas longtemps après toi. Mon voyage en sera un aller seulement. C'est le Seigneur qui veut que ça se passe de même. Que son saint Nom soit béni! Ce qui compte par-dessus tout, c'est que les enfants soient entre bonnes mains et les mains de Marion en sont des bonnes. En la sachant là, je peux mourir en paix. Surtout en sachant que plus tard, grâce à toi et avec toi, elle va vivre... vivre... Vivre, Donald, sais-tu ce que c'est?

–Ça dépend... de chacun...

–C'est d'abord d'être capable de penser au lendemain, à l'avenir. Souviens-toi de ça: sans l'espérance, c'est quasiment déjà la mort.

Son élan terminé, toutes les paroles qu'elle avait mesurées, mijotées comme une soupe aux légumes depuis des jours, la femme relâcha les muscles de sa poitrine, de son cou, et elle se laissa retomber au creux de son oreiller et de ses draps. Son mal lui refusa un simple moment de repos et elle se remit à tousser d'une voix à la consonance grotesque d'un cri de coq.

Au bout de la quinte, elle dit, la voix souffleteuse:

–Va retrouver Marion, va! Surtout, fais-leur croire à tous que je pense que ma bronchite guérira comme ce bon doc-

teur Millette le répète. Qu'ils ne sachent pas que je sais!
Promets-le moi, Donald Morrison, promets-le...

Donald fit un signe de tête affirmatif puis garda les yeux
rivés au plancher de bois, incapable d'ajouter quoi que ce
soit, pas le moindre geste pour exprimer quelque chose, rien.

–Va... redit la malade. Il faut que je me repose.

Il se retira, effondré, perdu. Et pourtant, il se sentait plus
déterminé que jamais à courir vers les rivières de cristal des
grandes plaines, vers les promesses de l'Ouest pour s'y emparer à pleines mains de richesses qu'il reviendrait mettre
aux pieds de Marion. Pour qu'elle vive richement et donc
longtemps!

Ω

Dans les semaines qui suivirent, la femme McKinnon prit
du mieux. Elle put se lever, s'asseoir, marcher un peu et même
aller dehors respirer la grande vie des cantons, l'espérance et
la liberté. Et, miracle, un dimanche, elle put accompagner
son mari à Winslow où elle visita ses parents.

Elle continuait quand même de garder les enfants à distance. Le répit, elle le savait, ne durerait pas. Une fois passé
le doux été des cantons, chassé par les grandes fraîches
d'automne, le monstre dans sa poitrine se lancerait à l'assaut
final...

Ω

Juillet n'avait plus qu'un seul dimanche en réserve. Mais
ce serait le plus beau. Pour Donald et Marion, il n'y avait
plus que celui-là avant leur séparation. Tôt le matin, il se
rendit chez elle. Ils se rendirent à l'église de Marsden, assis-
tèrent à l'office et ils retournèrent à la maison à pied comme
ils étaient venus. Ce fut une journée silencieuse et chargée
de tristesse. Au bord du soir, ils se rendirent au rocher de
Régina Graham pour s'y faire un dernier serment, un dernier
adieu. Marion ne pleura point. Pas tant qu'il fut là. Mais
après son départ, elle se réfugia dans sa chambre, derrière le
paravent qui l'isolait des fillettes et elle pleura toute la nuit.

Donald se leva avec l'aube. Deux grosses valises noires attachées à l'arrière de la voiture, le coeur et la gorge serrés mais le visage impassible, il partit pour la gare de Mégantic, accompagné de ses parents. On y fut bien avant le départ du train. Norman MacAuley s'y trouvait déjà, mais seul avec ses bagages, lui. Son père l'avait reconduit et il avait aussitôt fait demi-tour sous prétexte d'affaires à régler au village.

Le train était en gare depuis deux jours soit depuis le samedi soir. Venu des États, il se rendrait à Sherbrooke puis à Montréal. Là-bas, on transférerait pour Albany puis l'on se dirigerait sur Buffalo et Chicago avant d'atteindre l'Ouest américain d'où l'on remonterait vers le nord et l'Alberta. Tel serait l'itinéraire suivi et que chacun d'eux connaissait par coeur depuis longtemps.

Donald avait une bonne maîtrise de ses émotions. Il se tenait debout sur le quai sous le pare-soleil, près d'un banc où ses parents étaient assis. Et il jasait comme un vieux voyageur, lui qui pourtant n'avait jamais mis les pieds au-delà de Sherbrooke. Mais puisque l'Ouest lui appartenait déjà par l'imagination!

Norman allait et venait, entrait dans la gare, en sortait pour donner des renseignements parfaitement inutiles, courait au-devant d'arrivantes pour leur aider à transporter leurs bagages. Sur la voie ferrée, à quelques centaines de pas, la locomotive fumait, sifflait doucement en attendant les ordres de l'ingénieur.

Le train s'ébranla. Il venait se mettre en position de départ, les wagons à voyageurs à hauteur de la gare. À ce moment même arrivait dans la cour, de l'autre côté, une voiture retardataire avec un seul passager et dont le cheval était à bout. Sur le quai, les conversations étaient enterrées par les souffles puissants de la chaudière, les sifflements de la vapeur et les grincements des roues. Le cheval de fer finissait de s'installer.

Tandis que Murdo, Donald et Norman marchaient lentement vers le wagon en se criant des points de vue sur le futur train canadien Montréal-Vancouver dont on parlait tant dans les journaux et dont on disait que la construction commencerait l'année même, au plus tard en 1881, Donald sentit quelqu'un le toucher à l'épaule. Il pensa que c'était sa mère, se retourna: c'était Marion. La main tremblante, elle lui tendit une petite lettre en tâchant de crier par-dessus le vacarme environnant:

–C'est de la part de maman.

Il la prit. Elle put lire son merci sur ses lèvres.

La mère de Marion avait voulu donner à sa fille une occasion ultime de revoir son fiancé. Le lettre ne contenait que de bons voeux en écriture chevrotante et avait servi de prétexte pour envoyer Marion à la gare de Mégantic. Sophia rejoignit Murdo, et les Morrison et Norman prirent quelques pas de distance pour donner aux amoureux leur dernier moment.

Le train siffla, plaintivement puis solidement. Cela voulait dire cinq minutes avant le départ. Marion parlait à Donald avec ses yeux et lui n'avait jamais eu le souffle aussi raccourci. Et l'on resta ainsi, le corps bête, les bras tombés, à s'aimer en silence dans l'agitation d'un quai de gare. Puis il y eut un déclic, un signal lancé par on ne savait quoi et véhiculé par les yeux; il tendit les bras, elle s'y jeta corps et âme. Leur étreinte s'inscrivit, se grava dans l'éternité de leur substance profonde.

Des visages émus la regardèrent se détacher de lui et s'en aller. Elle courait parfois sur deux ou trois pas en relevant jusqu'à ses chevilles le bas de sa longue robe pour ne pas tomber. Elle se rendit ainsi à la gare sans se retourner, longea la bâtisse, tourna le coin et disparut.

Il fallut alors un haut cri de Norman pour ramener son ami à la réalité:

–Hey, dépêche-toi bonhomme, c'est pas le train qui va nous attendre, hein!

Donald détacha son regard de la dernière image de Marion restée présente en lui. Un souffle de vapeur molle vint embuer ses yeux. Alors il devint volubile. Et pour mieux se convaincre une fois encore, il répéta à ses parents tout ce qu'il avait dit cent fois quant aux avantages de cet exil volontaire dans un pays lointain qui était quand même pourtant le sien.

Quelques minutes plus tard, le train partait. De toutes les fenêtres, des gens endimanchés saluaient de la main. Donald fit de même mais sobrement et surtout distraitement. Il cherchait Marion. Mais elle n'était plus là. Alors il se rassit sur la banquette et dit à Norman:

–C'est quoi, une année dans toute une vie, hein!?...

ΩΩΩ

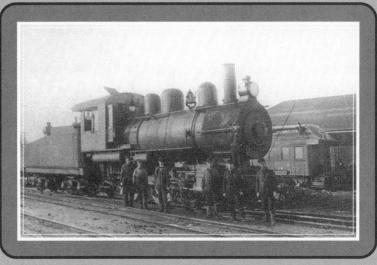

Train et gare de Mégantic du temps des Morrison

Chapitre 3

Coeurs en exil

Pour Donald, ce furent les premiers milles les plus pénibles, là où le chemin de fer et la route vont parallèlement. Contre toute logique, il scruta sans cesse le chemin de terre jusqu'au bout de son regard dans les deux directions dans l'espérance vaine d'apercevoir la voiture de Marion. Il tombait sous le sens pourtant qu'elle se trouvait encore dans le village de Mégantic lorsque le train le quittait. Et il finit par regretter qu'elle soit venue à la gare. Au lieu de cela, elle aurait pu se mettre à l'affût à Marsden près de l'église ou bien à la gare de là-bas. Ils se seraient vus une dernière fois. Il lui aurait crié son amour plus fort que le sifflet de la locomotive et le tapage des roues réunis. Puis il se dit qu'on aurait pu se manquer dépendant du côté de la voie où elle se serait mise, celui de l'église ou celui de la gare. D'autant plus qu'à Marsden, les trains ne s'arrêtaient guère et la plupart passaient à pleine vapeur. Sept milles après le départ, à Spring Hill, il résolut de mettre son coeur dans ses valises. Il se glissa au fond de la banquette qu'il occupait seul et s'adossa à la cloison à côté de la fenêtre. Et il annonça à Norman qu'il voulait reprendre du sommeil perdu la nuit d'avant. C'était pour mieux pleurer intérieurement. Quand il rouvrit les yeux, la montagne de Chesham était en vue, signe qu'on avait dépassé Marsden, ce qu'il savait d'ailleurs par les avertissements précédents du train. Mais cela voulait dire aussi qu'on était le plus près qu'il soit possible d'être pour quelqu'un dans un train, du petit lac ensoleillé et du ruisseau frôlant le rocher de Régina Graham.

Ce furent ces dernières images de son coin de pays à lui qui l'accompagnèrent tout au long du voyage à travers les deux interminables contrées du Canada et des États-Unis. Il y eut d'abord un arrêt à Sherbrooke qui ne permit pas aux voyageurs de descendre. Puis un transfert à Montréal et ce fut dès lors, direction sud, vers New York jusqu'à Albany où l'on bifurqua vers l'Ouest sur un train de la *Union Pacific*, sans arrêt jusqu'à Chicago. Tout fut plutôt monotone en cette première partie de voyage. Le train était formé d'une locomotive, de trois wagons pour voyageurs, d'un fourgon postal et d'un sleeping-car où Donald put dormir à son tour. Le reste du temps, il somnola sur la banquette qu'il partageait avec Norman. En même temps fébriles et patients dans l'attente, ils ne se parlèrent guère. De quoi auraient-ils pu s'entretenir, se disait chacun de son côté, sinon de ce qu'ils laissaient derrière eux? Mieux valait rester coi!

Chicago leur permit de voir d'immenses corrals à bestiaux et un si grand nombre de bêtes qu'aucun d'eux n'aurait pu en imaginer autant ni se figurer un spectacle aussi gigantesque. C'était comme une mer mouvante faite de têtes blanches et rouges, de dos bossus et ossus, de cornes tronquées. Depuis sa fenêtre, Donald n'avait de cesse de les regarder. Il ne s'arrêta d'admirer et de rêver à son futur cheptel qu'à ce moment où fut annoncé le transfert.

À cette gare, on monta sur un train de la *Chicago, Rock Island and Pacific Railroad* semblable au précédent à l'exception d'un wagon-fumoir Pullman. Direction: le Wyoming. Cette seconde partie du trajet devait être beaucoup plus longue à cause de fréquents arrêts soit un par petite ville.

Un homme seul, grand, d'une élégance bostonienne, prit place sur la banquette opposée. Il accrocha sa canne à pommeau à une latte métallique du compartiment à bagage et coinça l'autre extrémité au dossier de la banquette. Un habitué du voyage en train, c'était net. Il posa son chapeau rond auprès de lui, consulta sa montre avant de déployer devant son visage un exemplaire du *Chicago Tribune*. Puis, comme si la chose n'avait eu qu'une importance relative, il abaissa un peu les feuilles du journal pour saluer ses co-voituriers.

–Il me paraît évident que vous venez de l'Est, mais ce qui l'est moins, c'est la ville d'où vous originez.

Les deux jeunes gens se regardèrent. Ils dirent ensemble des noms différents: Montréal, Mégantic.

L'autre haussa les épaules, fit bruire son journal, dit:

–Immigrants?

–Non, dit Norman. Ben... c'est comme qui dirait...

–On vient du Canada, précisa Donald. De... Mégantic...

–Vous savez ce qu'est un immigrant?

–Ouais, fit Norman. Seulement on ne fait que passer par votre pays. C'est pour aller en Alberta.

–Et... quel âge avez-vous?

–Moi, j'ai vingt et un ans, dit Norman. Et lui a... le même âge.

–Et... vous allez faire quoi dans l'Ouest?

Les jeunes gens se consultèrent à nouveau, embarrassés. Norman répondit:

–Ben... travailler.

–Ah! Il n'y a pas d'ouvrage à... Mégantic au Canada?

–Oui... mais...

–La paye est moins bonne, conclut le personnage.

Donald s'insurgea. De quel droit cet effronté se permettait-il de les questionner de cette façon. Il n'avait sans doute même pas trente ans, cet endimanché efféminé. Ça: un homme de l'Ouest? Certainement pas, pensa-t-il. Et à son tour, il questionna, le ton viril:

–Et vous, monsieur, vous venez de Boston ou de Chicago?

L'homme toisa son interlocuteur tout en refermant son journal qu'il plia avec méticulosité et mit sur la banquette. Il dit:

—Vous connaissez Boston?

—Non, et après? osa Donald avec, dans la voix, une touche d'arrogance.

—Je suis... de Dodge City, fit l'homme, l'oeil brillant et à l'affût.

Les jeunes gens se regardèrent à nouveau, étonnés, impressionnés. Dodge était plus célèbre que Washington en ce temps-là. Les affaires s'y réglaient plus vite et avec plus d'efficacité. Un revolver se chargeait plus vite de projectiles qu'une plume d'encre. C'était là que transitait plus de la moitié du bétail de l'Ouest. On en parlait chaque semaine dans le *Montreal Daily Star*. Mais Donald eut tôt fait de se redresser vite dans son assurance première.

—Vous n'avez pas trop l'air d'un cow-boy?

—Ça ressemble à quoi, un cow-boy?

—Le chapeau... les pistolets, les bottes...

—Quand on se rend dans l'Est, on a avantage à changer de vêtements. Tout comme vous le ferez une fois rendus là-bas en Alberta.

Puis l'homme tira discrètement vers l'arrière les pans de son veston. Il découvrit ainsi des gaines à bretelles dans lesquelles on pouvait apercevoir une paire de crosses brunes à fines ciselures, celles de Spies .38, des pistolets du dimanche.

Donald vit aussitôt les armes. Il se réinstalla dans un prudent respect en vantant les mérites de Dodge:

—On dit que votre ville, c'est la ville de l'avenir dans l'Ouest.

L'homme eut l'air de réfléchir. Il dit en soupirant:

—Non, c'est la ville du présent. Et ses beaux jours achèvent. Dès que le chemin de fer se rendra à Ogallala, ce qui se fera dans un an ou deux, et avec le remplacement rapide des éleveurs par des fermiers et donc l'usage de plus en plus répandu du fil de fer barbelé, messieurs, Dodge City va péricliter et mourir de sa belle mort.

Alors la communication devint plus aisée. Chacun avait établi ses positions. L'homme de l'Ouest avait des choses à montrer à ces jeunets de l'Est et ceux-ci avaient soif d'apprendre, de tout savoir ce qu'ils ne savaient pas déjà de la Terre promise. Il leur parla des nouveaux abattoirs d'Omaha, de la capture imminente de Billy le Kid et des frères James, de poker dont il était un grand amateur. De tout le trajet, il ne déclina ni son nom ni sa profession. Norman posa la question à deux reprises mais l'autre l'ignora comme si ces détails avaient été de nulle importance ou bien par crainte de donner à leur échange une dimension qu'il ne devait pas avoir.

À l'entrée dans Omaha, quand le train ralentit, il prépara ses affaires, sa canne, son chapeau, sa petite valise noire fortement sanglée et salua:

–Et bonne chance, les amis...

–Dites-nous au moins votre nom, insista Norman. Car si jamais on passe par Dodge...

–Masterson, Bat Masterson, fit l'étranger au regard bleu pâle, à la moustache arrondie sur les commissures des lèvres et au nez espiègle retroussé. Et vous?

–Moi, c'est Norman MacAuley...

–Et moi, Donald Morrison...

–De... Mégantic hein?

–Ouais, de Mégantic...

Ω

Bat Masterson

On arriva à Cheyenne à l'aube. C'était là qu'on changeait de mode de transport. Mais il faudrait attendre la diligence toute la journée. Et en cette seule journée, tout l'Ouest sauta au visage des jeunes arrivants.

Et pourtant, à première vue depuis le large trottoir de bois bordant la rue par-delà les fossés. l'on avait un point de vue qui ressemblait fort à celui de l'avenue Maple, la rue principale de Mégantic. Maisons de bois à façades carrées avec galeries à deux paliers, le balcon s'avançant au-dessus du trottoir afin de protéger un tant soit peu les marcheurs des excès du temps. Et sur chaque galerie, il y avait des chaises, des bancs de bois entre les colonnes, des hommes poilus, gris, fumant, crachant, regardant passer le temps indolent et les nouveaux-venus. Et près de la rue, de longues perches paraissant ancrées solidement servaient à attacher les longes des chevaux avec, devant, des auges à eau et des montoirs que personne, sauf de rares cavalières, n'utilisait jamais sans toutefois certains risques pour sa virilité.

Norman lisait tout haut les affiches comme pour mieux apprivoiser les lieux: Hotel Hoffman, Billiard Hall, Feed Stable, The Palace, Herman & Rothschild Staple & Fancy Drygoods, Jailhouse...

Sur le mur de la prison, un espace était réservé aux avis publics. Poussé par la curiosité, Donald s'arrêta pour en lire certaines. Sur l'une, le gouverneur Lew Wallace du Nouveau-Mexique garantissait cinq cents dollars pour la capture d'un criminel dangereux. Une autre faisait état d'une récompense de mille dollars pour des renseignements susceptible de conduire à l'arrestation d'un membre du gang des frères James. Il n'y avait guère d'humour dans tous ces papiers placardés dont l'un lui donna froid dans le dos. Il y était écrit en lettres noires énormes le mot AVERTISSEMENT qui coiffait le dessin d'un couvercle de cercueil. On y mettait en garde les voleurs de bétail et autres gibiers de potence, leur conseillant d'éviter Cheyenne et de passer tout droit leur chemin s'ils ne voulaient pas se balancer au bout d'une corde. Bien qu'il comprît la nécessité pour l'Ouest de se débarrasser des hors-la-loi, Donald éprouvait une sorte de sympathie envers ces hommes pourchassés, au péril constant de se voir trahis par leurs propres frères ou vendus par leurs amis pour une poignée de dollars...

Deux cow-boys, les premiers rencontrés depuis la descente du train, traversèrent la rue, marchant, les jambes incurvées, dans leur direction, échangeant des propos qui les faisaient sourire paternellement. L'un dit à l'autre après avoir désigné les arrivants d'un geste désolé:

–As-tu vu? Voilà deux autres verdauds fraîchement débarqués du train venu de l'Est.

–Viennent peut-être jouer à Billy le Kid? rétorqua le second avec un air de mépris souriant.

Soudain, sans aucun avertissement, à la vitesse d'un serpent à sonnettes à l'attaque, l'un d'eux, celui-là au visage le plus dur, tira son revolver et le pointa en direction des jeunes voyageurs. Effrayé, affolé, la mine pleurnicharde, Norman leva aussitôt les mains et recula jusqu'au mur. Mais Donald demeura de glace. Personne n'avait le droit, pas même au coeur du pays des cow-boys, de s'en prendre à eux. La loi et la justice étaient de leur côté en dépit du fait qu'ils fussent des étrangers dans la place.

L'homme rengaina. Il dit à Donald:

–T'es O.K., mon gars. Tu vas faire ton chemin, toi: t'es moins tenderfoot que ton ami.

Il rit puis fronça les sourcils pour dire:

–Les petits gars, rappelez-vous bien toujours qu'ici, à Cheyenne, faut raser les murs si on veut garder ses couilles en bonne santé. Vu?

–Vu, acquiesça Norman qui baissa les bras.

–Et toi? demanda l'homme à Donald.

Donald resta impassible, le regard défiant. L'autre n'insista pas et passa son chemin en direction de la prison. L'index pointé sur son compagnon, l'autre homme déclara avant qu'ils n'entrent dans la bâtisse de briques rouges:

–Les petits merdeux de l'Est, rappelez-vous toujours aussi du marshal Frank M. Canton... et vous vivrez peut-être un peu plus vieux...

Et il disparut dans le sillage de l'autre.

–Pourquoi n'as-tu pas levé les mains en l'air? s'enquit ensuite Norman.

–Parce qu'ils portaient l'insigne et que c'étaient donc des shérifs et qu'ils n'avaient aucune raison de s'en prendre à nous autres.

Bien que l'incident fût clos, Donald en garda plus de traces que son ami. Quelque chose de violent s'était rebellé en lui et c'était cela qui avait figé ses gestes.

Ω

Ce soir-là, les deux amis logèrent à l'hôtel dans une même chambre à deux lits: confort auquel ils ne goûteraient pas avant longtemps. Après le coucher du soleil, la rue bruyante bien éclairée par de nombreux réverbères au pétrole, leur fit ses invites clinquantes. Durant l'après-midi, ils avaient bien jeté quelques coups d'oeil à travers les vitrines des bars, saloons, salles de billard, mais voilà que la nuit apportait un éclairage nouveau et surtout d'attrayantes couleurs sur les choses et sur les personnes. Tour à tour, les deux jeunes gens regardèrent par la fenêtre. On s'en parla. On avait le goût d'aller marcher sur les trottoirs et peut-être de s'arrêter quelque part. Après tout, ces gens en bas, étaient aussi des êtres humains...

–C'est peut-être risqué, opina Norman, l'oeil brillant rivé sur cette agitation fébrile se mouvant de plus en plus sous les pare-soleil.

Donald laissa tomber:

–C'est qu'un shérif aussi... disons intimidant, doit contrôler sa ville, tu ne penses pas?

L'un comme l'autre y trouva sa conviction personnelle. On recommença la tournée. Chacun avait bien fréquenté un peu l'American Hotel de Mégantic, mais de là à se pointer le nez dans un de ces saloons où, disait-on, les hommes tombaient comme des mouches parce qu'on y prenait la mouche pour des histoires de mouches, il y avait une marge qu'on hésiterait à franchir.

Et l'on marchait. L'on tricotait entre les cow-boys, les dames en robes larges comme le trottoir et parfois même un Indien titubant et qui, par ses pas et son odeur, prenait toute la place disponible. Un bar succédait à un mont-de-piété et un saloon jouxtait un magasin général. Un de ces lieux semblait particulièrement animé, extravagant. Sur un rythme qu'un diable danseur eût donné, des notes de piano accrochées aux volutes de fumée bleue et malodorante sortaient en saccades au milieu d'une clameur formée de rire tonitruants, de cris, de bouches qui toussent, crachent. Par malheur, on ne pouvait reluquer à l'intérieur sans y pénétrer. Les vitres étaient peinturlurées et les portes battantes hautes. On passa devant à plusieurs reprises. Rien n'en émergeait qui pût ressembler à de la bagarre ou des coups de feu. Les jeunes gens finirent par se gonfler la poitrine et ils poussèrent la porte.

Sur une scène exiguë, quatre danseuses exécutaient leur numéro devant une centaine de spectateurs joyeux et bavards, la plupart des hommes: cow-boys, fermiers, éleveurs, petits commerçants. On scruta la place. Aucune table en vue. Rien au bar. Depuis les quatre coins de la salle, des yeux s'appesantirent sur les arrivants. Les secondes commençaient à rallonger, et s'ajoutant aux précédentes, on se sentait de plus en plus de trop. Alors les jeunes gens remirent leur courage dans leur poche et quittèrent l'endroit, prétextant qu'il était trop rempli, trop enfumé, mais en se promettant de revenir plus tard.

Heureux, émus d'avoir fait déjà leur premier pas dans ce nouveau monde, ils se couchèrent joyeux comme des enfants, piaillant comme des adolescentes échangeant sur leur premier flirt. Cet univers n'était-il pas celui des hommes les plus vrais d'Amérique et peut-être du monde entier? songeait chacun.

Au petit matin, on prit la diligence. Direction nord. Toute la journée, de superbes plaines verdoyantes accompagnèrent la piste poussiéreuse faite de terre battue séchée par le soleil de l'été, durcie par les gels de l'hiver, tapée par les roues de fer des chariots et voitures et les sabots d'acier des chevaux. On s'arrêta à plusieurs reprises aux ranches au bord de la route pour abreuver bêtes et hommes, faire reposer les chevaux ou bien les changer pour des frais. Et au coucher du soleil, on entra à Buffalo, dernière ville du Wyoming avant Sheridan et avant-dernière avant le Montana.

Au coeur du jour suivant, on pénétra enfin dans le territoire du Montana. Et le soir, on dormit dans un autre de ces petits lieux d'arrêt où était offert un service d'approvisionnement pour les hommes autant que pour les chevaux. Les deux bâtisses, carrées et qui n'avaient l'air ni maison ni grange, se trouvaient d'un même côté de la piste. La diligence quitta le chemin droit, fit un long et lent demi-cercle par l'arrière puis entra dans une allée étroite séparant ces deux constructions que Donald jugea fort récentes par la couleur de leurs bois peu altérée par le soleil ou les intempéries. Les six voyageurs, tous des jeunes gens venus de l'Est en quête d'une vie plus grande et meilleure, gauches et toujours endimanchés mais poussiéreux et savatés, descendirent. Les deux jeunes Canadiens restèrent ensemble; du reste, on les avait mis un peu à l'écart quand on avait su leur origine. Ils se frappèrent les bras et les jambes pour se dépoussiérer et ils suivirent les autres qui entraient par une porte de côté dans une des bâtisses, très certainement celle de l'hébergement des hommes à en juger par ses différences avec l'autre.

Les tenanciers du lieu formaient un couple très jeune dont la femme enceinte semblait la dirigeante, un personnage dur et autoritaire. C'était la seule façon pour une femme de composer dans un univers aussi rugueux. Pantalon et veste de cuir frangé, un chapeau sur son dos et retenu au cou par une attache, debout dans une petite pièce qui faisait office de bureau, elle fit défiler les arrivants qui durent tous signer leur nom dans un registre exactement comme ils l'auraient fait dans un hôtel de l'Est. À Norman MacAuley qui l'interrogea du regard avant de se pencher sur le cahier, elle dit en riant:

-En cas d'attaque par les Indiens, on va vous reconnaître plus facilement même si vous avez perdu tous vos cheveux.

Quand tous furent passés et qu'ils attendaient dans la pièce d'à côté qu'on leur dise quoi faire, elle vint et donna ses instructions d'aubergiste:

–Comme vous le voyez, il y a là des tables. C'est pour y manger. C'est pour y boire ensuite. C'est pour y jouer aux cartes si vous voulez. Mais personne entre dans cette salle à manger avec ses armes. Vous ne donnez pas l'air d'hommes armés: tant mieux. Vos chambres sont au-dessus. Faudrait dire votre chambre parce qu'il n'y en a qu'une. Pour souper, vous aurez des pommes de terre et de la viande séchée à la manière indienne. C'est un dollar pour le repas et le lit. Payable d'avance. Vous viendrez payer avant de manger. Quelqu'un qui voudrait faire le frais devrait dormir à la belle étoile. Vous avez des questions?

Donald avait du mal à imaginer que si jeune personne soit si forte et il cherchait dans ses connaissances des cantons une jeune femme lui donnant à penser à celle-ci. Ce fut en vain. La pièce lui rappelait vaguement le bar de l'American Hotel de Mégantic: mais plus basse et aux bois des murs, des poutres et des tables plus bruts.

En mâchouillant sa pitance une heure plus tard, il apprit de la bouche du mari, un garçon blond au nez racineux et au menton hispide que le massacre de Custer et du septième de cavalerie s'était produit à quelques milles et qu'ils se trouvaient à l'endroit où la piste passait le plus proche du lieu de la légendaire bataille du Little Big Horn. Il fut dit aussi qu'une attaque du poste par les Sioux était fort improbable puisqu'ils s'étaient soumis en 1878 et aussi qu'il eût été beaucoup plus simple et moins risqué pour eux de s'en prendre à une diligence, ce qui ne s'était plus produit dans tout le territoire depuis deux ans. Donald se sentit rassuré mais en même temps quelque chose en lui regrettait les dangers dont la représentation mentale l'avait souventes fois fait frissonner alors qu'il rêvait à l'Ouest là-bas, dans l'Est.

Comme pour alimenter une soif d'aventures, on s'échangea, le jour suivant dans la diligence, des "S'il fallait que..." "On sait pas, les Sioux peuvent changer d'idée et recommencer à..."

Mais ce fut sans incident autres que ceux de l'imagination que l'on parvint au terminus de la diligence dans la région des grandes chutes du fleuve Missouri. Un bateau passeur permit aux voyageurs d'accéder au pays des Pieds-Noirs. Deux jours plus tard, dans une voiture Concord, sur une piste souvent difficile, on arriva au terme du voyage, un petit village d'Alberta d'où l'on pouvait apercevoir, se découpant sur l'horizon la formidable barrière des montagnes Rocheuses.

Au contraire de Cheyenne, l'agglomération avait allure de sobriété et de tranquillité. Regroupée autour d'une minuscule église, elle paraissait déserte et comme vidée de toute capacité d'animation. Endormie. Cette heure de la journée la rendait plus calme qu'à l'accoutumée. Mais aucune fébrilité n'y avait de commune mesure avec la folie furieuse qui taxait la réputation de plusieurs villes américaines dont certaines étaient mortes quelques années seulement après leur naissance comme Abilene à l'âge de cinq ans ou Virginia City à l'âge de vingt ans.

A Danbridge, jamais de coups de feu en dehors des concours de tir, pas de bagarres dans les rues ou dans les bars, pas de danseuses dans les saloons et presque pas de saloons. Règlements de comptes, tueries, vols de bétail, attaques de banques ou de trains, tout cela ne touchait la petite ville que par les nouvelles qu'on en avait et venues d'outre-frontière.

La région était faiblement peuplée. Les éleveurs avaient à se partager un territoire si grand et aux limites si éloignées qu'on n'avait pas à s'entre-tuer pour se l'arracher. Aucune lutte non plus entre éleveurs, partisans des pâturages pour tous, et fermiers agissant en propriétaires terriens et posant des clôtures. C'était que les éleveurs eux-mêmes se transformaient petit à petit en fermiers.

L'hôtel où descendirent les voyageurs semblait fermé. Des stores bouchaient toutes les fenêtres de même que la vitre de la porte. On se défendait du seul intrus qui ne respectait pas la propriété privée: le soleil et sa chaleur. Une douce fraîcheur régnait dans la pièce sombre et déserte. On attendit un peu. Norman trouva une clochette sur un comptoir. Il l'agita longuement. Une voix lointaine, exaspérée, cria:

–J'arrive, j'arrive, patience, patience!

Une grosse femme aux bajoues défiantes, à la mine revêche, le visage dur entouré d'une sorte de capuche frisée, apparut dans l'embrasure de la porte derrière le comptoir de la réception. Elle les fusilla un à un du regard avant de dire:

–Norman MacAuley, Donald Morrison? C'est vous autres, hein? Pas dur de vous reconnaître. J'ai un message pour vous autres de la part de Charles MacAuley. Depuis trois jours qu'il vient vous attendre après le souper. Il vous attend pour ces jours-ci. Bon... Comme la journée est encore jeune, vous allez passer un bout de temps en ville, n'est-ce pas? Ben si vous voulez manger à l'hôtel, c'est quinze cents pour le repas. Mais en monnaie américaine... Puis si vous voulez laisser vos valises là-bas, le long du mur, sur la table...

Les jeunes gens se regardèrent. Elle grimaça et leur répondit:

–Craignez pas, y'a personne qui va leur toucher. Autrement, on aurait affaire à moi. Et puis, vous n'êtes pas à Dodge ou à Cheyenne, vous êtes à Danbridge...

Ils se rendirent porter leurs valises là où elle l'avait ordonné. Elle leur cria:

–Si vous mangez à l'hôtel, faut le dire maintenant pour me donner le temps de préparer le repas...

Les jeunes gens acquiescèrent par des signes de tête et des sourires timorés.

–En attendant, je pourrais toujours vous servir du whisky mais vous avez l'air un peu jeunes pour commencer à boire en plein jour. Si vous savez pas trop quoi faire, allez voir la ville. Comme ça, vous perdrez pas votre temps trop long-temps.

Ils firent demi-tour. Avant qu'ils ne sortent, elle leur lança un dernier mot autoritaire:

–On mange à midi pile. Et ça va être du ragoût de ro-gnons: ça vous ira?

Ils se firent des signes de tête affirmatifs empêtrés les uns sur les autres et quittèrent les lieux, subjugués par la ma-trone. Si l'Ouest était le pays des vrais hommes, il semblait que même les femmes y étaient virilisées selon en tout cas ce que les deux premières rencontrées avaient démontré. On n'avait pas vu le fond du regard sous le masque endurci et d'où jaillissaient des lueurs de tendresse. La femme n'avait eu que deux enfants et ils étaient morts tout jeunes; ils auraient le même âge que ces adolescents venus de l'Est.

Donald et Norman se mirent à la découverte de la petite ville. Par coups d'oeil tout d'abord. De magnifiques selles étaient exposées sur la galerie du magasin général. On eut des regards étonnés envers l'immense corral qu'on supposa capable de contenir tous les troupeaux de la région à la fois tant il était vaste. Grand mais absolument vide. Les convois de bestiaux étaient partis ou bien leur rassemblement n'était pas encore commencé.

De retour à l'hôtel, on mangea ce que la femme mit sur la table et qu'elle avait annoncé. Son discours fut moins co-riace qu'à leur arrivée. Puis Norman qui se sentait déjà chez lui, retourna en exploration tandis que son ami demeurait à l'hôtel. Donald avait un certain mal du pays. Il sentait le besoin de se retrouver tout seul pour penser à Mégantic, à Marion. Seul à sa table et seul dans la pièce, il aspirait son thé plus qu'il ne le buvait. L'éloignement lui pesait. À la dérobée l'hôtelière lut son désarroi dans ses gestes et son port de tête. Elle lui versa un whisky et vint le lui porter.

–Un remontant, fit-elle. Sur le compte de la maison. Les suivants vont te coûter dix cents. En monnaie américaine...

Il la regarda sans sourire. Puis il vida son verre comme un homme, d'un seul trait mais son entreprise se termina dans un étouffement et une grimace de honte. Pour se rattraper, il en commanda aussitôt un autre qu'il téta plus lentement en prudence. Mais il se remit à ronger son frein de plus belle. Le temps se perdit dans le fond de son verre. Norman revint en riant.

–Tu vas pas me croire, dit-il en s'asseyant devant son ami à la table, j'ai vu une affiche sur la devanture d'un saloon où c'est écrit: on demande cent jolies filles intelligentes et mariables. Pour moi, les poules se font rares par ici.

L'autre resta silencieux. Il garda ses yeux fixés sur une lampe à pétrole murale. Norman poursuivit sans remarquer sa nostalgie:

–C'est pas ça qui doit t'inquiéter plus qu'il faut, hein? La Marion McKinnon, elle prend pas mal de place dans ta vie...

Donald fit un sourire énigmatique. Même à son meilleur ami, il n'aurait pas révélé le fond de son âme quant à sa vie sentimentale. C'était trop personnel. Un vrai homme ne dévoile pas son coeur.

Les brusques manières de l'hôtelière en vinrent à ne plus les tromper. On devinait en elle de cette rude tendresse dont les femmes rêvent depuis toujours de trouver chez l'homme idéal.

L'oncle de Norman avait la tignasse épaisse, noire et qui lui retombait en pointe sur le front. Il entra et reconnut aussitôt son neveu mais il ne montra aucune émotion. Lui aussi gardait bien enfouis sous leur carapace tous ses sentiments les meilleurs. Il avait déjà trouvé de l'emploi pour les deux garçons sur le ranch même où il travaillait comme lieutenant. On avait besoin de cow-boys pour le grand rassemblement de septembre et pour convoyer les bêtes jusqu'à Cheyenne. On prit les valises et on se rendit à la porte. La grosse femme restait appuyée au comptoir, le buste accroché, les sourcils froncés. On la remercia. Elle grommela, fit des gestes des mains qui avaient l'air de repousser...

Il fallut vingt minutes de voiture pour atteindre le ranch. Elles furent généralement silencieuses. Peu loquace par nature, l'oncle jasait moins encore que du temps où il habitait l'Est. L'immensité du territoire, son métier, le climat rude et qui porte à l'enfermement, la rareté des gens, tout l'avait rendu taciturne, mélancolique. Il ne vivait plus que pour le jour où il retournerait dans l'Est avec son magot pour s'y établir définitivement sur une ferme tout comme Donald le ferait à son tour... et peut-être Norman qui, pourtant, ne montrait guère d'intérêt pour l'abatis et ce qu'il appelait avec une certaine hauteur les petites terres des cantons.

Le cheval ne fut jamais mis au trot. Charles n'était pas pressé. Ça se passait comme ça après l'ouvrage! Du temps étiré. Des rêves allongés d'un bout à l'autre du pays comme les rails d'un chemin de fer! Les jeunes gens purent se gaver de tous les paysages dont une moitié était faite de plaines et l'autre d'une petite vallée parcourue par une rivière profonde et tranquille. Au détour d'une colline rocheuse plantée d'arbres, les bâtisses du ranch apparurent presque subitement.

–C'est à perte de vue! s'exclama Norman qui se mit debout dans la voiture pour mieux se rendre compte de l'impossibilité de voir les limites du ranch.

Devant eux, de l'autre côté de la rivière, dans un ensemble à l'apparence de désordre, s'élevaient huit bâtisses dont on ne pouvait, à première vue, deviner l'usage particulier tant sept d'entre elles se ressemblaient. Bouveries, écuries, hangars? Seule la maison du propriétaire pouvait se reconnaître au premier coup d'oeil. Y menait un pont de bois sans garde-fou mais si large qu'il eût fallu un cheval aveugle pour provoquer un accident.

Quelques minutes plus tard, on descendait de voiture devant la maison. Charles conduisit aussitôt les nouveaux à l'intérieur où ils furent reçus par le propriétaire dans son bureau d'affaires. Homme à regard d'aigle, il scruta chacun jusqu'au fond de l'âme tout en donnant une poignée de main puis il leur fit prendre place, ainsi que Charles MacAuley, près d'une longue table à dessus usé. D'une armoire qui rasait le plafond, il sortit un livre noir qu'il jeta devant lui à un bout de la table. Et à son tour, il s'assit, mais à califourchon en enjambant une chaise d'un geste expert, sans la reculer. Il fit tourner chaque bout de sa moustache argentée et dit d'une voix ferme:

–Bienvenue au ranch Double M.

On lui marmonna des remerciements tandis qu'il ouvrait son livre afin d'y consulter des notes dont l'ensemble donnait à penser à un champ de bataille du septième cavalerie après le départ des Indiens.

–C'est le livre des hommes. Et vos noms à tous les deux sont déjà entrés: Norman MacAuley, Donald Morrison. La date de votre première journée de travail: demain. Le salaire: un beau dollar par jour. Chaque semaine, quand vous serez en mesure de le faire, vous allez signer votre nom dans la page qui vous est assignée plus loin. C'est cela qui fera le preuve que vous avez bien reçu votre salaire. On dit que les bons comptes font les bons amis...

L'homme s'arrêta quelques secondes. Donald le trouvait bien tatillon, cet éleveur rancher. Lui avait-on réclamé des sommes qu'il avait déjà payées? Il apprendrait que la parole d'un Écossais, d'un Morrison, valait cent signatures. L'autre poursuivit:

–Vous serez bien traités, bien nourris, convenablement logés. Tout ça, à la condition que votre travail soit bien fait. Charles MacAuley vous dira que les heures, on ne compte pas ça ici. Les femmelettes, ça retourne dans l'Est. Si je vous ai pris à mon service, c'est sur la recommandation de Charles qui se trouve ici, comme vous le savez, le foreman. Dans un an, on aura fait de vous deux de vrais cow-boys. Jusque là et même après, vous allez trouver la route longue et difficile. Je vous explique...

Il leur parla tout d'abord de l'équipement qui leur serait

nécessaire ainsi que des coûts à défrayer pour se le procurer. Il y avait d'abord la selle, l'élément le plus important de tout l'attirail: trente dollars. Puis les habits y compris le chapeau, les bottes avec éperons, le ciré: un autre trente dollars. Enfin les armes, deux pistolets et une carabine: un autre gros trente dollars.

–Ceux qui nous arrivent n'ont généralement pas pensé qu'il doivent dépenser un bon cent dollars en partant pour être prêts à enfourcher un cheval et... je n'ai encore rien dit du cheval... Vous irez au village demain. Au magasin. Et vous achèterez tout ce qu'il vous faut. Vous porterez tout sur mon compte et je ferai les déductions nécessaires sur votre salaire à raison d'un dollar par deux jours de sorte que dans six mois votre dette puisse être réglée.

Imperturbable, Charles MacAuley jeta sur un ton blasé qu'un fermier de l'Est eût haï parce que lui paraissant rempli d'une sorte indésirable de mépris froid:

–Un équipement de cent dollars et un cheval de dix...

Le rancher sourit. Les jeunes gens se regardèrent. On savait bien que le cheval coûterait plus mais on n'y avait guère pensé jusque là. Donald fit un rapide calcul de ce qui lui resterait après toutes ces dépenses en fin d'année. Cent dollars d'équipement plus deux cents qu'il lui faudrait envoyer à son père pour l'hypothèque et il ne lui resterait qu'un malheureux soixante dollars pour· ses menues dépenses, son tabac, ses balles de revolver... Et voilà maintenant que le coût d'un cheval l'obligerait à rester là-bas une année de plus à coup sûr.

Morgan Matthew lui coupa la pensée:

–Quant au cheval, c'est gratuit. Des chevaux, ce n'est pas ce qui manque par ici. Suffit d'un bon lasso et d'un bon cow-boy pour en ramener deux ou trois en moins d'une demi-journée. Mais je vous avertis: je voudrais que vous preniez soin de votre bête avec intelligence. Ce n'est pas parce qu'il est donné qu'il faut traiter son cheval comme... comme un chien si je peux dire. Si vous maganez votre bête, vous serez les premiers à en souffrir... et moi, le deuxième...

Et il multiplia les conseils sur la façon pour un vrai bon cow-boy de faire corps avec sa monture pour la garder longtemps en santé car plus d'un cheval avait sauvé son cavalier dans des circonstances difficiles, que ce soit dans un troupeau en débandade ou bien après un accident de voiture.

–Avant d'en savoir autant que Charles MacAuley ici présent, vous avez beaucoup de pain et de viande à manger. Il est l'un des meilleurs cavaliers de tout l'Ouest. Bon tireur. Manieur de lasso. Capable de parler aux Indiens. Quand on perdra notre chef de convoi, c'est lui qui le remplacera. Il est le premier choix de tous les éleveurs et sans les bons services de notre chef de convoi actuel, c'est Charles qui prendrait la place immédiatement.

Charles ne sourcilla même pas. Ne remua pas le petit doigt. Resta assis. Droit. Raide. Morgan se leva et se rendit jusqu'à l'embrasure d'une porte qui donnait sur une autre pièce. Il demanda à quelqu'un qu'on leur apporte du café fort. Puis il se remit à parler des tâches dures à venir. Il insista sur l'honnêteté et la loyauté de ses hommes. Des qualités essentielles! Il y avait un bon moment que son discours avait changé la première image qu'il donnait, celle d'un homme impitoyable, exigeant. Son respect des bêtes le démontrait. Donald se mit à le voir d'un nouvel oeil comme ç'avait été le cas chaque jour envers quelqu'un depuis leur escale à Chicago et donc, leur entrée dans l'Ouest rugueux.

La porte s'ouvrit par à-coups. Les hanches en avant, une jeune fille à longue robe blanche toute en plis, avec un plateau sur lequel se trouvaient quatre tasses et un contenant de café fumant et odorant, apparut. Tout d'abord, elle se fit discrète. Et servit, le regard posé sur la tâche à remplir. Donald l'observa, mine de rien. Il lui trouva le nez trop haut, les lèvres capricieuses et défiantes et de petits yeux malicieux, cruels. Cette première impression fut vite dissipée quand elle sourit. Décidément, la toute première chose qu'il devrait apprendre en ce pays, ce serait de ne pas se fier aux apparences. Il répondit par un sourire réservé, bref et d'un seul côté du visage: c'était, se dit-il, pour remercier et uniquement pour remercier la jeune personne.

Morgan avait l'habitude de telles oeillades aux cow-boys de la part de sa fille. Il suffisait que les choses s'arrêtent là. Quand elle eut quitté, il avertit les nouveaux de garder leurs distances avec elle comme tous les autres employés du ranch le faisaient. Il la décrivit comme une jeune personne à caractère plutôt violent et qui cherchait la bagarre verbale avec les hommes. "Femelle dominatrice... jusqu'au jour où elle trouvera son maître!" conclut-il après avoir dit son prénom: Heather.

Le jour suivant, les nouveaux se rendirent à la ville pour s'y équiper au magasin général, un endroit chargé d'objets de toutes sortes, de marchandise accrochée sur tous les murs et ne laissant guère de place sur le plancher pour la circulation de la clientèle. Quant aux revolvers, Norman se choisit des Remington .44. Modèle préféré de Frank James, soutint le marchand, un homme sec au visage pourpre et au crâne dégarni.

Plus posé, Donald essaya d'abord des ceinturons jusqu'à trouver celui qui s'ajustait le mieux à la carrure de ses hanches et donnait le maximum de confort. Puis il acheta les revolvers les plus légers qu'il put trouver en magasin, des Peacemakers de calibre .45, véritables bijoux à crosse nacrée et dont tout le métal depuis le pontet jusqu'au bout du canon était orné de volutes.

Malgré la publicité qui accompagnait chaque arme, se réclamant du choix de tel ou tel grand bandit américain, l'un des James, un Younger, Allison, le Kid ou personnage douteux tel Wild Bill Hickok mais souvent aussi de marshals qui connaîtraient une célébrité éphémère car les noms qui survivraient n'étaient pas encore établis pour la plupart en 1880, rarement l'acheteur n'envisageait de l'utiliser pour attaquer quelqu'un. Car après la selle, le revolver était la pièce d'équipement la plus utile au cow-boy. À l'extrême, il pouvait servir à se défendre contre les bandits ou les Indiens, mais ses usages courants étaient aussi différents que nombreux. Faire connaître sa position quand on parcourait la prairie au rassemblement des bestiaux. Effrayer un animal pour qu'il change de direction. Tuer un serpent. Mettre un coyote en fuite. Empêcher un cheval à la patte cassée de souffrir. Ou tout simplement se divertir en pratiquant le tir le soir, entre le repas et la brunante.

Donald misait sur les côtés pratique et esthétique. Il essaya plusieurs chapeaux devant un miroir et son choix s'arrêta sur un brun pâle, presque beige, à larges rebords arrondis. Le marchand ne s'arrêtait pas de parler. Il expliquait la forme de ces chapeaux:

–C'est pour tenir la tête au frais l'été et au chaud l'hiver. Les bords, c'est pour protéger la face du soleil mais aussi pour ramasser la pluie qui coule comme dans des rigoles et s'écoule derrière vous... Et le mouchoir autour du cou, ce n'est pas pour aller piller une banque mais pour vous éviter de respirer trop de poussière quand le vent se lève.

Norman se laissa tenter par une guitare noire, brillante et pesante. Il l'examina avec attention, toucha les cordes puis la déposa sur le comptoir.

–Malheureusement, cela ne peut pas être porté au compte de Morgan Matthew.

Norman s'étonna:

–J'ai lu dans un almanach que les cow-boys chantent des berceuses aux vaches durant les convois, pour les calmer et les faire dormir.

–C'est vrai, mon gars, mais pas avec une guitare. Un cow-boy intelligent ne s'embarrasse pas d'un instrument aussi encombrant quand il part à cheval pour plusieurs jours sur les pistes. S'il s'en va tout seul dans la prairie pour plusieurs jours, ça, c'est une autre histoire.

Norman se résigna:

–Bon, dans ce cas-là, je vais la payer de ma poche.

–Et tu pourras jouer au ranch, fit Donald qui était prêt à partir.

Norman l'examina de pied en cap et s'exclama:

–Si la Marion te voyait, mon ami, elle ne te reconnaîtrait pas. C'est la première fois que je vois un cow-boy aussi... aussi cow-boy... Quelqu'un qui ne te connaît pas dirait que t'es venu au monde cow-boy.

–Ouais, mais il me reste des croûtes à manger pour en être un vrai! fit Donald sans broncher.

Ω

Ce soir-là, dans la maison des cow-boys, dernière bâtisse du ranch, Norman tenta de tirer quelque chose de son nouvel instrument de musique aussi rutilant que prometteur. Ce fut peine perdue. Il n'en obtint que des sons discordants et après avoir picossé une heure, il mit la guitare de côté et quitta la chambre.

Au milieu de la pièce commune, quatre hommes jouaient au poker. On était six en tout à vivre en ce lieu. Norman et Donald se partageaient la chambre des derniers venus appelés les bleus; Charles était le compagnon de chambre d'un grand gaillard plus taciturne encore que lui si cela eût été possible, un gars qui vivait dans l'Ouest depuis une quinzaine d'années, chef de convoi depuis dix ans et qui portait ses armes sur le devant, crosse contre crosse. Il s'appelait Bill Henry. On n'en savait pas vraiment plus à son sujet.

Des deux autres hommes, l'un était mal rasé, il avait la chemise trouée, il était coiffé d'un chapeau à devant retroussé qui ne le quittait jamais sauf quand il dormait. Il gardait un oeil éternellement mi-clos et il agissait comme cuisinier durant les convois.

Le sixième personnage, un farfelu bigleux, parlait et riait pour tous, s'écrasant le chapeau sur la tête et s'esclaffant dans des pointes de voix à l'espièglerie provocante chaque fois qu'il ramassait le pot.

Norman se mit debout derrière les joueurs. Il voulait apprendre et vite. Il devait apprendre à jouer. Il n'eut guère besoin d'y consacrer plus de cinq minutes. Le plaisir qu'il avait à comprendre créait le désir de prendre part à la partie. Il le ferait à la première occasion.

Resté dans la chambre, Donald trouvait dans les cordes de la guitare des notes qui lui remettaient en mémoire la tendresse et le charme de Marion.

Ω

Le lendemain, chacun se choisit un cheval. Donald avait souventes fois chevauché, mais en amateur. Bill Henry lui enseignerait à monter correctement tandis que Charles s'occuperait de l'éducation de son neveu. Et ce jour-là, Donald accompagna le chef de convoi vers le nord afin d'y rassembler des bêtes. Henry improvisa un corral à l'aide d'une longue corde fixée à des arbres. Puis il montra au jeune homme à bien diriger sa monture derrière une ou plusieurs bêtes afin de les amener là où il les voulait. Donald apprit aussi la technique de maniement du lasso; quant à l'habileté à le faire, il l'acquerrait à force de pratique. On parqua plusieurs bêtes dans l'enclos et en fin d'après-midi, l'on conduisit le petit troupeau jusqu'au grand corral du ranch. En descendant de cheval, Henry dit à son compagnon:

–Voilà mon gars. Ça prend une journée pour savoir ce qu'il faut faire et comment le faire pour être un vrai cowboy. Le reste, c'est de le faire et de le faire encore et encore tant que ce n'est pas devenu quelque chose qui fait partie de toi, quelque chose dans ta nature, dans tes muscles, dans ton corps et dans ta tête...

Le repas fut servi par Heather, sa soeur et leur mère. Quand il se trouvait des femmes dans le paysage, pas question pour un homme, pas même le cuistot des convois, de toucher au moindre chaudron. La cuisine appartenait aux femmes. Tant de tâches dures incombaient aux hommes. Il apparut que Heather avait jeté son dévolu sur Donald. Elle lui jeta de nombreux regards singuliers tout en repoussant par des moues méprisantes les oeillades que lui servaient les autres cow-boys.

Après le repas du troisième soir, on invita les bleus à assister et à participer au marquage des bêtes. Fort et habile, Donald s'habitua vite à maîtriser les veaux. Lors d'une réussite spectaculaire, il fut applaudi par Heather et sa soeur venues assister à la séance depuis la clôture de perches entourant le corral. Mais il ne tint aucun compte de leur présence.

Ω

Dans les semaines qui suivirent, la jeune fille chercha à se faire remarquer par Donald. Elle lui disait avec emphase des grands 'bonjour Donald Morrison' souriants, le dodichait à l'heure des repas, lui préparait les meilleures assiettes, lui offrait le café le plus frais et le plus chaud. Mais lui restait imperturbable: tout entier à son nouveau métier. Il devint bon cavalier, habile à manier le lasso; et le soir, il se familiarisait avec la guitare dont Norman lui avait fait cadeau faute de pouvoir en jouer convenablement lui-même. Son âme aussi se westernisait et pourtant, la veille du grand rassemblement, il n'avait pas encore tiré un seul coup de feu ni ne s'était approché de la table de poker.

Un soir, il prit la guitare et se rendit près de la rivière près du pont. Il descendit vers l'eau qui, à cet endroit et en aval, coulait bruyamment et lui rappelait le ruisseau du rocher de Régina Graham. Il s'installa près d'un bassin d'eau calme sur une chaise naturelle faite d'une pierre qui saillait au-dessus de la terre. Et il se mit à égrener des notes qui tombaient dans l'eau comme des gouttelettes, et que le courant emportait dans la cascade en contrebas puis là-bas, vers l'Est.

Il pensait à cette lettre qu'il avait écrite à Marion la veille et qu'il avait sur lui, dans sa poche de chemise, prête à partir, adressée au doux nom de sa fiancée. Plus tard, il la confierait à Morgan pour qu'il la mette à la poste à Danbridge dans les jours prochains. C'était la deuxième fois qu'il lui écrivait depuis son arrivée mais lui, n'avait reçu aucune nouvelle d'elle. Il espérait bien une lettre avant le départ du convoi car alors, il ne recevrait plus de courrier avant deux longs mois. Quant au signal qui mettrait en branle le grand troupeau, il serait donné avant une semaine, sitôt que prendrait fin le grand rassemblement au corral de Danbridge.

Soudain l'image mouvante d'un visage se dessina dans l'eau à laquelle il confiait des secrets, des prières et des voeux. Il releva la tête. Heather le regardait fixement dans son sourire mielleux et défiant. Le jeune homme cessa de jouer et dit:

—Vous marchez comme un Indien, mademoiselle.

Elle mit une touche de menace enfantine dans ses sourcils. Il reprit:

—Je veux dire en silence, sur le bout des orteils...

—C'est que la guitare et l'eau faisaient plus de bruit que mes pas tout simplement.

La voix était nasillarde, pointue, teintée d'une douceur fabriquée. Elle s'assit sur les morceaux de bois du pont, les pieds gambillant au-dessus de l'eau. Donald aperçut alors ses jambes jusqu'aux mollets; la pudeur reconduisit son regard vers la rivière. Heather demanda:

—Est-ce que je peux?...

—Quoi?

—M'asseoir?

—Je croyais que c'était déjà fait.

—Oui, mais... je peux m'en aller si... si tu ne veux pas de moi ici.

—Le pont ne m'appartient pas, il est à votre père, mademoiselle Heather.

—Vous pouvez me dire tu... J'ai dix-sept ans et vous... vous en avez vingt-deux... depuis le quinze mars.

—Comment le savez-vous?

—Mon petit doigt... Regarde mon petit doigt, Donald Morrison, il sait tout ce qui se passe ici. Et plus encore...

–Ah!

–Et mon petit doigt me dit aussi que tu... as reçu une lettre aujourd'hui.

Le visage de Donald s'éclaira. Il tourna la tête vers elle à nouveau, oubliant le manque de réserve de sa position. Il espérait de toute son âme que la lettre fût de Marion. Il déposa sa guitare et dit hypocritement:

–Elle doit venir de mes parents; je vais la prendre.

–Pas besoin d'aller à la maison; je l'ai apportée avec moi. C'est pour ça que je suis venue.

Il s'arrêta de grimper, questionna:

–Et pourquoi ne me l'a-t-on pas donnée au souper?

–C'est moi qui l'ai rapportée de la ville et je voulais te la remettre moi-même.

Donald fut estomaqué par tant d'effronterie. Puis il se rappela que les manières des gens de l'Ouest différaient pas mal de celles des gens des cantons comme il avait pu s'en rendre compte à plusieurs reprises déjà.

La tête penchée, le regard amusé, Heather glissa sa main dans un repli de sa robe et sortit d'une poche une petite enveloppe blanche qu'elle promena au-dessus de l'eau comme pour préparer le geste de la laisser tomber pour ensuite s'excuser de sa maladresse. C'était pour que le jeune homme monte plus vite. Il parvint finalement sur le pont auprès d'elle. La main tenant encore l'enveloppe au-dessus de l'eau, elle le toisa du regard des pieds à la tête sans pudeur.

–Donne! dit-il à mi-chemin entre la peur qu'elle laisse tomber l'enveloppe et l'idée qu'une lettre est un bien personnel et sacré que personne d'autre que son destinataire n'a le droit d'ouvrir, de lire ou encore moins de jeter.

Elle la lui remit. Il fit aussitôt demi-tour et retourna auprès de sa guitare. Il ouvrit l'enveloppe en utilisant son couteau de poche puis il lut. Son visage s'assombrit quand il apprit que la mère de Marion était morte quelques jours seulement après son départ. Et il se dit une fois de plus qu'il n'aurait peut-être pas dû partir si vite.

–Des... mauvaises nouvelles? s'enquit Heather qui tâchait de lire sur son visage.

–De la mortalité.

–Ah!... De la parenté proche?...

–Oui... Non... La mère de... d'une amie...

Ces mots contrarièrent Heather. Depuis le moment où, embusquée derrière les rideaux, elle avait aperçu Donald le jour de son arrivée, elle s'était promis, juré, qu'il deviendrait son ami de coeur quoi qu'en dise son père. Et dès lors, elle avait commencé à tisser sa toile, attribuant les distances qu'il gardait aux interdictions de son père. Voilà maintenant que cette barrière s'expliquait aussi par l'existence d'une petite amie assez proche de lui pour lui écrire.

Depuis la maison, une voix suraiguë cria son nom à deux reprises. Elle répondit sur le même ton:

–Oui, c'est quoi?

Sa jeune soeur lui cria, la voix doublement agaçante:

–Papa te fait dire de revenir à la maison tout de suite.

–Ouais, ouais...

Elle soupira fort, se leva, dit:

–Bon... je te laisse à... à tes chansons, Donald Morrison. Et je vais aller me faire chicaner parce que j'ai apporté une lettre à un cow-boy.

Il se désola pour elle. Car s'il la trouvait étourdie, elle ne lui semblait pas si méchante. Il se dit que s'il confiait à Heather la lettre qu'il avait écrite à Marion pour qu'elle la remette à son père, lequel l'ajouterait au courrier en partance pour Danbridge, Morgan se rendrait alors compte que son coeur était solidement ancré dans les cantons de l'Est et il pardonnerait plus aisément à sa fille.

Il grimpa à nouveau et la rattrapa qui débouchait à l'extrémité du pont. Il tendit sa lettre fripée:

–Tiens, c'est pour la poste: veux-tu la donner à ton père?

Elle le mesura encore une fois. Jamais elle n'avait été aussi proche de lui sans quelqu'un pour ériger entre eux une barrière morale. Intimidé, le jeune homme se racla la gorge, tourna la tête vers la maison, recula.

–Ils sont beaux tes revolvers; je voudrais que tu me montres à tirer.

–Je ne sais pas tirer moi-même.

Sans rien ajouter, il marcha de côté, malaisément, vers sa guitare. Elle ne dit rien non plus et quitta l'endroit, réfléchissant. Les cow-boys dégageaient tous une puanteur hircine née de dents pourries, du tabac, de leur transpiration et de souillures personnelles; mais pas Donald, ce qui ajoutait à la conviction de Heather d'en faire le sien. Elle glissa la lettre dans sa poche mais l'adresse lui resta en tête: Miss Marion McKinnon, Marsden, Province of Quebec. Elle se répéta chaque mot et chaque mot précisait une idée perverse qui germait dans les basses-fosses de son âme.

Elle dit quelques mots à son père, justifia sa conduite, soutint qu'elle s'était rendue au pont sans savoir que Donald s'y trouvait déjà. Le ton était si rempli d'indifférence que Morgan ne posa pas plus de questions et retourna à ses papiers.

La jeune fille monta vite à sa chambre. Le plafond en pente rapetissait la pièce déjà exiguë, percée d'une fenêtre qui lui permettait d'observer les cow-boys à sa guise. Elle s'en approcha, à la recherche de lumière pour mieux lire. Chaque phrase l'irrita.

"Marion, ma chérie,

Nous avons fait un bon voyage. Là où c'est que je travaille, c'est du très bon monde. C'est beau par ici, mais pas autant que dans les cantons. Penses-tu un peu à moi? Aussitôt que je vais avoir assez d'argent, je vais revenir, je vais revenir. Demain, c'est le grand round up des bêtes. Et là, je vais partir en convoi pour l'automne. Tu recevras pas de lettre de moi avant Noël. Ben, je vais essayer de t'écrire même si on est en convoi. Je mallerai mes lettres aux États. Mais ça sera pas facile! Tu sais, il va y avoir deux mille têtes à surveiller tout le temps. Si je peux pas en convoi, ben je t'écrirai quinze pages en revenant. Fais mes salutations à tous ceux que tu aimes. Je travaille d'arrache-pied pour nous bâtir de l'avenir. J'ai hâte d'avoir de tes nouvelles. Je comprends qu'avec ta mère si malade...

Heather jeta le papier sur une commode pansue. Elle finirait de lire plus tard. Il fallait qu'elle réfléchisse. Sa première intention avait été de lire la lettre puis de remettre et coller le rabat à sa place avant de la jeter avec le courrier partant. Mais voilà que le contenu lui déplaisait au point qu'elle avait envie de la brûler. Elle y pensa quelques minutes, hésitante, puis elle étira le bras, reprit le papier et finit sa lecture.

Je garde dans mon coeur le plus beau souvenir du monde: celui de toi devant le coucher du soleil qui se mirait dans l'eau le soir où je t'ai demandé ta main...

Heather riva ses yeux sur un point invisible du plafond sombre. Elle regardait dans sa propre imagination la même scène sauf qu'à la place de Marion, c'est elle qui se trouvait dans les bras de Donald Morrison. Elle devint excitée. Ses paupières chavirèrent. Puis elle les rouvrit brusquement. Du feu en jaillit.

...et j'espère avoir le courage que tu as toi-même. Je t'embrasse comme l'autre fois. Surtout, j'attends de tes nouvelles le plus vite possible.

Ton Donald.

"Ton Donald, si c'est pas beau!" pensa Heather.

Elle se redressa et se rassit, la tête penchée vers sa commode. En précaution, du bout des doigts, l'oeil malicieux, elle remit la lettre dans son enveloppe. Puis elle ouvrit un tiroir qui se coinça à deux reprises avant de lui permettre d'y camoufler en son fin fond, sous des pièces de vêtements, cet affreux bout de papier qu'elle se promettait de déchirer en mille morceaux et de disperser dans l'eau de la rivière dès après le départ des cow-boys. Et à l'avenir, elle ferait pareil avec tout le courrier en provenance de cette Marion McKinnon. Donald Morrison oublierait sa fiancée, elle se le jura.

Le rappel de sa lettre poussa Donald à vouloir retourner à la maison pour la réclamer afin d'y ajouter sa désolation quant au deuil de Marion en même temps que pour lui faire savoir qu'il avait bien reçu sa lettre. Mais il se retint. Morgan pourrait le sermonner. Et puis, il lui répugnerait de parler de ces choses personnelles. Faire la cour à une femme pour gagner son coeur, va pour un homme, même un cow-boy, mais la sentimentalité...

De retour à sa chambre, il se remémora des scènes où, près de Marion, il avait connu la plénitude. Et il composa une berceuse mélancolique accompagnée de notes gauches et tristes:

"Oh, ma jolie dame des cantons bleus
Dors en paix dans la nuit profonde
Je reviens du bout du monde
Avec mes bottes de sept lieues
Courant plus vite que le train
Que le soleil ou que l'éclair
Tenir ton rêve dedans ma main
Et dedans mon coeur solitaire."

ΩΩΩ

Corral du temps de Morrison

Chapitre 4

Au service de son destin

Des quatre points cardinaux, les bêtes arrivaient par centaines au grand corral de Danbridge. Un vaste concert de meuglements, premier orchestre symphonique de l'Ouest, harcelait les cow-boys, les encerclait sans répit dans cette marée vivante, mouvante, houleuse. Une douzaine d'éleveurs-ranchers regroupaient ainsi une partie de leurs bêtes au printemps et à l'automne pour les faire convoyer jusqu'à Cheyenne, la ville ferroviaire et 'cowtown' la moins éloignée de l'Alberta. De là, le train les emportait vers Omaha et Chicago pour l'abattage. Chaque rancher fournissait quatre ou cinq cow-boys qui se mettaient sous la direction du chef de convoi nommé par eux et payé par tous à parts égales.

Le plus important éleveur du groupe était Morgan Matthew. Il expédiait plus de cinq cents têtes chaque fois. De ce fait, il avait obligation de déléguer ses six hommes: Bill Henry, chef de convoi, Charles MacAuley, le cuistot surnommé Old Shovel, Norman et Donald, les nouveaux bleus qui avaient remplacé les précédents, et le sixième cow-boy, un être mystérieux dont personne ne savait plus que le prénom, Pete. Semblait-il qu'il avait changé plusieurs fois de nom, histoire de brouiller sa piste. On le disait recherché aux États-Unis, la tête mise à prix à Tombstone en Arizona. Et comme les chasseurs de prime ne se faisaient aucun scrupule de traverser la frontière à la recherche de leur gibier particulier, l'homme préférait taire son passé.

À midi pile, après avoir instruit son monde de ses directives, Bill Henry donna le signal du départ en agitant le plus haut qu'il put au-dessus de sa monture un drapeau de fortune fait d'une hart et d'un mouchoir de cou rouge à pois blancs.

Charles MacAuley et un gars du ranch Toto ouvrirent les barrières et prirent les devants. Ils firent tout d'abord bouger quelques bêtes et le flot entier suivit. Il fallait des hommes de cette trempe et de leur expérience pour chevaucher en tête comme cavaliers de front. Car c'était entre leurs mains que se trouvait plus ou moins le contrôle du troupeau, eux qui lui imprimaient son rythme, qui tenaient le bon cap.

Sur chaque flanc s'échelonnèrent une vingtaine de vachers montés sur des mustangs. Et à la queue du convoi, qui poussaient en avant les vaches paresseuses au milieu d'un épais nuage de poussière rouge, masqués par leur mouchoir de cou, venaient les six bleus. Il y avait aussi cinq chariots bâchés dont deux étaient remplis de foin séché qui servirait à l'occasion et au besoin pour stopper les animaux de tête et donc le convoi entier. Un autre, celui dont le cuisinier était le maître, s'appelait chuck wagon et on amenait aussi le hodlum wagon qui transportait une barrique d'eau et les fers à marquer le bétail qui avaient servi durant le round up.

Comme à l'habitude, les premières journées furent difficiles voire pénibles pour tous. Les jeunes boeufs se montrèrent particulièrement nerveux, gingueux, gesteux, prêts à déguerpir au moindre bruit hors de l'ordinaire. Bill Henry avait pris soin d'introduire dans le troupeau trois vieux taureaux dont la tranquille dignité aidait, prétendait-on, à calmer les bêtes plus jeunes et à compenser pour leurs accès de folie et cabrioles intempestives.

Le soir venu, quand les bêtes étaient au bout de leur rouleau, fatiguées à souhait de douze heures de marche par terrain ardu, de traversées de cours d'eau à la nage, parfois de commencement de débandade, l'on s'arrêtait. Si possible aux abords d'un point d'eau où les vaches pouvaient se désaltérer et ensuite se reposer pour la nuit après avoir brouté pendant une heure ou deux l'herbe des environs.

Donald et son ami avaient pour tâche d'installer les chevaux de réserve pour les veilleurs de nuit. Ils fabriquaient un corral à l'aide d'une corde pour retenir les autres chevaux. Après quoi, à leur tour, ils se rendaient au chuck wagon d'Old Shovel pour y manger le repas de haricots, bacon, biscuits durs et café amer que le cuistot leur avait grossièrement fricoté.

Les hommes dormaient à la belle étoile, enroulés dans des couvertures, leur selle servant d'oreiller. Chacun se trouvait un lieu offrant une protection en cas de panique du troupeau, le plus souvent derrière un arbre ou un rocher. Et même en ce cas, on ne dormait pas longtemps des deux yeux.

Les veilleurs de nuit faisaient les tours de garde selon un horaire établi par Bill Henry, se relayant toutes les deux heures. C'était le degré de confiance qu'un cow-boy pouvait avoir en eux qui déterminait son degré de confiance dans son propre sommeil.

Tout au long de la sixième journée, le chef de convoi se montra inquiet à l'image du temps qui se préparait et dont les prévisions pouvaient se lire dans les lourds amoncellements nuageux venus de l'ouest. Non seulement pressentait-il la pluie comme tout le monde, mais il savait qu'elle s'accompagnerait du tonnerre et d'éclairs, très grave perspective si l'orage venait à éclater la nuit.

Il donna l'ordre d'avancer tant qu'un soupçon de clarté le permettrait afin de fatiguer le troupeau au maximum dans l'espérance que l'orage éclate alors que le convoi se trouverait encore en marche. Car alors, il serait plus simple, en tout cas possible, d'en garder ou d'en reprendre le contrôle.

Son voeu ne fut pas exaucé. Il fallut s'arrêter sans qu'une seule goutte de pluie ne soit encore tombée du ciel, un ciel qui investissait toutes ses menaces dans le roulement incessant du tonnerre dans des lointains qui se rapprochaient maintenant beaucoup trop vite au goût de Bill Henry.

On le reconnut dans le soir d'encre par le signal qu'il donna avec son fanal de serre-freins. Des cow-boys jetèrent du foin devant le troupeau qui ralentit puis çà et là pour former des îlots de bêtes arrêtées. Quant à celles qui poursuivraient leurs chemin, elles ne tarderaient pas à s'arrêter à leur tour et à revenir. À moins que...

Les chariots furent mis en carré, entourés d'une corde et les chevaux entrés dans cet enclos qui serviraient aussi de protection sommaire aux dormeurs car on se trouvait au milieu d'une plaine sans arbres, sans dénivellations, sans rochers d'aucune sorte. On ne monta pas les tentes à cause de la noirceur et parce que le vent pourrait les emporter. On se fiait sur les chariots pour se protéger de la pluie.

Sauf les veilleurs de nuit qui circulaient autour du troupeau sur leurs chevaux de réserve et des bleus tous carrément endormis dans leur naïveté imprudente, les cow-boys dormaient nerveusement et d'un seul oeil, enveloppés dans leurs cirés, prêts pour la pluie qui vargerait dur. Un violent coup de tonnerre encore inattendu à ce moment claqua dans un jour fulgurant qui fut aussitôt rejeté dans la nuit profonde.

Quelques secondes après, une succession d'éclairs fit apercevoir les environs. Rien n'était plus pareil. Partout les bêtes se mettaient sur leurs pattes, s'y jetaient plutôt, les plus nerveuses déjà en proie à l'affolement. Alourdis par le fardeau de leur selle à traîner, les cow-boys couraient tant bien que mal vers les chevaux qui hennissaient, se bousculaient, se laissaient convaincre par l'énervement général entendu dans les meuglements incessants et désordonnés.

Donald rêvait. Il roulait dans un train. Il voyait au loin dans le noir, un chariot sur la voie. Il tira sur un cordeau de cuir. Le train quitta les rails dans un épouvantable fracas... Il se réveilla sur un coup de pied de Norman. En même temps, un rideau de pluie fouettée par un vent tourbillonnant se rua sur eux. Aucun n'avait pensé coucher avec son ciré sur le dos et maintenant les secondes se faisaient trop rares pour leur permettre de le trouver dans le sac de la selle et de le revêtir. Comme les autres, entraînés par un mouvement instinctif autant que par l'exemple, ils coururent aux chevaux.

Le gros du troupeau se ruait déjà à la débandade. Les bêtes ne formaient plus qu'une masse de sabots piétinants et de cornes balançantes passant dans un bruit infernal à moins de vingt pieds des chariots. Des hommes à cheval parmi lesquels pouvaient se reconnaître à la faveur des éclairs Charles MacAuley et Bill Henry chevauchaient à travers les vaches presqu'en avant du troupeau. Ils tentaient la seule chose utile en pareil cas: essayer de faire tourner les bêtes dans le sens des aiguilles d'une montre pour que l'action de chaque homme soit coordonnée et la course ininterrompue de sorte que l'épuisement finisse par avoir raison des vaches les plus folles et qu'ainsi prenne fin l'incontrôlable stampede. C'était faire le milling c'est-à-dire former la meule.

Donald eut le temps d'avoir honte pour son énorme retard à enfourcher sa monture. Mieux valait qu'il ne puisse chevaucher avec les meneurs car son inexpérience aurait pu le mener tout droit à la mort, piétiné par les bêtes après avoir vidé les arçons. Il comprit les propos de Morgan Matthew quand il avait dit que le chemin serait long avant que les bleus n'arrivent aux éperons de Charles MacAuley ou de Bill Henry. Et il se fit une promesse d'humilité: il observerait mieux les autres cow-boys désormais afin d'apprendre plus vite et de ne pas se trouver pris au dépourvu et quasiment dans l'inutilité comme en ce moment.

Quand les jeunes gens furent ensellés, les dernières vaches disparaissaient déjà au-delà d'un pan de pluie battante. Ce qu'ils purent faire de mieux jusqu'à la fin de cette course effrénée fut de suivre le troupeau grâce à l'instinct de leurs chevaux.

Les cow-boys réussirent la manoeuvre prévue. Et une demi-heure plus tard, la horde ralentit son allure jusqu'à finir par s'arrêter sous une pluie encore abondante mais sans les puissants coups de tonnerre du début.

Trempés jusqu'aux os et nerveux jusqu'à la moelle, les bleus ne purent refermer l'oeil de la nuit. Et pourtant, un ordre relatif était revenu s'installer, le gros du troupeau était maintenant sous contrôle et personne n'avait été blessé. Les cow-boys d'expérience, eux, relaxèrent enfin. Abrités sous leurs manteaux et couchés sous les chariots, ils se laissèrent aller à ronfler profondément au rythme des grondements du ciel qui s'éloignaient au fond de la nuit.

Au petit jour, il fallut se mettre à la recherche des bêtes perdues. Comme il n'était pas possible d'en évaluer le nombre, on se contenta de simples battues dans un rayon d'un demi-mille. Celles qu'on ne retrouverait pas seraient inscrites dans la colonne des pertes normales. Et à midi, le convoi se remit en branle.

À la traversée d'une rivière, le jour suivant, Donald put se rendre compte une fois encore de la valeur de l'expérience en ce métier nouveau, dur et dangereux. Charles MacAuley jeta son cheval à l'eau, entraînant à sa suite une génisse prise au lasso par les cornes afin d'inciter les autres bêtes à la suivre. Un morceau de bois à la dérive effraya la vache qui tenta de rebrousser chemin. Ses mouvements brusques combinés à ceux d'une tension subite imprimée à la corde du cheval désarçonnèrent le cavalier. Le cow-boy s'agrippa aussitôt à la queue de sa monture et se laissa ainsi tirer jusqu'à l'autre berge.

À Cheyenne, les bêtes furent dénombrées, embarquées dans des wagons, payées au chef de convoi qui se rendit à la banque pour y déposer tout l'argent touché moins la paye des hommes.

Norman et Donald s'achetèrent des pantalons et une chemise de rechange. Puis ils se louèrent une chambre à l'hôtel Hoffman. Chacun son tour prit un bain savonneux dans une cuve qui allait jusqu'aux épaules et remplie aux trois quarts d'eau moyennement chaude montée là par des garçons qui le faisaient pour le pourboire substantiel que ça leur valait toujours.

Puis on se rendit au saloon où les cow-boys de Danbridge avaient tous rendez-vous afin d'y fêter un peu le succès de l'entreprise et de «peindre la ville en rouge». Car le dénombrement final avait permis de constater qu'il ne manquait que trente bêtes à l'arrivée dont deux avaient par ailleurs été abattues pour la viande.

Donald et Norman avaient mis le nez déjà dans ce lieu lors de leur voyage depuis le Canada. Même piano endiablé. Mêmes danseuses colorées. Mais une clientèle plutôt clairsemée. Car à l'arrivée des convois, les gens de la ville restaient plus volontiers chez eux. On n'aimait guère se frotter à tous ces cow-boys aux moeurs douteuses et qui, quand ils ne l'avaient pas dans le nez, gardaient leur doigt sur la gâchette de leur revolver.

Mais les vachers rapportaient à la ville. La plupart y laissaient toute leur paye du dernier mois et souvent davantage. C'est pourquoi non seulement on tolérait leur présence bien qu'elle s'accompagnât souvent de disputes, bagarres et fusillades, mais encore on la souhaitait.

Car la triste histoire d'Abilene était connue par tout l'Ouest. En 1872, cette ville-marché avait décidé d'interdire chez elle l'arrivée de convois. «Passez votre chemin; vous êtes des gens trop bruyants,» intimait une mise en demeure envoyée aux Texans par un comité de citoyens. Les cowboys se conformèrent aux voeux des gens d'Abilene et dirigèrent ensuite leur bétail vers Ellsworth et surtout Dodge City. Et Abilene, naguère prospère, entra en agonie et finit par sombrer dans l'oubli.

Cheyenne était renommée pour son animation mais également pour la relative sécurité qu'on y trouvait. Un shérif autoritaire et arrogant y était pour quelque chose. D'autre part, les hommes des convois qui y venaient étaient des gens du Wyoming, du Montana et du Canada, par définition et à cause d'un climat plus froid dans ces régions, plus calmes que les hommes du sud qui convoyaient vers le nord jusqu'aux villes du Kansas.

Et pourtant, Donald Morrison fut mêlé contre sa volonté à un incident qui faillit lui coûter la vie et amener mort d'homme, un de ces épisodes, banal dans la vie de l'Ouest mais plutôt singulier pour un jeune tenderfoot frais arrivé du Canada.

Tandis que les cow-boys du convoi de l'Alberta continuaient à festoyer au Grand Saloon, discutant joyeusement, applaudissant les danseuses et même, à l'occasion les attrapant au lasso pour rire, trois hommes d'une équipe du Nebraska vinrent s'attabler à quelque distance des bleus. L'un d'eux buvait rapidement et dévisageait de plus en plus Donald Morrison. Plus augmentait son état d'ébriété, plus il se convainquait de reconnaître le jeune homme. Il finit par s'en approcher en titubant et à quelques pas, il l'interpella en menaçant:

–Je te connais, toi, tu étais avec... eux autres la semaine passée... avec les voleurs de bétail... Hein, lève-toi que je te regarde...

Donald ne bougea pas d'une ligne. Il examinait l'autre, un gars à la tête de martin-pêcheur, la crinière hérissée, le nez long et pointu, l'oeil malin en position d'attaque. Les danseuses disparurent. Elles avaient l'habitude de ces affrontements de cow-boys ivres et qui ajoutaient souvent le sifflement des balles aux notes du piano. Le provocateur sentit tous les regards se braquer sur lui et cela décupla sa conviction. Il reprit:

–C'est toi qui as tué Jack. Je te reconnais. Lève-toi si t'es capable... d'affronter un homme face à face...

Donald garda toute son impassibilité, mais son coeur battait la chamade. Il était figé par la situation bien plus qu'en contrôle de lui-même. Chez l'autre, la hargne augmentait. Il fit deux pas gauches puis dégaina son arme et la pointa en direction de son nouvel ennemi. Les danseuses avaient eu beau s'esquiver, les gens dans la place n'avaient pas pris la chose trop au sérieux jusque là; mais maintenant, les visages commencèrent à mesurer plus long.

Deux coups de feu tirés à une seconde d'intervalle retentirent dans la longue pièce enfumée. Le cow-boy agressif s'écroula en grimaçant. Une première balle lui avait fracassé la cheville droite et l'autre avait mis en charpie deux doigts de son pied gauche. Il fit mine de relever le bras pour pointer son arme vers Bill Henry qui venait de lui massacrer les orteils mais le chef de convoi lui donna un coup de botte sur le poignet et l'arme fut projetée à dix pieds contre le comptoir-bar. Écumant de rage et de douleur, le blessé chercha à retirer de son étui son second pistolet mais Henry lui écrasa la main en sifflant:

−Assez, mon frère, assez!

Et il fit un signe à l'endroit des gens du Nebraska. Deux d'entre eux accoururent pour ramener leur compagnon rendu fou par l'alcool, l'orgueil et ses blessures. L'un bredouilla:

−Monsieur, nous autres, ça ne nous regarde pas... Il a trop bu... On s'est fait attaquer par des voleurs de bétail et son meilleur ami s'est fait tuer. Il est enragé depuis ce jour-là...

Henry désigna Donald et il dit:

−Cet homme a passé la semaine avec moi. Il fait partie de mon convoi... Ramassez cet ivrogne et qu'il disparaisse! S'il y avait une prochaine fois, il ne s'en relèverait pas.

−T'es pas nerveux, Morrison, lui dirent les cow-boys de sa table quand la situation fut revenue au calme.

Donald se surprenait lui-même. Son coeur avait bondi et battu fort durant l'altercation mais il lui semblait que l'émotion ressentie n'avait pas été proportionnelle aux dangers encourus. Il se dit qu'il commençait fort probablement à entrer dans la peau d'un véritable personnage de l'Ouest: impavide, solide, fataliste.

−À Dodge, trois, quatre hommes auraient laissé leur peau en-dessous des tables, commenta froidement le toujours taciturne Charles MacAuley.

Donald resta songeur. Il avait beau écouter les gars, admirer raisonnablement les danseuses, boire par ci par là, son esprit repartait sans cesse à la recherche des raisons de cette violence gratuite, imprévisible, aussi inutile que destructrice. Et il se demanda souvent comment il aurait lui-même réagi si des canailles avaient abattu Norman MacAuley sous ses yeux.

Henry rencontra son collègue, le chef du convoi du Nebraska. On se connaissait déjà. On se respectait. On s'expliqua. Le fauteur de trouble serait soigné et renvoyé au Nebraska pour ne jamais revenir sur engagement du moins par les mêmes ranchers et éleveurs.

Le retour en Alberta fut fort serein. Donald profita du voyage pour apprendre à faire corps avec sa monture. Il en vint à tirer sur les guides avec l'exacte mesure, à faire exécuter la pesade à son cheval sur simple commandement, à lui faire franchir des obstacles de plus en plus importants. Malgré l'aventure désagréable de Cheyenne, il lui répugnait encore de se servir de ses armes. Il lui arrivait de jeter des regards méfiants à ses revolvers comme à l'endroit de faux frères. Quelque chose au fond de lui le retenait de pratiquer le tir comme le faisait maintenant Norman MacAuley chaque soir à l'écart du 'drive'. Le pauvre Norman n'y montrait pas de meilleures aptitudes que pour la guitare, et les cow-boys se disaient entre eux qu'il aurait du mal à atteindre une mouche lui marchant sur le bout du nez.

Ω

Depuis sa fenêtre, Heather surveilla le petit défilé de cavaliers avancer sur le pont, les corps se balançant au rythme des sabots bruyants. Mais elle jetait son attention sur un seul, l'oeil petit et mesquin. Quand les cow-boys eurent disparu, elle ouvrit un tiroir de commode, en sortit deux lettres déjà décachetées. Les doigts sournois et le sourire pervers, elle les plia, les replia jusqu'à former un rectangle qu'elle écrasa soigneusement, lissa à plusieurs reprises à l'aide de ses jointures pointues. Ensuite elle grimpa sur une chaise et cacha son paquet compromettant dans un interstice séparant une poutre du plafond du lambris. Et elle poussa jusqu'à ce que disparaisse entièrement la couleur du papier.

Donald avait eu des nouvelles de sa mère. Cette lettre aussi avait été lue et refermée. Heather devait surveiller aussi de ce côté pour éviter que ne se rétablisse un contact, du moins indirect, entre Donald et Marion.

Au repas du soir, tandis que les cow-boys racontaient leur voyage à Morgan Matthew, elle remit à chacun son courrier. Elle surveilla le regard de Donald quand il prit sa lettre et reconnut l'écriture de sa mère. Il y avait de la contrariété là, et aussi sur son front qui se rembrunit. Mais le courrier était en apparence une préoccupation bien secondaire pour un vrai cow-boy. Aussi, dans un geste détaché, glissa-t-il la lettre dans sa poche de jeans comme le faisaient tous les autres gars.

Ω

À Noël, Donald n'avait toujours rien reçu de la part de sa fiancée. Dans l'après-midi, il lui écrivit une longue lettre ; il en dit tant que cette fois, elle ne manquerait pas de lui répondre. Et il écrivit à ses parents. Une fois encore, Heather intercepta la lettre destinée à Marion et vérifia le contenu de l'autre. Comment Donald aurait-il pu deviner que le silence de Marion était imputable à la malveillance de la fille de Morgan? Heather surveillait sa conduite envers lui maintenant. Dans l'ombre, elle attendait son heure. L'hiver avait toutes les chances de geler à mort dans le coeur du jeune homme le souvenir d'une Marion qui l'avait déjà oublié. Le printemps à venir et ses dix-huit ans lui donneraient toutes les occasions de passer de nouveau à l'attaque... Et lui était bien trop fier et trop indépendant pour chercher à savoir par ses parents pourquoi Marion ne lui avait plus écrit après la mort de sa mère. Car c'est à ce deuil qu'il imputait son silence. Marion avait subi trop de chocs à la fois: le départ de son fiancé, celui de sa mère et la prise en charge de la famille entière. Sans doute que d'écrire ou de penser à lui la faisait trop souffrir! Le remords de l'avoir quittée au mauvais moment revenait le hanter parfois. Elle n'avait pas exposé le fond de son coeur et s'était retenue de le retenir de partir. D'autres jours, il lui adressait des reproches par-delà les immenses étendues glacées qui les séparaient, sa voix triste portée par les notes de guitare et les vents monotones et infatigables venus des montagnes et qui soufflaient vers l'est. Elle aurait dû chercher à le retenir. Si elle avait cru vraiment à cette séparation et à tous ses bienfaits, sans aucun doute qu'elle lui écrirait... Mais qu'elle donne donc un petit signe de vie pour qu'il puisse mieux supporter cette épouvantable solitude gelée!

Il dut s'enterrer de travail tout l'hiver. À lui seul, il cloisonna le nouvel étable érigé en automne, tanna trois douzaines de peaux de vaches, abattit vingt-deux loups, participa à toutes les boucheries alors qu'il assommait les boeufs d'un seul coup de merlin... Morgan voyait déjà en lui un second Charles MacAuley, doué en tout, renfermé sur lui-même, travailleur acharné, peu loquace et encore moins exigeant. Il ne lui manquait plus que deux, trois ans d'expérience pour être plus qu'un parfait cow-boy.

Le jour de Pâques, malgré un soleil resplendissant, il resta dans sa chambre toute la journée. Il écrivit à ses parents, prépara un colis contenant l'argent requis pour le versement sur l'hypothèque. Il fit ses comptes. C'était facile: il ne lui restait pas l'ombre d'un cent. Jusque là, ç'avait été flou dans sa tête, mais voilà que l'évidence lui apparaissait: pour atteindre ses objectifs, il lui faudrait rester au moins trois ans dans l'Ouest. Et surtout ne jamais risquer un seul dollar aux cartes. Et continuer de résister comme il l'avait fait lors du dernier 'drive', aux très nombreux attraits d'une ville comme Cheyenne.

Par exception, il posta lui-même le paquet. Pour son malheur et celui de Marion, il ne disait mot de la jeune fille dans la lettre incluse.

Et elle, de son côté, pleurait chaque soir au souvenir de celui qui était parti et ne lui avait jamais écrit. Et cela lui remettait sans cesse en mémoire la légende de la pauvre

Régina Graham. Elle aurait pu se rendre à Mégantic, chez les Morrison, et prendre des nouvelles de Donald car ils en avaient sûrement, mais elle aurait eu si honte de leur avouer qu'il s'était désintéressé d'elle, plus honte encore que de la tuberculose qui avait fait mourir sa mère.

La nostalgie devint si forte au coeur de Donald qu'il prit la décision de retourner dans l'Est pour un mois. Le voyage aller-retour coûterait bien cinquante dollars et il n'avait plus le sou. Mais il emprunterait. Pas à Norman qui était encore plus fauché que lui. Et il était trop fier pour en demander à aucun autre cow-boy du ranch. Seul Morgan Matthew pouvait l'aider. Il lui offrirait de mettre sa selle, sa carabine et ses pistolets en garantie...

La rencontre eut lieu dans la pièce voisine de la cuisine, et qui servait de bureau à l'éleveur.

–Mon bon ami, je te comprends, lui dit Matthew. Après un an, les jeunes ont tous le mal du pays. C'est ça qui est arrivé aux bleus que vous avez remplacés, toi et Norman MacAuley. Sûr que je peux te racheter ta selle, tes armes, mais je ne pourrai pas te garder ta place! Tu me laisses tomber à la veille du gros convoi du printemps. Bientôt, dès la semaine prochaine, on va commencer à marquer les veaux...

L'homme se leva, lui mit une main convaincue sur l'épaule, se fit presque solennel:

–Morrison, t'es le gars le plus prometteur que j'ai jamais eu à mon emploi. Solide comme du bois sain. Habile comme un sauvage. Résistant comme une montagne. Travaillant comme trois. Et tout ça parce que t'es un homme fier. Je voudrais, j'aimerais que tu restes avec nous autres. Fais ton temps dans l'Ouest. Bâtis ton avenir! Et après, tu partiras. Parce que si tu pars maintenant, vas-tu revenir sans savoir si tu vas trouver de l'ouvrage?

Le jeune homme se sentit honteux d'avoir voulu rompre l'engagement moral qui le liait à son patron. C'était l'argument qui l'avait le plus touché. Il n'avait toujours eu qu'une seule parole et il la tiendrait. Parole d'Écossais, parole de

Morrison!...

–La compagnie Canadien Pacifique vient d'être consti-
tuée. Ce qui veut dire que le chemin de fer va nous passer
devant le nez pas plus tard que l'année prochaine ou dans
deux ans pour se rendre à l'océan. À ce moment-là, tu pourras prendre trois semaines pour aller dans l'Est si tu veux.
Tu vas te rendre dans quatre jours: un rien, mon ami, une
vraie chiure de mouche!

Donald sourit un peu. Le discours de Morgan l'avait rassuré tout à fait. Il tendit la main puis sortit.

Ω

À la mi-juin arriva à Cheyenne le convoi de printemps.
Danbridge avait envoyé cinq mille têtes. Un record de tous
les temps. Que dix de perdues en route! Pas le moindre
stampede! Un succès à tous les points de vue.

À la fête, au saloon, Norman fit des oeillades singulières
à l'une des danseuses. Après son spectacle, elle le rejoignit à
sa table où se trouvait aussi Donald. On s'échangea des ba-
nalités. Elle avait pour nom Kandy Cane et venait de Saint-
Louis. Ses manières douces et souriantes contrastaient avec
celles par trop viriles des autres femmes de ce milieu. Elle
montra plus d'intérêt envers Donald. Norman comprit; il s'inclina et se mit aussitôt à l'affût d'une remplaçante.

Kandy accepta un verre. Donald soutint qu'il n'était pas
un de ces cow-boys qui festoyaient tant que leurs goussets
n'étaient pas à sec. Il lui parla de ses origines, de ses raisons
pour se trouver dans l'Ouest. Mais il ne dit pas un mot de
Marion McKinnon dont le souvenir se mourait dans son esprit. La petite voix de cette femme menue, les lueurs de sincérité naïve qui émanaient de son regard mirent Donald en
confiance. Elle le questionna tant qu'il en vint à dire presque
tout sur lui-même, lui toujours si réservé. Et puis, il était si
rare que l'on boive ainsi à ses paroles.

Norman se trouva une compagne de nuit et disparut. Le
saloon se vidait. L'aube n'était plus très loin, sûrement à Mégantic en tout cas. Donald fit remarquer l'heure. Elle l'invita

à sa chambre. Il se rebiffa, hésita dans son désir d'accepter. Marion lui souffla à son esprit son image et sa peine. Il serra les poings. Elle n'avait qu'à lui écrire. Il ne ferait que parler avec Kandy.

Appuyé sur son comptoir, les yeux alourdis par la fatigue et la fumée, le barman, un homme à la tête aussi rousse qu'oblongue, dévisageait le couple. Ils sentiraient le poids de son regard et disparaîtraient. Et les autres traînards ficheraient le camp lorsque Kandy Cane et son lent compagnon viendraient à s'en aller.

–Partons avant qu'il nous mette dehors, souffla la danseuse. C'est un gros grognon.

Et ils trouvèrent le chemin des portes battantes. Elle avait sa chambre à trois pas, à l'étage au-dessus du magasin général. On y avait accès par un long escalier sombre entre deux bâtisses. La jeune femme fouilla dans son corsage, trouva une clef, l'inséra à tâtons dans la serrure.

–Tu as des allumettes, demanda-t-elle à mi-voix dans le noir. Il y a une lampe près de l'entrée.

La pièce dansa un moment devant ses yeux quand Donald l'éclaira. L'endroit était dépouillé, fruste: murs nus, lit bas à paillasse double, un meuble de bois grossier sur lequel se trouvaient deux cuves d'eau, un seau pour contenir les excréments...

L'odeur qui y régnait ressemblait fort à celle que dégageait la petite danseuse colorée: un amalgame de lavande et de castille. D'une propreté tatillonne pour l'époque, elle utilisait des montagnes d'eau chaque jour. On disait qu'elle procédait elle-même au lavage des parties génitales des hommes ayant à partager sa couche et les cow-boys l'avaient surnommée la petite ébouillanteuse.

–Tu vois, c'est ça, la vie d'une danseuse en dehors du saloon, dit-elle mais sans révolte dans la voix ni résignation ou regret d'aucune sorte.

Sans s'arrêter de piailler, elle ôta tous ses vêtements

comme elle devait le faire chaque soir. Il apparut à Donald que c'était pour elle la chose le plus naturelle du monde. Elle parla des villes où elle avait travaillé, des hommes qu'elle avait côtoyés. Wild Bill Hickok et John Wesley Hardin à Abilene; Bill Longley qu'elle avait vu mourir au bout d'une corde à Giddings au Texas en 1877 et qui avait déclaré en embrassant du regard les quatre mille personnes venues pour le voir tomber dans la trappe qu'il voyait beaucoup d'ennemis aux alentours et bien peu d'amis; Jesse James et Cole Younger qu'elle avait connus au Missouri; le marshal Earp de Tombstone; les frères Masterson de Dodge City; et combien d'autres. Nerveux, Donald écoutait d'une seule oreille et le nom de Masterson qui aurait dû lui rappeler quelque chose ne le toucha point. Elle mit de l'eau dans un plat et se lava à l'aide d'un linge et de savon. Lui s'était arrêté de la regarder au milieu de son déshabillage et n'avait plus osé le faire à nouveau. Quand elle eut terminé, elle se mit une robe de nuit en lin rude puis elle l'aida à ôter ses vêtements en commençant par son ceinturon. Il voulut l'éloigner sous prétexte qu'il avait trois semaines de crasse sur le dos. Elle insista doucement et l'aida à ses ablutions, insistant sur le cou et sur le sexe. Il devint nerveux. Sa chair se tendit. Il eut honte. Puis elle se coucha et l'attendit. Il s'approcha.

–Tu voudrais éteindre la lampe? fit-elle, la voix gamine.

Il obéit puis se guida sur des points de repère afin de revenir dans l'obscurité totale. Elle lui parla d'une femme dont on disait qu'elle était chef d'un gang qui attaquait les convois venus du sud pour leur voler du bétail. En la rejoignant sous les couvertures, il commenta:

–Par chance que tout ce beau monde a pas l'idée de s'en venir au nord!

–Ils pourraient bien venir par ici. J'y suis bien, moi. Et on dit que partout là-bas, la loi les serre de près.

Pour montrer la hauteur qu'il avait par rapport aux gestes qu'il était en train de poser en même temps que pour masquer sa peur, Donald poursuivit la conversation:

–Ton histoire d'une femme qui conduirait un groupe de bandits, j'ai de la misère à avaler ça...

–Je te le jure! Elle s'appelle Belle Starr... Elle a commencé sa... carrière avec Cole Younger... En tout cas, ceux qui l'ont dit devant moi étaient des gens très sérieux.

Elle s'arrêta, soupira puis se colla au corps de son compagnon. Il eut un mouvement de recul. Elle rit:

–Peur un peu? La première fois, hein!?

Il ne voulut pas répondre par ses lèvres. Il banda les muscles de ses bras, écrasa contre lui ce petit corps si fragile qui s'abandonnait en frissonnant.

Comme des ruisseaux de montagne, ses instincts vibrants se bousculèrent jusqu'à ses désirs emprisonnés depuis tant d'années, les gonflèrent en fougueuses rivières qui vinrent se jeter dans le fleuve de sa fébrilité. L'homme se sentait les énergies d'un mustang. De sa main d'enfant, Kandy les canalisa délicatement dans l'univers douillet et chaud de ses profondeurs. Alors elle cambra doucement les reins sur son immobilité exaspérée. Une fois. Aussitôt l'homme fut délivré de toutes les tensions de tout un voyage, de toute une vie. Son savoir, son énergie et sa substance entière vinrent se résumer en une immense contraction du bas-ventre, explosion interminablement brève, grognonne, convulsive...

Quand il fut retombé sur la paillasse, un vent de tristesse né aux abords de l'étang des McKinnon vint souffler sur son âme. Il voulut s'en échapper. Il se leva, retrouva ses vêtements, se rhabilla sans dire un mot. Elle ne savait que trop ce qui se passait. C'était fréquent chez les novices ou certains jeunes gens de bonne famille. L'homme vidé regrettait un peu d'avoir trompé sa femme, sa fiancée. Dans le silence noir, elle se mit à regretter un peu elle aussi. Et pourtant, elle ne l'avait pas invité chez elle pour l'argent. Mais elle l'avait trouvé si propre, si pur, si bon enfant, ce Donald Morrison!

Il s'esquiva sans bruit. Elle ne chercha pas à le retenir. Au pied de l'escalier, il s'assit, s'enfouit la tête dans les mains pour effacer les lueurs de la rue et de l'aurore, comme pour

se cacher la face du pauvre regard de Marion noyé de chagrin et de solitude et pour se désoler d'avoir immolé jusqu'à
son souvenir.

Kandy pleurait doucement. Un petit chagrin pour un petit
abandon. Puis le bruit de pas se fit à nouveau entendre dans
l'escalier. On montait. Il revenait. Ça aussi, elle connaissait.
Il entra, ôta ses vêtements et retrouva sa place auprès d'elle.
Elle tournait le dos. Il s'approcha, se mit en cuiller pour l'envelopper. Ils ne se dirent pas une parole pendant un long
moment comme si leur silence eût été sacré. Il finit par demander:

–Quel est ton nom... ton vrai nom?

–Jane.

–Jane? Jane... comment?

–Allison.

–Jane Allison? interrogea-t-il.

–Oui.

Il fit une longue pause avant de dire:

–Je me sens bien avec toi, Jane Allison.

ΩΩΩ

130

Frank et Jesse James

Il est peu probable que Donald Morrison ait croisé ces célèbres bagarreurs, pas plus que les Younger, les Earp et autres légendes de l'Ouest américain, mais comme tous les cow-boys, nul doute qu'il a souventes fois entendu le récit de leurs exploits peu communs. Et puisqu'il convoya du bétail vers les U.S.A., il est probable qu'il ait connu des gens ayant, eux, côtoyé ces illustres personnages.

Chapitre 5

Amour et haine

Une surprise de taille attendait Donald à son retour à Danbridge. Charles MacAuley annonça qu'il s'en irait bientôt. Retour définitif chez lui, dans l'Est. Il n'avait pas le magot qu'il aurait voulu mais sa décision serait aussi inébranlable que son personnage. La veille de son départ, Donald y réfléchissait, seul dans sa chambre. Un bout de conversation que l'homme avait eue avec son neveu quelques jours plus tôt lui revint en mémoire. Ça s'était passé sur la galerie de la maison des cow-boys où on fumait une pipée entre le repas du soir et une partie de poker qui, faute de mieux, alimentait les rêves de richesses.

Norman demandait:

–Mon oncle, tu disais voilà un mois pas beaucoup plus, que tu vivrais encore cinq ans par ici; qu'est-ce qui t'a fait changer d'idée si vite?

–Sénèque, ça te dit quelque chose, toi?

Norman haussa les épaules.

–Un philosophe du temps passé... Il disait qu'un homme qui ne sait pas vers quel port se diriger ne trouve aucun vent favorable pour l'aider. Ou quelque chose de semblable, mais l'important c'est ce qu'il voulait dire et qui s'applique à moi. Un homme ne doit pas tourner en rond toute sa vie autrement il passe à côté de sa vie qui est au centre de lui-même.

–Tourner en rond, c'est difficile à dire ce que c'est...

Charles avait réfléchi et comme pour s'y aider, avait craché loin au-delà de ses bottes dans la terre battue devant la galerie.

–C'est de ne pas s'écouter quand on sent que le temps est venu de s'arrêter et de s'enraciner pour le restant de sa vie. C'est ma décision.

–Comme ça, l'Ouest, c'est l'errance!

Charles n'avait pas répondu. Qu'il appartienne à chacun de le faire selon ses propres sentiments!

Cette nuit-là, Donald rêva à Marion. Elle était grande, immensément grande, blanche comme de la neige et se tenait à côté de la montagne de Chesham, murmurant doucement son nom comme un fantôme qui appelle à la prière et à la délivrance de son âme. Mais sa voix était si lointaine et si faible...

Il se leva avec l'aurore. Et de son écriture qui boitassait, il griffonna quelques mots sur un bout de papier à l'intention de sa fiancée. Il lui disait pour la dixième fois combien il souffrait de son silence prolongé et toute sa peine d'espérer en vain quelques mots d'elle.

Venue l'heure de son départ, Charles s'arrêta à la maison des Matthew pour faire ses derniers adieux à toute la famille après celui qu'il avait adressé à ses collègues de travail. Ce fut un peu plus long que prévu par le conducteur de la voiture.

–Vous en aviez à vous dire, fit-il quand Charles le rejoignit enfin.

–Pas mal, ouais!

Le cheval reçut le signal d'avancer mais au bout de quelques pas seulement, la voix pointue de Heather qui accourait sur la galerie, fit s'arrêter l'attelage. Elle tenait du courrier dans ses mains et désirait qu'on le mette à la poste pour elle.

Courant à toutes jambes à la voiture, elle tendit les lettres à Charles, disant:

–Si ça dérange pas trop!

–Sûr que non! Une de plus, une de moins...

Depuis qu'il avait pris la décision de retourner dans son pays, l'homme avait retrouvé deux fois sa langue et trois fois son sourire. Comme si toutes ces années où il s'était encroûté dans une cuirasse de solitude et de silence s'étaient tout à coup volatilisées, et que, libéré de cette bride que l'Ouest avait mise sur sa tête plusieurs années auparavant et du harnais qu'on lui avait sanglé sur le dos, il s'était mis soudain à revivre. Maintenant, il avait envie de faire plaisir aux autres sans réticence et de leur laisser de lui le souvenir d'un homme qui n'était pas vraiment froid et indifférent à tout. Il poursuivit en montrant la lettre que Donald lui avait confiée:

–J'en ai justement une pour la blonde du petit Morrison... Ah! mais celle-là, je vais la livrer moi-même.

Heather recula. Son visage blêmit. Elle regarda la longue voiture grise repartir, cahotant comme son esprit. Cette fois, plus question de prendre son temps! Elle trouverait un autre moyen, et un grand, d'approcher Donald avant qu'il ne reçoive un télégramme ou bien des nouvelles de Marion par une lettre de sa mère. Depuis l'incident du pont, pas une de ses tentatives n'avait réussi à faire progresser sa cause. Elle l'avait constamment surveillé, avait fait en sorte de multiplier les occasions de le croiser quelque part entre les bâtisses du homestead, mais alors, il la saluait d'un court geste sec de la tête, allait toucher son chapeau avec le pouce et l'index en position de le soulever et il le gardait bien à sa place, passant son chemin en pressant le pas.

Lorsqu'on avait travaillé au nouvel étable au cours de l'hiver, elle avait longuement guetté le moment où les cow-boys seraient requis ailleurs mais où Donald serait laissé seul à l'intérieur puisqu'elle avait entendu son père dire qu'il était le meilleur travailleur en menuiserie, manieur habile de la hache, du sciotte, de l'égoïne, et que tout seul, il finirait bien la bâtisse avant le printemps.

Un samedi matin, le destin la servit enfin. Les Matthew quittèrent le ranch pour une partie de la journée. Les cow-boys étaient tous à Danbridge excepté Donald qui voulait finir une portion du travail entrepris. Au dernier moment, Heather prétexta un malaise, jouant la comédie jusqu'à faire semblant de vomir. Elle accusa l'eau de la rivière qu'elle avait bue la veille. On la laissa à la maison. Elle pourrait récupérer dans sa chambre. Quand elle vit disparaître les chevaux à l'horizon, elle prépara sa rencontre, revêtant d'abord une longue robe de laine à bandes horizontales vivement colorées. Elle savait que les filles dans les dancings et saloons s'habillaient de couleurs éclatantes et que cela plaisait au plus haut point aux cow-boys, autrement que ces ennuyeux vêtements gris ou noir des dames respectables. Les cheveux bien brossés, relâchés sur ses épaules, beaucoup de fard aux joues, le cerveau bouillonnant, elle se rendit jusqu'à l'étable sous un soleil éblouissant qui multipliait ses éclats grâce à une mince couche de neige nouvelle. Après avoir aspiré de longues bouffées d'air frais pour mieux fouetter son courage, elle entra.

Donald entendit les pas, sentit la présence mais il crut que c'était un cow-boy et continua d'enfoncer clous et chevilles, agenouillé sur le plancher en construction.

–Bonjour Donald! dit-elle de sa voix la plus enjôleuse.

Il se redressa à moitié, jeta un oeil sur elle puis se mit debout et s'accrocha un talon de botte au pavé, s'appuyant les coudes à un bat-flanc. Il l'examina de pied en cap, l'oeil pesant.

–Ouais...

–Je voudrais te parler.

–De quoi?

–De tout... et de rien.

–Tout? Rien? On ne peut pas parler de tout parce que ça en fait trop à dire. Quant à parler de rien, ça n'en fait pas assez.

Désarçonnée un moment, elle gonfla une poitrine déjà évidente, cherchant par les gestes à se remettre en selle.

–Bon... de toi et moi si tu veux.

Et elle s'approcha du bat-flanc et du jeune homme, et s'accouda à son tour pour rendre ses formes encore plus éloquentes.

–Ton père ne veut pas que les cow-boys te parlent sauf si c'est nécessaire. S'il revenait, je pourrais être renvoyé. Il faut donc que tu t'en ailles.

–Un, il est nécessaire que je te parle. Deux, il ne reviendra pas avant plusieurs heures. Et trois, je ne m'en irai pas d'ici.

–C'est comme tu voudras.

Il accrocha à son visage un sourire de glace et de mystère. Et il quitta les lieux et se rendit à la maison des cow-boys où il s'enferma dans sa chambre, laissant la jeune fille toute seule avec son dépit et à piaffer telle une jument enragée sur les pavés de bois du plancher de l'étable.

La colère de Heather mit quelques jours pour s'apaiser. Mais alors, sa détermination amoureuse lui revint en force. Hélas! la chance de se retrouver seule avec lui ne s'était plus présentée. Mais voilà que le départ de Charles MacAuley le permettrait peut-être. Lui et Donald formaient toujours équipe au rassemblement des bêtes; dans l'attente de son remplaçant, Donald se trouverait donc seul pendant quelques jours dans la plaine.

Le jeune homme fut envoyé au nord. Il était maintenant si habile cavalier qu'il pouvait à lui tout seul reconduire au corral du ranch toutes les bêtes qu'il était capable de rassembler durant l'avant-midi.

Heather se mit des jeans bleus moulants et une chemise à petites fleurs. C'était ainsi qu'elle aimait chevaucher. Elle avait dit à son père qu'elle désirait se rendre en ville, et seulement à la poste; pas besoin donc d'une voiture qui aurait rendu le voyage quatre fois plus long. Morgan lui fit seller un alezan tranquille et il la regarda partir vers l'est au petit trot.

Il faisait un temps idéal sur les plaines. Un soleil doux et une brise légère caressaient la peau de ses bras et de son visage sous son chapeau. Droite sur la selle, une main tenant le pommeau et l'autre les guides, le corps de la jeune fille suivait les mouvements de la bête dans une gracieuse synchronisation. Quand le tournant fut franchi puis la dénivellation qui le suivait, elle fit virer sa monture vers le nord et progressa sans hâte, surveillant les moindres replis de l'horizon. Elle finirait bien par repérer le cow-boy solitaire.

Les heures et les milles défilèrent sous les sabots de son cheval. Pourtant, elle ne ressentait aucune fatigue ni impatience. La faim et le soleil lui indiquèrent qu'il était aux environs de midi. Elle fut sur le point de s'arrêter pour laisser brouter son cheval et s'alimenter elle-même avec un sandwich de ceux qu'elle avait dans un des sacs de la selle, quand lui apparut au pied d'une colline herbue un petit troupeau de bêtes qui lui parurent trop serrées les unes sur les autres pour ne pas être encerclées d'une corde. Elle obliqua par là et découvrit bel et bien un petit corral improvisé. Le tour était joué. Il suffisait maintenant d'attendre le retour de Donald. Elle mit pied à terre et laissa son cheval libre après avoir pris ce qu'il lui fallait pour manger. Peu après, le jeune cow-boy apparut au faîte de la colline, tirant une tauraille par une corde attachée au pommeau de sa selle. Assise au pied d'un arbre, Heather roupillait d'un seul oeil. Quand il aperçut l'alezan, il comprit et fut sur le point de virer de bord mais il se ravisa. Il réglerait cette question une bonne fois pour toutes entre Heather et lui, mettrait son nez d'enfant capricieuse devant une barrière infranchissable. Il avait déjà bien trop attendu.

Il s'approcha, l'aperçut. Elle le regarda avec insolence mais ne dit pas un mot. Qu'il parle, lui, et elle ferait en sorte de l'emprisonner dans ses propres paroles, et le monterait et le dompterait... La génisse obéissait mieux maintenant qu'elle était rendue parmi d'autres ou sur le point d'y être. Donald s'adressa à Heather alors qu'il était toujours à cheval:

–Qu'est-ce que la petite fille est venue faire si loin dans la plaine?

Sans décroiser les bras, ni bouger autrement, elle sourit et crâna:

–Si je ne suis qu'une fillette, pourquoi donc as-tu si peur de moi depuis le premier jour où tu m'as vue? Trouves-tu que j'ai l'air d'un serpent à sonnettes?

–Moi, peur de toi? questionna-t-il en se désignant la poitrine.

–Oui, mon ami, tu as peur, et depuis le début. Ce n'est pas de mon père que tu as peur, c'est de toi-même.

Il descendit de cheval et fit entrer la vache dans le corral. Puis il se rendit auprès de Heather pour achever cet échange qui la mettrait au pas. Elle avait les jambes relevées et les genoux entourés par ses mains jointes Il voulut tout d'abord esquiver son attaque en disant quand il fut assis à l'indienne sur l'herbe devant elle:

–M'aurais-tu déjà vu courir en te voyant, la petite?

Elle éclata d'un rire composé et dit, le ton lamentable:

–Plusieurs fois, Donald Morrison, plusieurs fois. Je te le redis: tu n'as pas peur des taureaux sauvages, des vaches en débandade, des serpents, des pires tempêtes de l'hiver, mais tu as peur de toi-même.

–C'est bien la première fois de ma vie que j'entends dire une chose pareille: avoir peur de soi-même. Non, mais où c'est que tu as pêché une idée comme celle-là? As-tu lu ça dans un livre de... de Sénèque?

C'était le seul nom d'écrivain qu'avait le jeune homme en fraîche mémoire. Il crut qu'elle serait impressionnée. Elle jeta:

–Oh! ça me rappelle que monsieur MacAuley a oublié de me remettre mon livre de Sénèque avant de partir. Il faudra que je lui écrive.

Donald fut contrarié. Il se sentait devancé. Alors il ramena le propos au sujet:

—Si je t'ai toujours évitée, c'était pour contourner les complications. Quand une montagne est trop à pic, on en fait le tour, c'est tout.

—Tiens donc, dit-elle, la petite fille qui est devenue une montagne maintenant.

—C'est une image.

Heather ferma un oeil et jeta des lueurs capricieuses avec celui resté ouvert. Elle dit:

—Tu veux un sandwich?

Et elle tendit celui qu'elle avait gardé près d'elle en réserve. Il fit un signe négatif.

—J'ai ce qu'il me faut.

Elle fit les grands yeux pour questionner de nouveau:

—Quel âge elle a, ta Marion McKinnon, hein?

Encore une fois pris au dépourvu, il jeta:

—Ça ne te regarde pas.

Elle haussa les épaules comme si la chose, après tout, l'indifférait totalement. Il réfléchit puis questionna avec la menace au bout d'un doigt accusateur:

—Comment ça se fait que tu connais ce nom-là, toi, hein?

Le ton de Heather, son audace et même le naturel avec lequel le nom de Marion avait été dit firent naître en l'esprit du cow-boy une idée absurde qu'il repoussa aussitôt. Se pouvait-il qu'elle ait lu ses lettres avant de les mettre à la poste? Non... elle était bien trop puérile pour penser à faire une chose pareille.

—Reprends ton cheval et retourne au ranch.

Et il lui en intimait l'ordre avec un regard insistant qu'elle soutint. Elle rétorqua:

—Mais le ranch, c'est ici!

—Tu sais ce que je veux dire.

–Je suis autant chez moi ici qu'à la maison.

–Si je te disais que le territoire du ranch est loin de se rendre jusqu'ici. Nous sommes sur les terrains de la Couronne britannique, ma chère.

–Je m'en fiche de la Couronne britannique, moi!

–Je vais chercher ton cheval, je te l'amène, je t'attache dessus et je te renvoie à la maison.

–Mais pourquoi? Personne ne peut nous voir ici.

–Je ne veux pas être renvoyé par ton père, compris?

Heather se leva. Puis elle regarda le ciel, ayant l'air de réfléchir. Alors elle s'approcha jusqu'à lui et commença à toucher les boutons de sa chemise, susurrant:

–Jamais je ne dirais à mon père que tu m'as prise dans tes bras et que tu m'as embrassée, même si tu le faisais de force parce qu'il pourrait te chasser du ranch et de Danbridge à coups de... fouet... ou de pistolet.

Il s'empara de son poignet qu'il serra fort jusqu'à la voir grimacer de douleur, et dit:

–Écoute, la petite, il va falloir que j'éclaire ta lanterne, hein! J'ai une fiancée là-bas dans l'Est et quand je vais y retourner...

Elle coupa:

–Ça va faire belle lurette qu'elle sera mariée à quelqu'un d'autre. Elle t'écrit même pas, bel innocent!

–Elle a ses raisons... Dans l'Est, les filles ne sont pas comme ici.

–Les filles sont partout les mêmes. Elles se fatiguent vite d'attendre.

Il voulut se défendre:

–Je serai là-bas l'année prochaine.

–Peuh! Ils viennent tous pour un an ou deux et ils s'en retournent tous au bout de dix ans. Comme Charles MacAuley. Comme tous les cow-boys. Autant te faire une raison de vivre ici! T'es comme dans une prison que tu t'es bâtie toi-même. Pire, t'es l'esclave de ta fiancée qui elle, t'a complètement oublié, pauvre imbécile...

Se faire ainsi qualifier de prisonnier irrita Donald au plus haut point. Quant à se mettre en prison lui-même, il fallait une folle de la pire sorte pour oser inventer pareille idée. La meilleure arme contre cette fille, c'était encore le silence. L'absolu silence, épais comme la muraille de Québec. Il enfourcha sa monture et repartit lentement, à bride molle.

–Où vas-tu? cria-t-elle la voix perçante et bourrée d'autorité.

Lui ne répondit pas.

–Et ta danseuse de Cheyenne?...

Il fit s'arrêter son cheval. Qu'elle sache donc qu'il s'en fichait qu'elle sache! Et il éperonna. Et sa monture reprit son pas régulier des plaines.

–Attends, Donald Morrison, ou je te fais jeter dehors de notre ranch.

Et se poursuivirent invectives et menaces tant que le cowboy ne fut pas disparu derrière la colline. Il ne revint qu'une demi-heure plus tard. Heather avait disparu. Le corral était vide. On avait défait la corde et les animaux s'étaient dispersés; il n'en restait que deux encore visibles. Le jeune homme jura; cela ne lui arrivait guère.

Ce fut donc précédé de seulement sept bêtes qu'en fin d'après-midi, il franchissait le pont du ranch. Morgan guettait son arrivée. Il lui laissa le temps de parquer les bêtes dans le corral puis il le héla. Donald se rendit à la maison en sachant ce qui l'attendait mais il demeura d'un calme de vieux chef indien. L'éleveur le fit asseoir mais lui-même resta debout afin de marcher pour étaler sa nervosité et surtout sa grande contrariété d'un bout à l'autre de la pièce exiguë. Le chapeau noir calé sur le front comme pour se donner un air encore plus sombre, il dit:

–Heather m'a raconté que tu l'as interceptée alors qu'elle se dirigeait vers la ville et que... tu aurais tenté de... de faire certaines choses... Si tu étais n'importe qui d'autre, je ne le pardonnerais pas mais tu es Donald Morrison et c'est différent... bien différent... Je t'aimais bien... Tu es un des meilleurs hommes à avoir travaillé ici. Faut dire que tous les Écossais des Cantons de l'Est sont de bons hommes: des gars fiers, forts, habiles, dociles, honnêtes jusqu'au bout des ongles... Mais je ne saurais accepter que de telles choses se passent au ranch...

Le sang du cow-boy n'était froid qu'en apparence car ses veines transportaient un grand dépit. Il interrompit:

–Vous ne voulez pas entendre mon dire sur ce qui s'est passé aujourd'hui?

Morgan s'arrêta, ouvrit les mains comme pour refouler la vérité dans son interlocuteur. Il dit:

–Non, ne dis rien. Ce que tu pourrais me dire ne changerait rien à ma décision et je ne veux pas le savoir...

Alors il baissa le ton, se fit dubitatif:

–Il faut que tu apprennes, Donald Morrison, qu'un père doit sacrifier les plus belles choses de la vie pour ses enfants. Et même s'il lui faut faire du mal aux autres pour les protéger, il doit le faire. C'est un devoir, une obligation écrite dans les étoiles du ciel et dans notre sang. Tes propres parents ne t'ont-ils pas déjà ainsi favorisé? Sans doute, même si tu ne t'en souviens pas, même si tu ne t'en es peut-être pas rendu compte...

Donald retrouvait une certaine paix à savoir que Morgan ne le croyait pas coupable et qu'il voulait seulement couvrir Heather.

–Pour empêcher une pire situation que celle de maintenant, il va falloir que tu partes. Je vais te donner une belle lettre de recommandation et ainsi, tu n'auras pas grand mal à te trouver du travail autre part.

Il s'arrêta, garda le dos tourné, soupira:

–Si seulement Heather avait un an de plus, probable que je ne serais pas intervenu de cette manière, mais... Il me reste à te souhaiter bonne chance, Donald Morrison. Et je te demande de me comprendre... de me comprendre...

Alors il marcha d'un pas ferme dans son hésitation afin de la taper, de la durcir, et il quitta la pièce, laissant l'autre seul avec ses pensées. Jamais il ne s'était senti aussi parfaitement encarcané, enfermé, empêtré. L'injustice avait tissé une lourde toile autour de lui et il ne pouvait rien y faire. Ce n'était pas la faute de Morgan Matthew et il ne pouvait s'en prendre à Heather. Restait à baisser la tête, à s'incliner, à raser les clôtures.

Mais que faire? Qui voudrait l'engager dans la région immédiate? L'écho résonnait fort par là. On se parlerait de sa prétendue conduite. On ne lynchait pas les violeurs dans l'Ouest, mais on les châtrait quelque nuit profonde et plusieurs en mouraient. Et pas question de rentrer dans l'Est avec presque rien encore dans ses poches! Mégantic ne saurait le revoir que les mains remplies des grandes prodigalités de l'Ouest. Le seul endroit qui lui soit familier, et encore vaguement, était Cheyenne. Il choisit de s'y en aller. Là-bas, il rencontrerait quantité d'éleveurs et il trouverait de l'embauche.

Il remit son chapeau qu'il avait gardé sur ses genoux durant la rencontre, puis il quitta les lieux à son tour, le regard bas et le coeur au désabusement.

Après le repas du soir, il retourna au bureau de Morgan afin d'y régler ses comptes. La rencontre fut brève et l'échange ne porta que sur les affaires. Comme si Heather n'avait jamais existé. Donald avait besoin d'un cheval. Morgan lui en céda un pour la somme d'un dollar. C'était une prime déguisée. Puis comme accablé par la honte qu'il s'inspirait à lui-même, Morgan partit de la même manière qu'il l'avait fait dans l'après-midi. Donald emprunta un crayon et griffonna quelques mots sur un bout de papier qu'il laissa sur le bureau. «Merci beaucoup pour tout, monsieur Matthew.» Et il signa: «D. Morrison, Mégantic»

Au petit matin du jour suivant, le jeune homme qui avait

considérablement réduit ses bagages, ne gardant que le nécessaire placé dans une valise attachée à la croupe de son cheval derrière la selle, engagea sa monture sur le pont. Le ciel était déjà d'un bleu profond et les montagnes au loin, éclairées par le soleil levant, injectaient à son âme de leur puissance tranquille et de leur froide fierté. Le bruit des sabots tombant dans la coulée rocheuse s'habilla d'ondes creuses et rebondit d'une ornière à une autre jusqu'à la lucarne de la chambre de Heather. Elle entendit ce départ haï, accourut aux vitres pour voir et savoir. Il ne restait plus que deux coups sourds à être rendus par les pavés grugés. Elle serra les dents, les mâchoires, les poings, les pieds. On frappa à sa porte. Son père lui remit un bout de papier de la part de Donald. Il murmura sans la regarder:

–Il est parti; comme ça, tu n'auras plus rien à craindre de sa part.

Morgan tourna aussitôt les talons. Elle lut:

«Je te demande pardon pour tout...»

Alors elle courut à sa fenêtre, eut beau étirer le cou, il n'y avait déjà plus personne sur le chemin; le tournant et la première colline avaient effacé l'image de Donald de la surface de la terre.

–Fou d'idiot! ragea-t-elle en trépignant.

Elle chiffonna le papier, le jeta à terre sur le plancher de bois, l'écrasa avec sa petite bottine noire et frustrée.

Ω

Donald voyagea sans se presser. Il connaissait son chemin. De multiples points de repère lui revenaient en mémoire. De toute façon, un aveugle s'y serait retrouvé: suffisait de se laisser aller sur la piste vers le sud. Il put tout à loisir faire et refaire le bilan de tout ce qui s'était passé dans sa vie depuis son arrivée dans l'Ouest. Plusieurs grandes promesses nées dans ses rêves de par les récits des journaux de l'Est avaient fondu dans le grand mirage. Certes, il y avait à gagner, mais le chemin était long et ardu pour un nouveau venu, et les pièges nombreux. Combien d'années lui faudrait-il rester pour libérer la ferme paternelle de cette damnée hypothèque? Une réponse aussi vague qu'ennuyeuse lui venait alors en tête: bien plus que prévu. Ou bien si l'imprévu venait à sa rescousse contrairement à ce qu'il en avait récolté jusque là. Il songea à se rendre dans les Black Hills et à s'y faire prospecteur. Si, malgré les Indiens, la région avait donné beaucoup d'or, on savait maintenant que les filons s'épuisaient et que les chances d'y faire fortune pour un nouveau chercheur étaient pratiquement nulles. Les orpailleurs eux-mêmes n'y trouvaient plus leur compte.

Il avait trente-six dollars dans ses goussets. Mais son cheval était passablement bon et il possédait une selle ainsi que deux pistolets restés flambant neufs, utilisés une seule fois dans un rassemblement.

Un soir de poussiéreuse brunante, il arriva à Cheyenne après cinq jours de solitude que pas même les relais n'étaient parvenu à entamer; il s'y était montré taciturne, réservé. Et pourtant, quand il entra dans la ville, il s'y trouva plus seul encore que dans la grande prairie. Il regarda le haut des devantures passer doucement de chaque côté de lui et la rue Maple de Mégantic lui revenait en mémoire. Pourquoi donc avait-il choisi Cheyenne? Pourquoi pas Buffalo? Ou bien pourquoi ne pas passer son chemin et s'en aller tout droit à Dodge? Bah! une ville en valait une autre! Et puis il connaissait déjà quelques personnes à Cheyenne. Il s'identifierait comme un cow-boy d'Alberta, équipier de Bill Henry lors de deux convois et cela lui vaudrait bien du travail.

Il se rendit chez le maréchal-ferrant et loua une place d'écurie pour son cheval puis il marcha lentement sur le trottoir de bois, les bottes dures et grises, la tête haute sous son chapeau à grands cernes de sueur, jusqu'au Grand Saloon. Il se mit debout près du bar, commanda un verre de whisky et examina la pièce. Une surprise lui était réservée. À une table se trouvait Kandy Cane; le temps, en son esprit, en avait effacé le véritable nom de Jane Allison, cette petite femme exquise qui avait fait de lui un homme. Non, il ne s'attendait pas à la revoir là. Kandy était une voyageuse sans racines, une fille que le vent roulait avec la poussière comme un de ces rouleaux de branchages venu de nulle part et se destinant à l'inconnu sur les ailes d'un destin aux imprévisibles souffles incohérents.

Elle l'avait vu entrer, l'avait suivi du regard à la dérobée, guettait sa réaction. S'il devait la reconnaître, lui faire signe, elle irait vers lui. Il sourit, leva une main indécise. Elle délaissa un compagnon de table, homme au visage anguleux, aux oreilles affreusement décollées, chauve sur le devant de la tête et d'allure cynique. Donald cacha sa joie de revoir un visage familier et si doux. Tout d'abord, il s'inquiéta parce qu'elle avait quitté cet homme au regard d'aigle. Ce n'est que Tom Horn, répondit-elle, il n'est pas dangereux...

Mais les traits de l'homme durcirent un peu plus quand il vit que la danseuse ne retournerait pas avec lui et qu'il se sut donc évincé par un blanc-bec trop bien armé à son goût. Il se fit oublier néanmoins. On l'oublia...

Plus tard, Kandy donna à Donald la clef de chez elle. Il pourrait y prendre un bain, s'y reposer en l'attendant... Dans les semaines qui suivirent, il partagea ses repas, sa chambre et son lit.

Ω

Il se construisait un nouvel hôtel dans la ville et qui aurait pour nom le Club de Cheyenne, financé par les barons de l'élevage, de ces hommes d'affaires qui détenaient des actions dans la moitié des propriétés d'élevage du Wyoming et qui feraient parler d'eux de plus en plus dans les années à venir.

Kandy leur vanta les mérites de Donald. Leur souligna son expérience en Alberta, son habileté avec un lasso comme avec un rabot. On lui offrit du travail à un dollar et demi par jour. Il aiderait à la construction du Club de Cheyenne, mais l'on avait aussi d'autres vues quant à son utilisation...

Par le Cheyenne Sun qu'il lisait tous les jours, Donald

apprit que s'accréditait de plus en plus la rumeur rôdant, voulant que des voleurs de bétail refoulés du Kansas et de l'Arkansas par les vigilantes milices du juge Parker aient trouvé refuge au Wyoming et qu'ils y formaient des bandes actives et dangereuses. À la lecture de cet article, jamais il n'aurait pu se douter que l'action des voleurs de bétail changerait sa vie, toute sa vie

Un matin, il fut congédié. Sans raison valable. Trop de gars sur le chantier, lui servit-on comme prétexte. Or, ce même soir, au saloon, il fut abordé par un rancher du nom de John Tisdale. L'homme lui dit en s'approchant de la table:

—Je suis à la recherche d'un bon homme qui a besoin de travailler. Tu me permets de m'asseoir?

Seul à sa table, comme d'habitude lorsque Kandy était sur scène, Donald acquiesça en désignant d'un geste bâclé la chaise qui se trouvait en face de lui.

Tisdale avait belle et grande apparence, bonne contenance. Personnage raffiné, mince, proprement vêtu d'un habit de ville et d'un chapeau western aux bords discrets, il avait allure d'avocat et charmait dès les premiers gestes. Il dit:

—Accepte un whisky, c'est sur le compte du ranch Bell.

—Où c'est?

—Au nord. Sur la frontière du Nebraska.

—C'est pour y faire quoi?

—Ce que tu sais faire. Des rassemblements, du marquage, des drives... Tout ça te connaît depuis le temps que tu étais en Alberta...

Donald jeta un oeil oblique en direction de Kandy qui levait la patte et montrait ses dessous en dentelles bleues aux cow-boys à regards éclatants.

—Vous devez savoir aussi mon nom?

—Morrison, Donald Morrison, sourit l'autre. C'est ton employeur du Club de Cheyenne qui m'a glissé un mot sur toi. Et la danseuse m'a dit le reste.

–Et vous-même?

L'autre tendit la main par-dessus les verres de whisky, disant:

–John Tisdale, membre de l'Association des éleveurs du Wyoming.

Donald serra la main tendue. Tisdale sourit avec la condescendance d'un bon père de famille.

Ω

Le jour suivant, les deux hommes quittèrent la ville pour se rendre au ranch Bell. Donald avait fait des promesses à Kandy. Il la verrait chaque dimanche. Mais elle avait mis ses illusions derrière lui sur sa selle. Les hommes étaient des passants dans sa vie. Elle avait l'habitude. Pour jouer le jeu, elle avait promis de l'attendre. Donald laissa aussi ses illusions derrière lui, mais sur l'édredon rose de la danseuse. Lui aussi s'était fait dire déjà qu'on l'attendrait... O! femmes à la courte mémoire et au coeur volage!

Ω

Au ranch, il n'en crut pas ses yeux quand on lui présenta le chef des cow-boys. On avait fait asseoir Donald au bout d'une table dans une pièce semblable à celle de chez les Matthew où les hommes étaient reçus quand les affaires du ranch le voulaient et dans laquelle ils allaient prendre leurs repas. Tisdale était à l'autre bout. On frappa à la porte. Sèchement et avec insistance comme si l'origine du bruit avait un bout de canne de bois. Tisdale regarda Donald avec un sourire en biais et il dit:

–Entre!

Parut alors un personnage noir dans toute son impossibilité.

–Voici le foreman du ranch! fit Tisdale amusé.

Donald se leva et il souleva complètement son chapeau pour saluer. Tisdale dit:

–Donald Morrison que j'ai engagé hier... Et voici Belle Starr

La femme aux bajoues grêlées, habillée en cow-boy, hocha la tête sans rien dire. Elle prit place à table en rajustant son ceinturon pour que les pistolets pendent librement de chaque côté de la chaise. Tisdale poursuivit:

–Mise au point: le ranch Bell et le prénom de madame se ressemblent sans plus. Belle travaille pour nous depuis quelques mois. C'est elle qui remplace l'ancien contremaître. Le pauvre est mort tragiquement comme cela arrive de plus en plus souvent hélas!

La jeune femme fit un sourire énigmatique. Donald se demanda quel bout de phrase de Tisdale évoquait quelque chose de plaisant en son esprit. Lui-même ne put empêcher une moue singulière devant l'image que donnait cet être bizarre dont il lui semblait avoir déjà entendu le nom quelque part...

Elle surprenait tout un chacun, cette femme, avec son énorme ceinture à revolvers et sa cartouchière contournant l'épaule gauche. Un chapeau gris dont un rebord retroussait dans un sens et l'autre, orné d'une sorte de plumeau rouge planté sur le devant, lui calait jusqu'aux yeux. Des yeux petits, perçants, cruels. Moricaude. Ses mains gantées tenaient une cravache qu'elle avait déposée sur la table.

Elle appuya son regard sur le jeune homme et procéda à un examen visuel qui frôlait l'impudeur. Cela relevait de l'insolence mais aussi de l'hypocrisie puisqu'elle en connaissait déjà pas mal sur lui, ce qu'il ignorait pourtant. On avait établi un plan pour attaquer le convoi de l'Alberta en automne, et Donald servirait de pion dans l'affaire. Car Belle Starr - Donald aurait dû s'en souvenir de par ce qu'en avait déjà raconté Kandy - était chef d'une bande de voleurs de bétail. Mais elle avait été chassée du sud par le zèle du juge Parker et elle avait décidé de s'en aller au nord avec ses hommes afin d'y respirer un air plus sain, d'autant que le cheptel y devenait de plus en plus important. Un baron du bétail de Cheyenne, actionnaire principal dans le ranch Bell, l'avait envoyée à Tisdale qui l'avait aussitôt engagée comme lieutenant et paravent.

La femme-contremaître ne possédait pas la voix de sa gueule. Elle parlait avec mesure avec des mots amènes voire engageants. Donald serait cow-boy sauf que là, il devrait passer plus de temps en solitaire à veiller sur les bêtes et à vivre dans une cabane loin dans la prairie. Il fallait le mettre à l'écart en attendant de se servir de lui.

–C'est que, monsieur Morrison, voyez-vous, depuis quelque temps par ici, y a beaucoup de vermine. Les voleurs de bétail grouillent : on les voit pas, on les connaît pas... Faut donc surveiller les bêtes de près même celles marquées.

Et Donald partit pour la prairie à l'aube du jour suivant. Il y apprit un peu plus encore la solitude. L'ennui le transportait parfois au-dessus de Mégantic, de Marsden, de son pays enfoui sous une montagne de patiente résignation. D'autres fois, il songeait à tromper le temps en pratiquant le tir au revolver mais il ne communiait pas avec ses armes. Pas encore. Il craignait ses pistolets comme s'ils avaient été des instruments capables de dépasser sa pensée, ses gestes, son vouloir...

Donald Morrison ignorait encore que l'homme n'a pas de prise sur les événements, que même ses points de vue sont écrits d'avance, que le scénario de sa vie est inscrit dans l'agglomérat dérisoire de ses cellules, que le moindre de ses gestes est déterminé, qu'il n'est pas maître de son destin, mais en est le serviteur. Pour lui, les hasards spectaculaires donc évidents avaient déjà commencé de s'attacher à ses pas. Il s'en produisit un autre ce jour-là. Revenu de la prairie pour se ravitailler alors qu'on ne pensait même plus à son existence, il entra dans la maison et attendit discrètement dans la pièce voisine de celle où il avait rencontré Belle à son arrivée. La femme et Tisdale y conversaient. Il se tramait des complots. Il fut question de l'attaque du convoi de Danbridge.

Il n'était pas dans les cordes de ce jeune Écossais de Mégantic élevé dans la droiture et la franchise de jouer à l'hypocrite. Il fallait courir à Cheyenne, alerter le shérif, faire en sorte que la justice mette la main au collet de ces dangereux lascars. L'homme tout d'un bloc manquait aussi de prudence et s'il sortit de la maison sans faire de bruit, son cheval, lui, aussitôt mis au galop, éveilla l'attention de Belle qui se targuait d'un flair à toute épreuve. Elle vit Donald par la fenêtre. On en déduisit qu'il avait surpris leur conversation. Il n'y avait rien à craindre du shérif Canton qui était soudoyé par les barons mais ce cow-boy risquait d'alerter les chefs de convois. Il fallait donc se débarrasser de lui au plus vite. On retint un plan consistant à le tuer sous le couvert d'un accident. Descendre un homme, même un étranger, n'était pas une mince affaire. Le shérif avalerait aisément une histoire mais encore fallait-il lui en servir une!

Belle fut dépêchée à la ville. L'affairiste du Club de Cheyenne la mit en contact avec Tom Horn, un tueur de métier qui avait déjà inscrit l'image de Morrison dans sa tête parmi des cibles éventuelles. Il fut convenu d'un prix et des étapes du plan à exécuter. Un plan sans aucune sorte de raffinement à la mesure d'un pays à l'état brut où tout ne pouvait être que simple et expéditif. Belle et Horn iraient au Grand Saloon où ils ne manqueraient pas de trouver le cowboy. Devant témoin, Belle prétexterait que son arme , un Peacemaker à pontet ouvert, s'enrayait pour la montrer à Horn qui l'examinerait. Un coup accidentel, fatal pour Morrison, partirait. Belle témoignerait. D'autres. Qui se soucierait de ce solitaire canadien perdu dans l'Ouest américain? Et le marshal Canton serait satisfait. Quant au *Cheyenne Sun*, journal dévoué à la cause de l'Association des éleveurs et du Club de Cheyenne, il publierait un bel article justificatif.

Dès son arrivée à la ville, Donald s'était rendu au bureau du shérif Canton qui avait recueilli sa déposition et annoncé qu'il se rendrait personnellement enquêter au ranch de Tisdale. Puis le cow-boy retrouva Kandy dont il partagea le repas du soir. Les mots du shérif, les heures passées, l'escalade de la certitude chez ceux qui fuient la réalité rassurèrent peu à peu le jeune homme. Si bien qu'après le départ de Kandy, il s'enhardit et décida d'aller au Grand Saloon.

Embusqué de l'autre côté de la rue, Tom Horn le vit entrer. Il s'y rendit à son tour afin de juger de la disposition des tables et des clients, et pour repérer le meilleur endroit pour exécuter le coup monté. Mais aussi, il fallait manoeuvrer de sorte que Belle ne soit pas reconnue par Morrison, car elle avait eu beau changer de chapeau, se couper le front d'une mèche de cheveux épaisse et noire, difficile que l'on n'identifie pas au premier coup d'oeil son affreux visage d'hyène en chaleur.

Horn retourna chercher Belle qui l'attendait derrière les portes battantes. On choisit d'entrer quand la rumeur annonça que sur scène, le spectacle recommençait; ainsi, toute l'attention porterait vers les danseuses et particulièrement celle de Morrison dont on savait les liens avec l'une d'entre elles. Le couple se fit rapide, discret, et s'attabla à vingt pieds du bar.

–Où est notre oiseau? demanda Belle dans la pénombre.

Horn, malgré ses oreilles toujours à l'affût, n'entendit pas. Il dut se rapprocher. Elle répéta sa question. À l'odeur de sa bouche halenée par le tabac et ses dents gâtées, l'homme eut un haut-le-coeur et il se dit qu'il la tuerait volontiers, cette femme qui se prenait pour un homme, qui dirigeait un groupe de miteux calamiteux, qui constituait une honte pour tous les hommes de l'Ouest.

–Là, debout au coin du bar. On dirait qu'il l'a fait exprès pour se mettre au meilleur endroit. Regarde comme il y a de la place dans son dos.

Belle émit un rire sonore en trois accents. Elle dit:

–Pas brillant, le jeune homme, de se laisser le dos ainsi à découvert!

–Justement, c'est un jeune... et qui va rester jeune jusqu'à sa mort, marmonna Horn entre ses dents.

Le serveur, un homme à la moustache lourde et triste, vint rôder aux environs, nettoyer une table; il prit la commande des arrivants par une réponse d'un hochement de tête aux signes de Horn. Deux doigts croisés sur deux autres de l'autre main voulaient dire: double whisky. Et l'index montra: pour les deux.

Les éclats de voix, les notes échevelées du piano, la rumeur générale, tout cela donnait allure de tohu-bohu et pourtant il y avait de l'ordre dans l'apparent désordre. Les sens en avaient plein la vue. Il fallait les tenir en éveil. Les danseuses y parvenaient mieux que tout. En vives couleurs, les bras accrochés, les quatre jeunes femmes jetaient en cadence vers le public leurs jambes bellement galbées, ou bien tournaient autour d'un axe imaginaire, parfois retroussaient leurs jupes sur un coup de croupe jusqu'à montrer leurs dessous roses.

Un assistant paraissait hors du temps et du lieu. Le regard plongé dans son whisky, Donald pensait. Peut-être vaudrait-il mieux quitter Cheyenne? S'en aller plus au sud? Mais si le shérif ne trouvait rien sur Tisdale, le convoi de Danbridge serait attaqué. Morgan Matthew méritait d'être averti. Norman surtout et Bill Henry qui ne devraient pas tomber dans un traquenard faute d'avoir été prévenus. Les éleveurs canadiens doubleraient le nombre de convoyeurs. Les voleurs n'auraient aucune chance de s'en prendre à eux.

Kandy n'avait pas aperçu le nouveau couple. Pas encore. Elle souriait presque sans arrêt à son public mais jamais son regard ne se posait plus d'une fraction de seconde sur une personne précisément. Sauf sur Donald Morrison qui lui rendait la vie si agréable quand il se trouvait auprès d'elle: garçon si sensible, si clair... Un instinct, un flair particulier aux filles de saloons lui permit d'apercevoir le geste de Belle quand elle sortit son revolver et le remit à son compagnon de table. Cela lui parut d'autant plus louche que cet homme était Tom Horn dont personne n'ignorait le véritable métier à Cheyenne. Belle se pencha vers un voisin d'une autre table et montra l'arme qu'examinait son compagnon. Kandy se sentait envahir par une crainte bizarre de la même sorte qu'elle avait ressentie quelques semaines auparavant lorsque Horn l'avait interpellée pour la première fois.

La femme avait chaud. Elle sentait de la sueur s'écouler dans ses dessous sur toute sa personne comme des ruisselets d'inconfort nés de son énergie et de son désir de se donner toute à ces gens bêtes qui la chosifiaient. Il arrivait parfois qu'un cow-boy drolatique lui lance autour du corps son lasso et l'entraîne jusqu'à lui malgré elle. Il lui fallait alors sourire tout de même, s'asseoir un moment sur les genoux du farceur, en profiter pour se défaire de la corde et caler le chapeau du gars jusqu'à ses yeux, ce qui lui permettait de détourner son attention et lui donnait la chance de se libérer tout en faisant rire les autres.

Elle vit Horn qui pointait l'arme en direction du bar. Alors lui vint en tête ce que Donald lui avait raconté de son équipée au ranch Bell. Là-bas, on savait qu'il savait et on était venu pour le liquider, le faire descendre d'une balle dans le dos par Tom Horn. Dernière du rang des danseuses, elle se décrocha du bras de sa voisine et, sous les regards étonnés des autres, elle sauta en bas de l'estrade entre les tables. Un vieil ivrogne profita de son passage près de lui pour lui peloter le derrière; elle ne s'en rendit même pas compte, emportée qu'elle était par l'impératif de prévenir Donald. Il ne lui fallut que cinq secondes à tricoter entre les jambes et les tables pour parvenir à lui. Un coup de feu retentit, tua tous les bruits. Donald se retourna. Il recueillit le regard ultime imprégné de tristesse de la petite bonnefemme. Elle s'écroula tout doucement sans un mot. L'Ouest n'avait que faire des coeurs tendres.

Donald se jeta à son côté, lui souleva la tête. Les yeux de vitre étaient posés sur lui mais ne le regardaient pas. Il en avait vu souvent, de ces globes éteints, ceux des bêtes égorgées, comme arrêtés en pleine espérance dans une fixité chagrine.

Le shérif parut quelques minutes plus tard. Il réunit autour du cadavre les principaux témoins. La thèse de l'accident parut d'autant plus plausible que Tom Horn n'avait aucun motif pour tuer une fille. Il montra qu'il ne portait pas d'arme.

Sherif Frank M. Canton

Belle confirma tout. Des voisins de table corroborèrent.

–Bon, affaire classée! soupira Canton qui ne posa aucune question à Morrison.

Donald se releva. Le regard amer, il dévisagea Canton, puis Belle, puis Horn.

–J'en connais qui finiront comme elle, déclara-t-il solennel et froid.

–Peut-être que tu ferais mieux de quitter Cheyenne, suggéra l'homme à l'étoile. Cela pourrait éviter des querelles désastreuses.

Pour Donald, c'était la seule solution. Il quitta les lieux. Il partirait, mais il reviendrait. Si la justice n'existait pas dans ce pays, il verrait à la rendre lui-même à son heure...

Ω

Il se rendit chez Kandy prendre son baluchon et un souvenir d'elle, puis il passa la nuit sur de la paille dans une stalle près de son cheval chez le maréchal-ferrant. Ainsi, on ne risquait pas de le trouver Une demi-heure avant l'aube, il prit la direction du nord, enfourché sur sa monture et sur le qui-vive. Ce soir-là, il s'arrêta au ranch K.C., propriété d'un éleveur indépendant du nom de Nathan Champion qui lui offrit l'asile.

–On te pourchasse, hein? questionna laconiquement le rancher.

–Oui.

–Dans ce cas-là, il est probable que tes ennemis sont aussi les miens.

Pièce d'homme, solidement campé dans le milieu de la trentaine, les sourcils épais et bien découpés, les yeux d'un gris verdoyant, Champion accueillit ce passant mieux qu'un autre. Repas lui fut offert et servi par sa femme, un être maigret, prévenant et qui multipliait les pataquès dans des phrases étirées à mots rares. Champion parla de ses oppositions avec l'Association des éleveurs et les gens du Club de Cheyenne. Donald prit confiance. Il raconta sa mésaventure.

–Canton est à la solde des barons, dit Champion entre deux gorgées de café fort.

–C'est donc une bande de criminels bien organisée?

–Exactement! C'est ce qu'on pourrait appeler, oui, du crime organisé.

Champion en savait assez maintenant sur son invité pour lui servir un conseil auquel il donna une importance majeure par le ton et l'emphase:

–Mon jeune ami, tu dois apprendre à te servir de tes armes si tu veux survivre dans ce pays. Ou bien alors, retourne au Canada et ne reviens jamais par ici.

Donald avait déjà dans la tête et le bras, depuis sa sortie du Grand Saloon de Cheyenne, la décision de pratiquer le tir jusqu'à devenir un des meilleurs.

–Si tu veux, je te donnerai ta première leçon tout à l'heure, proposa l'éleveur.

Ω

Donald vécut plusieurs semaines au ranch K.C. On l'apprit à Cheyenne; cela valut à Champion d'avoir son nom sur la liste noire des barons. On lui promit une expédition punitive. Elle aurait bien lieu mais onze ans plus tard et lui coûterait la vie lors de la guerre du comté de Johnson du printemps 1892 alors que plusieurs éleveurs innocents seraient pris entre deux feux.

Et Donald fut mis au courant des importantes nouvelles de l'Ouest qui lui avaient échappé à cause des rares occasions qu'il avait eues de lire les journaux. Billy le Kid avait été tué par le shérif Garrett à Fort Summer en juillet, mais si spectaculaire que fût l'événement, voilà qu'il était déjà rejeté dans l'oubli par la nouvelle d'un règlement de comptes survenu en Arizona, à Tombstone, en un lieu appelé O.K. Corral alors qu'une bagarre à coups de pistolets avait opposé huit hommes dont trois d'un même clan, les frères McLaury et Billy Clanton, avaient été tués raide. On montrait à la une les cercueils exposés dans la vitrine d'un magasin d'outillage.

–Les muscles de la main, du bras, doivent être exercés tous les jours, redit Champion à Donald une fois encore la veille de son départ lors d'une dernière séance de tir.

Le drive d'automne était sûrement proche de se mettre en branle en Alberta. Le jeune homme avait écrit à Morgan Matthew pour le mettre en garde mais il n'en avait pas eu de réponse. Il fallait qu'il se rende à Danbridge en personne. De plus, il se savait en danger constant au ranch K.C.

Le matin de son départ, il se mit en route avant l'aube afin d'éviter d'éventuels tueurs embusqués. Champion l'accompagna sur cinq milles puis on se sépara. À midi, il croisa la piste des convois. Il n'y avait plus guère de chance que les malandrins de Cheyenne soient à sa poursuite et sa route fut dès lors plus sereine.

Ω

Le nombre de têtes dans le grand corral de Danbridge lui dit que le convoi était près de partir. Il s'était tracassé sur plusieurs milles de piste, craignant que le drive ne fût passé ailleurs, plus à l'ouest et, d'autre part, misant sur le fait que Bill Henry n'était pas homme de chambardements.
Morgan Matthew reçut l'arrivant à bras ouverts. L'accueillit dans la salle à manger, fit servir le café, s'enquit de sa santé. L'injustice qu'il avait commise envers Donald lui avait pesé sur l'âme tous ces mois-là. Il jacassa comme une pie, offrit au cow-boy de reprendre sa place au ranch, se rendit quérir un petit paquet dans son bureau et le jeta devant lui.

-Ce sont tes lettres... Celles de ta fiancée... On les a retrouvées dans la chambre de notre chère Heather. Elle retenait aussi celles que tu donnais à poster. Faut lui pardonner, c'est une enfant! Reste, elle ne t'achalera jamais plus, je te le garantis.

Donald se félicita de son retour. Il en donna la raison principale. Le convoi serait peut-être attaqué. Le Wyoming était devenu aussi dangereux que le Texas, le Kansas ou l'Arizona. Morgan sourit, hocha la tête à plusieurs reprises, dit enfin:

–Et dire que t'es un gars que j'ai renvoyé!

–Oublions ça, monsieur! D'autant que ça tourne à l'avantage de tout le monde.

–Je le voudrais bien... Mais je veux réparer le tort que je t'ai causé avec un meilleur salaire: tu auras un dollar et demi par jour à l'avenir...

Donald remercia, s'excusa. Il voulait vite aller se dépoussiérer. Montrant ses lettres, il ajouta:

–Et comme vous voyez, j'ai passablement de courrier à lire.

C'est ainsi que plus d'un an après son départ, Donald put renouer son lien avec Marion. Quant à Heather, elle avait jeté son dévolu sur un nouveau cow-boy.

Ce soir-là, Donald scruta le ciel vers l'est. Il lui sembla qu'un chemin étoilé conduisait par là et que les lueurs avaient allure de nouvelles promesses. Norman lui raconta comment une lettre de son oncle Charles avait permis de démasquer Heather. Donald lui raconta ses aventures à Cheyenne. Bill Henry prit les mesures pour assurer la pleine sécurité du convoi. Il faudrait dix bandes de voleurs de bétail mises bout à bout pour oser affronter ses gars. Morgan refusa de laisser partir Donald. Il craignait pour sa vie. On devrait l'oublier à Cheyenne. Il lui promit en revanche qu'il ferait partie du grand drive du printemps suivant.

Au retour des hommes avec la neige, Morgan apprit que tous les convois du nord avaient été frappés par les voleurs, tous, sauf celui de Danbridge auquel même un important régiment de cavalerie n'aurait pas voulu se frotter.

Ω

Beau temps, mauvais temps, Donald trouvait moyen de pratiquer le tir au pistolet. Il fit éclater des centaines de bouteilles, fit sauter des pierres, des branches d'arbres. Un jour, il fut capable de déchirer une fois sur deux une corde tendue devant lui à vingt pas. Au printemps, on le disait un as de la gâchette.

En mai, il accompagna les bestiaux à Cheyenne. Ce fut en vain qu'il claironna sa présence par toute la ville, qu'il chercha Tom Horn. Quant à Belle Starr et à ses hommes, ils n'étaient restés là que le temps des roses et ils avaient repris le chemin du sud, de la Canadian River près de laquelle se trouvait le repaire de la femme-bandit. Il se rendit au bureau du shérif contre l'avis de Bill Henry.

–Quand tu reviendras, arrive avec des faits, des preuves de ce que tu dis, pas des présomptions, lui dit Canton en lui indiquant la sortie.

Ω

De retour au Double M, Donald vida ses poches une fois de plus et fit parvenir à ses parents l'argent nécessaire pour effectuer le versement annuel sur l'hypothèque de la ferme. Puis il écrivit à Marion et lui dit tous ses regrets de devoir rester dans l'Ouest une troisième année à cause de tant de temps perdu.

À cette époque, il se passionnait lui aussi, comme tous les Canadiens pour le parachèvement de la ligne de chemin de fer reliant les deux océans et traversant le pays sur toute sa longueur. Mais ce qui l'intéressa davantage et bien plus que les événements spectaculaires de l'Ouest américain dont la mort du célèbre Jesse James, fut l'affaire Riel. Il la suivit jusqu'à son dénouement deux ans plus tard lorsque le métis fut pendu en 1885. Il en voulut au premier ministre Macdonald de n'avoir pas sauvé Riel. Et il se rangea presque de l'avis de ce jeune tribun québécois, Honoré Mercier, qui avait qualifié Sir John d'assassin.

Ces années-là pour le jeune homme furent autrement tranquilles que les deux premières dans l'Ouest. Et cette sérénité l'habillait mieux. Pourtant, chaque jour, il tirait quelques balles, histoire de garder la main. Et il ramassait son argent. Son pécule fut bientôt de mille dollars. Marion lui gardait son coeur. Chacune de ses lettres finissait par les mots: 'je t'attends'. Et chacune des siennes disait: c'est ma dernière année ici...

1886 fut une terrible période. Une effroyable tempête de neige déferla pendant une semaine entière. Elle fit perdre des centaines de bêtes au ranch MM. Et l'été suivant fut pire: il amena le fléau de la sécheresse. Les animaux durent se contenter d'une maigre pitance, si bien qu'à l'automne, ils ressemblaient à des cages d'os tendues de peau. Et l'hiver 1887 ne fut pas mieux que le précédent. Des milliers de vaches moururent de faim, de misère, de froid. On en voyait partout gelées debout et qui ne s'écrasaient au sol qu'au printemps. Pour sauver leur emploi, les cow-boys offrirent de travailler à moindre salaire.

En mars, Donald reçut une lettre de ses parents et dans laquelle sa mère écrivait que le major McAuley, le prêteur, réclamait le paiement total de l'hypothèque sans considérer les versements déjà effectués. Il ne comprit pas le sens exact des mots tant la chose était absurde, impossible, mais il sut qu'il devait rentrer chez lui.

Ω

Norman le reconduisit à la gare. Le transcontinental du Canadien Pacifique passait maintenant à quelques milles de Danbridge. Déjà en ville pour affaires, Morgan vint assister au départ du cow-boy qu'il affectionnait le plus...

–Il y aura toujours une place pour toi au Double M, lui dit-il en lui serrant la main. Si ça ne va pas comme tu veux là-bas, à Mégantic, une chambre t'attendra ici...

Les mots possédaient une sorte d'accent prémonitoire. Prophétie laissant présager qu'il serait un jour ou l'autre obligé de revenir! Donald s'efforça de les enterrer aussitôt. Il salua puis monta à bord du train dont les wagons à voyageurs sentaient le neuf et le cuir... Et l'avenir aussi.

ΩΩΩ

Vue de Mégantic au temps des Morrison

Au-delà de la voie ferrée commence la rue Laval. En deçà, il
s'agit de la Maple Street, aujourd'hui rue Frontenac. Tel était le
village des Morrison en cette fin du 19e siècle.

Coeur de Mégantic : la Maple Street

L'on peut voir encore de nos jours une partie de la façade
de l'édifice central rue Frontenac (Maple). Des gens que
l'histoire n'intéresse pas ont défait l'autre partie.

Chapitre 6

L'homme de l'Ouest

Le train espaça de trois secondes chacun trois sifflements fatigués. Comme si à force de rouler à la fine course,
il avait perdu son souffle et mal au côté ou bien que la consomption se fût déclarée par toute sa chaudière poussive. Pourtant, son ralentissement, à l'approche de Mégantic, rendait
son arrivée encore plus fracassante.

Avant le village, Donald regarda une fois encore ses
chères montagnes retrouvées qu'un superbe soleil d'avril
n'avait décoiffées qu'à moitié de leur soyeux chapeau d'hiver. Et le long lac blanc. Rien n'avait changé dans la nature
de Mégantic, pas plus que les maisons victoriennes qui commençaient à entrer dans le paysage. Mais pour le moment, le
pays n'accaparait point le coeur de son âme. Donald pensait
à Marion. Serait-elle là-bas à l'attendre sur le quai, se de-
mandait-il pour la centième fois. Et pour la centième fois, il
secoua la tête et répondit non. Quelle idée! Savait-elle seulement qu'il revenait enfin? Six fois déjà, il avait dû lui expliquer qu'il devait surseoir à son projet de retour pour une
année encore. Un mois plus tôt, il s'était appliqué
difficultueusement une fois de plus à une lettre laborieuse
racontant les graves problèmes du ranch, sa dette morale envers son patron. Ce serait la dernière année, la toute der-

nière. Assurément! Juré devant Dieu, et sur le rocher de Régina Graham!

Mais la lettre de ses parents avait bouleversé tous ses projets. Il leur avait annoncé son retour imminent, mais à Marion, il ferait la surprise: surprise énorme! Ou peut-être que Sophia le lui aurait fait savoir et que la Marion serait sur le quai, qu'elle paraîtrait au coin de la bâtisse, à l'endroit même où elle avait disparu comme un fantôme en fuite sept ans plus tôt?... Il y avait fort à parier que non. Car alors Sophia aurait bien dû avouer la vraie raison de ce retour prématuré. Ses pauvres parents devaient taire leurs démêlés avec le créancier. Les endettés sont toujours les coupables à première vue et leurs dettes les rendent hautement suspects!

Depuis qu'il avait reçu cette lettre, Donald n'avait pas cessé un seul instant de s'inquiéter, de questionner cette phrase impossible disant que le créancier réclamait la somme totale. Sûrement que cela signifiait ce qui restait de la dette soit huit cents dollars puisque six versements annuels consécutifs avaient déjà été effectués depuis 1881. Il avait bien dans ses bagages un pécule de neuf cents dollars, mais après avoir réglé l'hypothèque, il ne lui resterait qu'un malheureux cent dollars pour améliorer la ferme, le troupeau, et cette idée lui faisait penser qu'il était parti là-bas pour trois fois rien, qu'il avait vécu toutes ces années d'exil dans la solitude, frôlant parfois de graves dangers, et la mort à au moins deux reprises, pour revenir simplement au point de départ, Gros-Jean comme devant avec sept ans de travaux sur la ferme à rattraper.

L'important, c'était qu'on ne se fasse pas dépouiller, c'était que ses parents conservent leur dignité et lui son héritage. Mais parfois, une épouvantable idée lui avait traversé l'esprit. Murdo avait-il fait les paiements? Ou bien le créancier avait-il pu se servir d'un stratagème quelconque pour extorquer de l'argent à ses parents et pour les spolier? Non, non, cela était tout à fait impossible entre Écossais des cantons, des gens qui avaient trop soufferts pour ne pas être droits et d'une honnêteté à toute épreuve.

Il y avait sur le quai une dizaine de personnes à attendre ou à espérer. Mais aucune que Donald reconnut. Personne en tout cas pour lui. Il y avait des airs de famille sur certains visages mais il n'arrivait pas à y apposer des noms. Comme s'il avait quitté le pays depuis plus d'une génération! Il déposa ses deux valises noires pelées, usées, près d'un banc de bois massif et il entra dans la bâtisse. Il se rendit lentement jusqu'au guichet derrière lequel se trouvait le chef de gare, un homme d'âge moyen, à la moustache rousse et aux yeux rieurs. Il souleva sa visière, quitta son bureau de télégraphe, se leva, hésita un court moment, l'oeil chercheur puis s'exclama comme au nom de tout le canton:

–Si c'est pas le gars à Murdo Morrison qui nous revient de l'Ouest! Branche de saule! ça, c'est toute une surprise!

Donald fit un léger signe de tête voulant signifier un 'eh oui' détaché.

–T'arrives de l'Ouest!? reprit l'homme dans une interrogation affirmative.

–Directement!

Et Donald promena son regard sur la pièce rectangulaire. Il ne s'y trouvait que trois personnes, toutes l'air absent mais l'oreille à l'affût. Il n'en connaissait aucune. C'étaient des jeunes gens d'environ vingt ans. Peut-être les avait-il connus avant de partir mais alors, ils n'étaient que des enfants.

–Ça fait un siècle que tu es parti, toi, hein, mon petit Morrison!

–Quasiment!

–Un bon cinq ans, hein!

–Sept.

–Non... sept?

–Sept.

–Laisse-moi te serrer la main!

Il tendit le bras par-dessus le comptoir. Donald répondit au geste mais sans holà.

–Sais-tu que... tu n'as pas beaucoup changé, dit le chef de gare en le toisant de pied en cap. Y'a juste ton habillement, ajouta-t-il en direction du chapeau western.

–Curieux que le père ne soit pas là! Trompé de journée, probable!

–Mon cher ami, il est là, ton père. Sa voiture est derrière. Justement, le voilà qui entre.

Donald se retourna. Il aperçut dans la lumière de la porte un petit vieillard décharné qu'il avait du mal à reconnaître. Murdo referma, fit quelques pas entre les bancs de lattes. Il leva les yeux, vit son fils, baissa aussitôt la tête. Et marcha à petits pas, la tête distraite, comme un être diminué, malade, maigrement soutenu par de vieilles ombres de lui-même. Parvenu à Donald, il murmura, le front sévère et le ton préoccupé:

–C'est tes valises là, dehors?

–Bonjour, monsieur Morrison! dit le chef de gare qui se pencha loin par-dessus son comptoir étroit, la voix tout aussi penchée que lui.

Murdo lui jeta un regard sec et une réponse indifférente:

–Oui... bonjour là...

–La santé?

Mais le vieil homme tourna les talons sans répondre. Il fit quelques pas, s'arrêta pour dire, le regard à terre:

–Je vais mettre tes bagages dans la voiture là-bas, en arrière de la bâtisse.

Et il reprit son chemin. Le chef de gare glissa à Donald qui passait devant lui:

–Pas trop l'air en forme, le Murdo! C'est une chance pour lui que tu sois revenu: tu vas pouvoir lui donner un maudit bon coup de main. Tu me parais solide comme un arbre, toi.

–Ah! je me suis fait un petit peu de muscle par là-bas!

Bien qu'il portât un habit de ville, Donald avait gardé sous son veston son ceinturon à revolvers et ses armes qu'un geste pour tirer sa montre fit se découvrir. Les pistolets écarquillèrent les yeux du chef de gare qui s'exclama, le ton exagérément poli en rabaissant son garde-vue:

–Branche de saule! quelqu'un qui voudrait te marcher sur les pieds devrait y penser un peu plus qu'une fois, hein!?

Donald comprit l'allusion à ses armes. Il dit:

–C'est pas pour faire peur au monde, c'est des outils de travail pour un cow-boy.

Mais l'autre gardait les yeux agrandis.

–Ça doit pas nuire non plus à quelqu'un qui veut se faire respecter.

Le jeune homme ne répondit pas. Il salua en touchant le rebord de son chapeau et marcha, le pas pesant jusqu'à la porte. Le chef de gare lui cria avant qu'il ne sorte:

–Moi, j'aime mieux voir les gens revenir que s'en aller. C'est ma manière...

Donald fit un geste vague, relâché, à la manière des cow-boys et quitta les lieux. Guides en mains, renfrogné sur la banquette de la voiture, Murdo attendait. Le jeune homme aperçut le cheval, se surprit:

–La Gueuse est encore de ce monde!

Et il frotta le nez de la jument. Mais l'accueil de la bête ne fut pas plus chaleureux que celui du vieil Écossais. Elle montrait peu d'énergie et paraissait aussi proche que lui des derniers sacrements. Murdo ne dit rien.

–Quel âge elle a? Un bon quinze ans, hein, le père?

–Je pense, oui.

Donald contourna le cheval, monta avec son père. Le vieillard clappa deux fois. La Gueuse bougea, avança. Des pas lents. Lourds. Sourds.

Le silence s'imposait. Son père était écrasé d'un tel accablement que Donald jugea bon d'attendre qu'il dise quelque chose de lui-même quand son temps serait venu. Il ne fallait surtout pas, en tout cas, poser de questions sur cette histoire d'hypothèque. Ce devait être le poids qui pesait si lourd sur l'âme du vieillard. Puis le jeune homme se ravisa. Il valait mieux parler, dire n'importe quoi, jacasser comme une pie pour abaisser cette barrière de sept ans et pour distraire le malheureux de ses pénibles angoisses. Mais comment se faire un moulin à paroles tout à coup quand un lasso à sept filins vous emprisonne les cordes vocales?

Il tira ses idées depuis les bâtisses de l'avenue Maple où l'on venait de s'engager. À chacune, il exprimait de la curiosité sans pourtant interroger. Et sans liens apparents, il entrecoupait ses réflexions sur les changements survenus à Mégantic par de courts récits sur ses expériences vécues dans l'Ouest. La chaussée était boueuse comme à chaque printemps, parsemée de ventres de boeuf et faite d'une seule allée praticable et qui tricotait en zigzag pour éviter les pires fondrières creusées par le dégel et les neiges morveuses de mars-avril.

On traversa à nouveau la voie ferrée devant l'église catholique puis l'attelage s'engagea dans la longue montée d'un mille qui conduisait à la maison. À chaque arpent, Donald se retournait pour se nourrir la vue du superbe paysage qui l'avait vu naître: ce long ruban immaculé du lac encore gelé, encaissé dans des collines aux flancs parsemés de taches blanches et, çà et là, des tourbillons de vapeur s'échappant des cabanes à sucre avec en arrière-plan ces lignes douces des montagnes qui n'avaient rien des menaces de celles, escarpées, brisées, tourmentées, des Rocheuses au fond de l'horizon de Danbridge.

L'automne venu, il marcherait ces bois-là à la recherche de gibier. Plus habile encore à la carabine qu'au revolver, il assurerait en quelques jours de chasse les provisions de viande pour tout l'hiver.

–Quel beau pays! finit-il par échapper tout haut.

On ne s'extasie pas devant l'habitude. Murdo resta dans son monde morne. Quand parut enfin le toit de la maison, Donald posa sa première question directe:

–Ma mère, elle va bien, elle?

Murdo fit un signe oblique de demi-approbation et il émit plaintivement un simple mot:

–Ouais...

–Et... ma blonde, vous l'avez vue dernièrement?

–On l'a pas vue souvent depuis que t'es parti à l'autre bout du pays.

–C'est que j'ai perdu le contact avec elle un bout de temps.

–On a su ça.

–J'avais pensé qu'elle pourrait se trouver à la gare quand j'arriverais.

–C'est que personne lui a dit.

–Ah!

–Je vas aller la voir aujourd'hui même.

–Comme tu vois, les chemins sont malaisés.

–J'ai toujours passé pour aller à Marsden, c'est pas le chemin qui va m'arrêter.

–La petite McKinnon, elle va rester bête.

–Rester bête?

–Je veux dire... ben contente.

La glace commençait à caler un peu entre son père et lui. Donald osa demander:

–Vous, le père, vous êtes content de revoir votre benjamin?

–Oui... Oui et non...

–Ah?

–Je t'ai préparé des problèmes aussi gros que les montagnes que tu vois là-bas.

–Un dénommé Nathan Champion me disait souvent que tout problème a sa solution, que tout finit toujours par s'arranger. J'ai un petit brin d'argent, des bons bras. J'ai pas peur de l'ouvrage. Avec tout ça, on va s'en sortir. La première chose que je vais faire, c'est d'aller voir ma blonde après souper. Ensuite on va regarder ensemble ce qu'il y a moyen de faire avec cette histoire d'hypothèque...

Murdo commenta pas un seul soupir et il se remit la tête entre les jambes pour le dernier arpent à parcourir. C'était tant mieux de remettre le problème jusqu'à la noirceur de la nuit. On ne pourrait pas lire sa honte quand, à son fils, il avouerait l'inavouable.

Sophia avait les yeux pleins de larmes. Quelques-unes de tendresse et de joie mais la plupart de tristesse et de désespérance. Elle ouvrit la porte avant que Donald n'y arrive. L'air cru entra devant lui. Elle le serra dans ses bras comme elle le faisait parfois quand il était encore un enfant. Car au-delà de ses douze ans, un fils n'aimait pas beaucoup se voir embrassé par ses parents. Mais après sept longues années de séparation, même un rude cow-boy pouvait bien répondre un peu aux épanchements de sa mère. Il l'étreignit aussi un bref moment et d'un bras seulement. Elle sentit deux bosses énormes sur ses hanches mais n'y prêta pas attention puis elle se recula pour l'examiner, toiser ses allures, évaluer les différences d'avec le grand adolescent qui avait quitté la maison voilà déjà tant de temps.

Il ouvrit son veston sans penser à ses armes et mit ses mains sur ses hanches. Sophia fut alors envahie par un sentiment étrange à la vue d'objets si peu familiers même s'il y avait depuis toujours fusils et carabines autour d'elle dans cette maison de forestiers chasseurs. Non, c'est que les pistolets, par tous ces récits au coeur desquels ils se trouvaient et par leur construction même, constituaient des instruments de mort d'homme et pas d'animaux des bois... Mis à part ces revolvers à la crosse de nacre et ce chapeau démesuré, Donald était le même, plus une moustache tombante qui ne trompait pas sur son jeune âge.

–Sans ton chapeau, on pourrait pas dire que tu es resté si longtemps dans l'Ouest, fit-elle avec un sourire de rassurance en partie fabriqué.

Il laissa les revers de son veston reprendre leur place. D'instinct, lui aussi comparait les deux femmes: celle devant lui et celle d'avant son départ. Comme elle avait changé! Qu'ils étaient devenus blancs, ses cheveux, et presque jaunâtres! Et ce tremblement quand elle bougeait la tête et qui faisait d'elle un être misérablement indécis!... Comment aurait-il pu imaginer tout cela rien qu'à lire ses lettres. Car l'écriture ne chevrotait pas comme sa voix: elle était restée longue, ronde, harmonieuse. Il se dit que le choc lui venait de ce que dans l'Ouest, il n'avait jamais rencontré de femmes dépassant la quarantaine: seulement des jeunes personnes dures et fortes!

Ses premiers mots tranchèrent dans la tristesse et l'anxiété de ses parents:

–Avez-vous encore la guitare de l'oncle Henry? Parce que j'ai appris à en jouer là-bas. Et pas rien que de la guitare, de l'harmonica aussi. C'était pour m'accompagner quand je chantais. Un vrai cow-boy doit savoir chanter pour calmer les troupeaux. Les vaches aiment ça, elles sont sentimentales comme des jeunes filles...

L'instrument était toujours accroché au mur près de l'escalier et il avait inspiré sa question inutile à Donald. Sophia lui jeta un oeil en reculant de deux pas, dit:

–Elle aura une ou deux cordes en moins, certain.

–Pas grave, ça! Je vais la réparer en deux minutes. Je me ferai venir des cordes par le marchand du village.

La femme s'adressa à son mari resté sur le pas de la porte:

–Bon, restez pas à moitié dehors, c'est frais à Mégantic

quand on n'est pas tard en avril. Ça devait être chaud en Alberta?...

–Pas mieux, non...

–Viens nous conter ce que tu n'as pas écrit dans tes lettres.

–Pour ça, il va falloir pas mal plus qu'une soirée, fit-il, la voix détachée.

Pour Donald, le moment des sentiments venait de se terminer. Ses dehors froids se rétablissaient dans son visage et dans ses gestes retenus. Pourtant le coeur continuait à vibrer hautement à tous les objets chargés de souvenirs qui lui avaient tant manqué et qu'il redécouvrait avec tant de bonheur. C'est ainsi qu'après le repas survint le moment le plus attendrissant, celui où il vit sa mère s'étirer sur la pointe des pieds, prendre l'horloge, la mettre sur la table de la cuisine, remonter le ressort et ensuite lui faire retrouver sa place: rituel quotidien que l'âge qui ratatine les êtres n'avait pas encore réussi à lui dérober. Il ne put empêcher un sourire qui se perdit dans la moustache.

Ω

Plusieurs fois dans l'Ouest, Donald s'était trouvé dans des situations fort dangereuses. Chaque jour, elles lui revenaient en mémoire. La débandade d'un troupeau, sa fuite du ranch Bell, la traîtrise de Tom Horn et Belle Starr, son départ de Cheyenne puis du ranch K.C. et pire que tout, la fois, en 1884, où son poney avait perdu pied au beau milieu d'un troupeau en folie et où il n'avait été sauvé in extremis que par l'expérience et le sang-froid de Bill Henry. Et pourtant, jamais de tout son temps dans l'Ouest, il n'avait senti une aussi flageolante guenille dans ses deux jambes, jamais il n'avait eu le coeur si bousculé qu'en ce moment sur la route de Marsden, à l'approche de la maison des McKinnon.

Ce retour serait si brutal pour elle. Elle n'aurait aucun mal à le reconnaître. Il lui avait envoyé une photo deux ans auparavant. Une bonne photo claire, réalisée par un professionnel, un homme qui disait avoir photographié aussi le juge

Parker, Frank James, Sam Bass et Louis Riel quand il s'était trouvé en territoire américain. Mais Marion, elle, comment serait-elle? À force de labeur, ses mains autrefois si douces seraient-elles devenues calleuses? Et son coeur se serait-il endurci? Saurait-elle encore rêver au clair de nuit, à l'écoute du grand silence des montagnes, des forêts et des étangs, à la légende du rocher de la gelée?... Lui en voudrait-elle de ne pas s'être annoncé? Une surprise est une médaille à deux côtés dont l'un parfois surprend trop de choses.

Régina Graham lui revint en mémoire. Il sourit. Il y avait de quoi être content. L'histoire ne se répéterait pas pour Marion. L'Ouest qui les avait si longtemps séparés les réunirait à jamais et cet exil serait pour chacun une immense richesse à laquelle ils pourraient puiser tous les deux durant toute leur vie. Il ne dirait pas tout. Marion n'avait pas à connaître l'existence de Kandy. Et puis il en avait enterré la mémoire avec elle quand il était retourné prier sur sa tombe l'année d'après. Une sépulture qu'une bonne âme de Cheyenne avait marquée d'une planche sur laquelle ne se trouvaient que deux initiales et une date.

Le désir et l'angoisse, la douleur et le merveilleux grandissaient en lui à chaque pas de la Gueuse qui les espaçait lourdement et lentement, la tête résignée dans sa docile vieillesse. Une vapeur de cabane à sucre se détachant sur le flanc d'une colline voisine lui dit que Marion ne se serait pas à la maison. Elle aussi devait se trouver à la cabane, y aidant son père. Il fit s'arrêter le cheval. Ce n'étaient pas les guides de la Gueuse qu'il devait avoir bien en mains mais ceux de lui-même, de son âme, de sa pensée. À quoi pouvait-il donc servir de se fouetter ainsi de questions, de se flageller avec des morceaux de sentiments contradictoires? Avait-il à s'excuser à son pays de l'avoir quitté pour le mieux aimer par la suite? Il serra les mains sur les cordeaux, les mâchoires sur les dents, ancra ses deux pieds sur la fonçure de la voiture, clappa, l'oeil fort. La jument comprit l'ordre d'avancer puis de se mettre au petit trot, ordre que les mains de l'homme lui avaient transmis par une onde imprimée au cuir des guides. C'est de ce pas que l'on franchirait ces deux ou trois derniers arpents conduisant à la demeure de Marion.

La jeune femme ramassait du linge qu'elle avait mis à sécher sur une corde tendue derrière la maison. Elle jeta un regard à cette voiture qui venait. Une mèche d'or se balançait au-dessus de ses yeux; elle la releva et la lissa sur les autres cheveux qui ne la gardèrent point. Tant de fois elle avait posé les mêmes gestes à l'approche d'un attelage pouvant ressembler, même vaguement, à la Gueuse tirant la voiture fine de Donald, si noire et si belle! Une ou deux fois par année, Sophia et Murdo étaient venus prendre des nouvelles plus fraîches que les leurs au sujet de Donald. L'âme de l'exilé avait animé ces visites. Comment oublierait-elle jamais, dût-elle vivre centenaire, ce jour où on lui avait apporté la lettre que Donald avait confiée à Charles MacAuley? Tout ce que la jeunesse, la peur et l'amour peuvent injecter de fébrilité et de folie douce aux gestes, elle l'avait retenu dans son esprit avant de se décider à ouvrir l'enveloppe. Et elle l'avait fait seule dans sa chambre. Rien, mieux que la solitude, ne peut faire sentir la présence réelle et vivante des absents, de ceux partis à l'autre bout de la terre. Elle était ensuite revenue auprès des Morrison dans la cuisine. Ils avaient compris, lu dans ses yeux et deviné que les grandes espérances grisaient l'âme de la jeune femme de leurs doux parfums renouvelés.

Ce regard intense, maintenant que se précisait l'image de l'arrivant, elle devait l'avoir. Elle l'avait. Et quand le conducteur fit trotter son cheval sur le platin, une émotion de toutes les beautés grandit en elle. Elle s'appuya plus fermement un bras sur le fil de fer qui servait de corde à linge comme pour mieux voir et pourtant, elle ferma les yeux comme pour être sûre de le bien voir. Cette fois, elle ne laisserait pas une illusion croître et grandir pour finalement s'évanouir et la jeter par terre dans la triste réalité du quotidien. De pareils mirages l'avaient si souvent trompée, emportée vers le ciel, vers les étoiles pour la mieux précipiter ensuite sur le dur et cruel rocher de l'amertume et de l'ennui sinon du désespoir chanté par la légende de Régina Graham.

Elle rouvrit les yeux malgré tout. Le voyageur aurait disparu, elle le savait. L'attelage chimérique ne serait plus qu'un rêve, qu'une image comme celle-là qu'elle se faisait parfois à la cabane en regardant le soleil rose baisser derrière l'adret de la montagne de Chesham. Non, bien sûr que le voyageur était bien là sur la route mais il devait en ce moment même passer son chemin vers Scotstown. Le bruit des roues bousculées par les ornières de la route se précisait. Qu'il passe donc, cet imposteur sans doute venu de Mégantic et qui n'avait pas eu la bonne idée de prendre le train pour se rendre Dieu sait où!

Donald aperçut le linge étendu mais il ne remarqua point les cheveux adorés à la blondeur si frappante; c'est qu'elle restait immobile, claustrée dans son doux rêve douloureux et grandiose.

Bientôt la maison s'érigea entre eux. Marion reprit alors son activité, sa routine, sa vie. Donald se rendit compte de la désertion des lieux. Cela confirma ses doutes. Marion se trouvait à la cabane. Elle reviendrait après le coucher du soleil quand il ne resterait plus d'eau à bouillir. Il devait quand même frapper à la porte. Au cas où...

La voiture fut engagée dans la montée, rasa la maison près de laquelle le terrain était plus dur, s'arrêta.

Marion prit une cuve remplie, se l'appuya sur une hanche et marcha pour sortir du labyrinthe de ce qui restait encore de linge étendu et battant doucement au vent frais du soir. Elle avait déjà rejeté dans une oubliette au fond de son âme la pensée fugitive de Donald Morrison arrivant dans sa voiture. Mais alors, pendant une seconde, une fraction de seconde, elle revit cette tête là-bas ou plutôt ce chapeau un peu rare comme ceux d'Américains que l'on pouvait apercevoir parfois sur la rue à Mégantic...

La Gueuse bougea un peu la patte, la remit aussitôt à sa place dans la boue mince. La jeune fille venait sur elle, tête baissée, comme si elle eût voulu reculer jusqu'au tout dernier moment l'évidence, la certitude absolue qu'il ne s'agissait pas de son fiancé.

Lui aperçut d'abord sa longue robe de coutil brun à gros plis qui se perdaient dans sa taille fine. Il l'avait déjà vue sur elle, cette robe. Avant son départ, elle la portait le dimanche. Elle devait achever de l'user la semaine.

Chacun le sut quand le moment fut venu de regarder l'autre, de relever la tête. Il n'y eut aucune réaction, ni dans un visage ni dans l'autre. Les regards se mesuraient. Mais ils ne se questionnaient pas. Pas encore. Il fallait que l'âme de chacun s'ajuste au tourbillon fantastique qui l'emportait par-delà les montagnes, par-delà le soleil. Les souvenirs, les idées, les émotions, tout se mélangeait et en même temps se liait par l'image du réel.

Elle eut un réflexe spontané: jeter sa cuve par terre. Mais fallait-il courir vers lui? Était-ce convenable, était-ce possible après si longtemps?

«Qui est-il maintenant, cet homme?» se demandait-elle en essayant de le croire le même.

Il pensa un instant fabuleux se jeter en bas de la banquette pour la prendre au plus tôt dans ses bras et lui livrer toutes ses forces morales pour la calmer à jamais de toutes ses peurs. Mais il ne bougea pas.

«Qu'est-elle devenue?» pensait-il.

Le premier choc s'atténuait en s'éternisant. Jamais comme là il n'avait remarqué combien elle avait l'air timide. Pendant une seconde, le regard frondeur des femmes de l'Ouest lui effleura la mémoire. Mais il disparut derrière cet être malingre aux joues creuses.

Elle le trouvait particulier, ce chapeau de cow-boy. Pour la seconde fois, elle se souvint, mais bien plus nettement, de l'avoir aperçu quelques minutes auparavant lorsque venait la voiture sur la route. Le chapeau aurait dû lui faire comprendre que c'était lui pour de vrai...

Sa peau était si blanche. Couvait-elle une tuberculose? Se mourait-elle de misère? De chagrin? D'ennui? De tout?

Elle releva sa mèche rebelle mais qui lui revint devant les yeux quand elle déposa sa cuve par terre. Puis elle le regarda encore: muette, stupéfaite, figée.

Donald se sentait le coeur dans les mains et les mains qui tremblaient. Il avait du mal à soutenir le regard chercheur de Marion qui lui demandait d'agir, de dire par un mot ou un geste. Il jeta un coup d'oeil furtif à ses cordeaux: le cuir bougeait sans arrêt entre ses doigts nerveux et ses paumes moites.

«Est-ce bien toi?» lui demanda-t-elle sans dire un mot par le seul bleu profond de ses yeux.

La Gueuse bougea un peu. Une des roues de la voiture crissa. Murdo avait négligé la graisse. Cela décida Donald à faire quelque chose. L'inaction dans laquelle il se trouvait depuis son départ de l'Ouest, sa passivité obligatoire l'aiguillonna. Il empoigna le montant du siège, se donna un élan et sauta à terre devant sa fiancée si lointaine.

Marion tourna la tête vers son linge. Elle pensa à son père qui reviendrait sous peu, au cheval qu'il faudrait peut-être dételer. Elle soupira. Donald devait la trouver bien quelconque dans cet accoutrement de travail. Et ses mains qu'elle sentait si rugueuses...

Il inspira longuement, gonfla sa poitrine, fit deux moitiés de pas vers elle. Un oeil lui piquait. Il le frotta.

Elle lui redonna ses yeux. C'était Marion! C'était bien elle. Pas tout à fait. Qu'importe puisque les changements seraient pour le mieux! Il y avait tant de bonté dans son regard. Ou bien était-ce de la souffrance? Et tant de tendresse aussi. Ou bien était-ce de la misère?

Il y eut alors dans son âme une sorte d'explosion comme si le tonnerre avait déchiré d'un coup sec un ciel pourtant bleu. Les sept années de séparation, de solitude et d'ennui, toute la mélancolie accumulée, entassée, ces milliers d'heures d'angoisse, de peine, de désirs refoulés, tout cela vint se loger dans les bras de Donald et malgré qu'il fût un homme et cow-boy de surcroît, il tendit ces bras pourtant si lourds vers celle qu'il avait tant attendue.

Elle s'élança comme pour se mettre à courir. Mais la distance ne le permettait guère. S'arrêta. Leurs regards se reconnurent définitivement, se pénétrèrent fervemment. C'était trop pour elle; il lui fallut baisser les yeux. Il franchit le dernier pas, prit ses mains dans les siennes. Elle appuya doucement sa tête sur son épaule et murmura un seul et simple mot, limpide comme une brise d'avril:

–Enfin!

ΩΩΩ

Chapitre 7

Le meurtre d'un rêve

Sa visite à Marion fut brève. Mais le désir de se voir, de se retrouver enfin avait été si longtemps refoulé que leur demi-heure ensemble valut à chacun mille ans de félicité. La Gueuse avait attendu là, à côté de la maison, patiemment, sous un temps qui passait doucement le long d'elle, à côté de son indifférence tranquille, de ses vieilles années fatiguées. Donald avait allumé son fanal et l'avait accroché sur le côté de la banquette et la lune parfois, moins que son instinct, avait guidé la jument sur le long et lent chemin du retour. À onze heures, le cheval était dételé, abreuvé, soigné, attaché dans sa stalle et le jeune homme rentrait dans la maison où on l'attendait, il le savait bien par cette lueur jaune un peu lugubre qui s'échappait des fenêtres de la cuisine.

On parla un peu de l'état des chemins pour aller à Spring Hill et Marsden. Puis Donald prit des nouvelles de ses anciens amis. La plupart étaient mariés, pères de famille, établis sur leur terre bien à eux, tous sauf deux ou trois encore qui restaient petits travaillants à Mégantic, bras disponibles pour toutes tâches publiques ou privées. Il leur rendrait visite à tous dans les semaines à venir.

–Il y a peut-être John MacRitchie qui va faire un vieux garçon, on dirait bien, fit Murdo entre deux pouffes d'une boucane qu'on sentait épaisse tant son odeur était forte.

–Ah! s'exclama simplement Donald que cette prédiction encourageait un peu, lui qui devrait se trouver au bord du mariage et de son établissement définitif sur son bien.

C'est qu'il aurait un ami avec qui se tenir en attendant d'épouser la Marion, sa Marion McKinnon de Marsden. Il ne tarda pas à mettre sur le tapis le sujet tant redouté par son père. L'homme vida sa pipe dans le crachoir à ses pieds, cracha un jet bruyant par-dessus les cendres pour les éteindre et, en même temps, ramassa tout son courage. Il se rendit à la tablette de l'horloge, y prit une lettre qu'il mit devant son fils attablé. Le jeune homme en prit connaissance à la lumière de la lampe posée au milieu de la table. Les reflets de la flamme dansaient dans ses yeux et sur son visage, l'allumaient d'angoisse et de colère au fil des mots qui s'imprimaient lentement dans son cerveau. Quand il eut terminé, il repoussa le papier loin de lui comme s'il s'était agi d'une ordure ou d'une litanie de blasphèmes. Il recula bruyamment sa chaise qui racla le bois du plancher, vociféra, l'oeil embrasé:

–Qu'est-ce que ça veut dire? Ce bandit-là réclame deux mille dollars? Comment cela est-il possible? Il prétend que vous n'avez jamais versé un seul sou sur l'hypothèque?

–J'ai toujours payé à temps ce qui était dû. Chaque année, je me suis rendu en personne chez lui et je lui ai remis l'argent en mains propres, chaque année que le bon Dieu qui nous voit m'a permis de vivre sur sa terre. L'argent que tu nous envoyais était compté trois fois par ta mère: piastres et cennes. On ne doit pas un token au major McAulay, pas même deux vieilles cennes noires.

Murdo avait retrouvé sa pénombre et il regardait la nuit et les montagnes de là-bas que pourtant seule son imagination pouvait apercevoir.

–Quand on recevait ton argent, ton père se rendait le lendemain même payer ce qu'il devait sur l'hypothèque, enchérit plaintivement Sophia.

–Si le major peut écrire une lettre de même, ça veut dire que vous n'avez pas de reçus à lui mettre devant le nez, je pense?

–Donald, ton père a jamais demandé de reçus à personne de toute sa vie. C'est pas un homme de même pis tu le sais. On demande pas ça entre nous autres, des Écossais honnêtes du même pays et de la même église...

–Pourtant, aurait fallu, aurait bien fallu! On n'est plus en 1860, on est en 1887. Malcolm McAulay est connu. Sa réputation est faite, c'est un homme qui n'a aucune pitié, qui est dangereux...

–Un homme impitoyable n'est pas forcément un menteur et un tricheur, opposa Sophia.

Et Murdo cachait sa honte sous un silence figé qu'il faisait total, ne bougeant aucun muscle, respirant à peine un air qu'il croyait ne plus mériter, cherchant à faire s'arrêter un coeur rempli de contrition.

C'était donc tout cela que Donald avait pu lire dans le comportement de son père depuis son arrivée à la gare, ce qu'il avait appréhendé, craint plus que n'importe quoi d'autre. Fallait-il qu'en sus, il mette du sel sur ses plaies, qu'il y tourne le fer? Maintenant, c'était sur le visage de sa mère effondrée de l'autre côté de la lampe qu'il pouvait lire la misère et le désarroi du couple. La femme semblait avoir mille ans sous son châle courbé de couleur sombre, en fait sans couleur du tout. Non, il n'en dirait pas plus, pas un mot. Il en avait déjà trop dit. À quoi bon rabâcher ce qu'on aurait dû faire quand ce qui est fait est fait? Il contint sa surprise, sa colère les reproches que son impuissance mettait au bord de sa bouche, et voulut rassurer:

–Demain matin, on va aller voir le major, pas plus tard que demain matin. Il va falloir qu'il reconnaisse les faits. Il va s'apercevoir qu'on ne va pas le laisser faire, non, qu'on va pas se laisser faire. Il va savoir que sinon, ça pourrait aller bien mal pour lui. Y'en a des gens dans l'Ouest qui ont voulu me voler des bouts de ma vie, c'est pas McAulay qui va me faire perdre sept ans et qui va vous dépouiller, vous autres, de tout ce que vous avez si misérablement gagné depuis le jour où vous êtes venus dans ce pays...

Il répéta cette détermination, la rumina entre ses dents serrées jusqu'au moment d'aller dormir. Ses parents ne dirent plus rien. Ils étaient quelque peu soulagés. Donald était jeune, fier et fort; il s'occuperait de cette affaire si déshonorante.

Ω

Donald se leva avec le jour. Toute la fatigue du voyage avait disparu. La journée serait grise, pluvieuse. Mauvaise pour les sucres donc. À moins que par un revers du temps, la pluie ne se changeât en neige lourde, de celles qui font pisser les arbres. Qu'importe puisque Murdo n'avait pas entaillé d'érables. Il n'aurait pas eu la force et le courage de les courir.

Le jeune homme s'habilla comme la veille au soir sauf qu'il mit son ceinturon. Car les commentaires du chef de gare et les regards apeurés de sa mère l'avaient incité la veille à se défaire de ses armes qu'il avait laissées dans sa chambre. Mais voilà que ces mêmes réactions, les paroles du chef de gare et les craintes de Sophia, le poussaient maintenant à reprendre ses revolvers avec lui. Ils seraient ses aides, ses gardiens, comme auparavant. Le créancier saurait ce qu'il risquait à jouer à ce jeu-là. Et toutes ces exagérations venues de l'Ouest serviraient sa cause. Non, il ne menacerait pas, il serait simplement lui-même: un cow-boy debout pour la justice et pour lui-même.

Murdo vit la ceinture, les cartouches alignées comme il s'imaginait qu'on alignait les corps dans les rues des villes-frontières, et cela l'inquiéta fort; mais il ne dit mot. Et il se fera tout aussi muet jusqu'à leur arrivée chez McAulay dont la maison se trouvait entre la rue Maple et le lac, ni trop près de l'une ni trop près de l'autre. Elle était haute et solide dans sa majesté victorienne, blanche, aux toitures et aux ouvertures noires: accueillante par certains aspects et menaçante par d'autres.

La major ouvrit lui-même. Il vit Murdo puis Donald. Alors il eut un mouvement de recul et fronça des sourcils en bataille, puis il devint visiblement nerveux lorsque le jeune homme recula un pan de son veston et découvrit l'un de ses étincelants Peacemakers. McAulay riva ses yeux sur le pistolet mais il ne retraita qu'à demi:

–Nul doute que vous venez ici pour l'hypothèque... Sauf que traiter des affaires avec un homme armé et qui arrive de l'Ouest, ce n'est pas l'idéal. Nous ne sommes pas à Tombstone ou à Dodge, nous sommes à Mégantic. Ici, c'est un pays civilisé et les litiges se règlent devant des Cours de justice quand ça n'est pas à l'amiable. La raison d'abord, le coeur ensuite et finalement la loi si les gens ne peuvent pas s'entendre: telle est ma manière à moi...

Mais la voix n'avait pas sa pleine autorité. Et le regard restait bas, ballant comme les bras, comme si le personnage tâchait de montrer sa faiblesse et donc, pour un humain, sa force. Il n'envisageait pas, il toisait, mesurait la détermination de ses visiteurs, testait. Prêt pour la retraite aussi bien que pour l'attaque.

–Peut-être que tu ferais mieux d'aller mettre tes pistolets dans la voiture? suggéra Murdo, lui-même un homme de paix et de compromis.

–Mon nom n'est pas Jesse James ou Billy le Kid, monsieur. Je n'ai jamais tué personne de ma vie, moi.

–Qu'importe! Qu'importe!

Donald avait montré ses cartes; cela suffirait pour le moment. Il retourna jusqu'à la rue et déposa son ceinturon dans la voiture sous une couverture, moins par crainte des voleurs que de la curiosité des enfants. Murdo, lui, parlait déjà de la présumée dette avec le créancier.

–On vient vous régler le montant qu'on vous doit...

–Ça fera deux mille dollars exactement!

–Pas deux mille mais huit cents, monsieur McAulay. Et

vous le savez dit l'autre dans une fermeté boiteuse.

–Vous avez effectué deux versements depuis que je vous ai prêté cet argent. Si on les retranche puis qu'on rajoute les intérêts, c'est comme si vous n'aviez absolument rien remboursé du tout.

–Mais à chaque année je suis venu vous faire le paiement, et en mains propres: vous devez vous en rappeler même si vous faites des affaires avec pas mal de monde.

–La seule manière que je pourrais m'en rappeler, cela serait que vous me présentiez vos reçus.

Murdo devint suppliant, prit ce ton battu qu'aiment par-dessus tout les tripatouilleurs et leur indique qu'ils ont la victime à leur merci et qu'il suffit de lui mettre le couteau droit sur la gorge.

–Mais vous devez vous en rappeler, monsieur le major! Je vous ai fait six versements annuels ici même avec l'argent que mon garçon m'envoyait de l'Ouest. Ça fait douze cents dollars. Il nous reste donc huit cents dollars à vous payer, pas deux mille. On est là pour vous les donner au grand complet, vos huit cents dollars.

Le major garda les yeux baissés, obliques. Il haussa les épaules pour dire, entêté:

–Mais si vous avez des reçus, produisez-les!

On était resté debout dans le vestibule. McAulay n'avait pas l'air de vouloir laisser entrer son visiteur. Ses entreprises réussissaient toujours aussi bien en cet endroit, là, debout, que dans son bureau où l'interlocuteur avait une vilaine propension à reprendre de l'assurance. Il négociait par l'usure de la volonté de l'autre, par de la supériorité condescendante, par un mépris voilé de l'oiseau à plumer, de la bête à égorger. La proie est la chose du prédateur, elle ne peut que se soumettre sans rien dire; elle est donneuse de son sang et c'est là sa plus grande gloire et son destin.

Personnage hybride né d'un père écossais et d'une mère canadienne-française, le major traitait des affaires avec les deux communautés. Petit, bedonnant, rondouillard, il avait le front écrasé, dégarni, une peau vergetée. Son visage était gras, huileux, et son nez large avec un poireau piqué de poils. Son bouc s'était arrondi à force de garder la tête basse et il pointait vers l'avant ses mèches laineuses au blanc pisseux. L'homme était aussi veule que vénal.

Donald revint, poussa la porte, entendit son père au comble de l'émotion et qui disait, la voix blême, directe et sifflante:

–Des reçus, monsieur, mais je n'ai jamais demandé ça à personne de toute ma vie! Qui a jamais entendu parler d'un honnête homme demandant un reçu à un autre? Ce serait une insulte grave à lui faire. Ça serait comme si vous doutiez de la bonne foi de l'autre...

Le major fit un geste vague en direction de la porte et bredouilla:

–Montrez les reçus ou bien partez. Je n'ai pas de temps à perdre à discuter avec des gens qui ne respectent pas leurs obligations.

Donald prit la parole. Il s'indigna plus encore que Murdo mais la teneur même de ses mots refermait sur eux le piège tendu par le rusé affairiste:

–On va vous traîner devant la justice et tout le canton saura bien qui vous êtes...

–C'est votre droit et si vous montrez vos reçus, vous gagnerez votre cause. Mais souvenez-vous d'une chose: si à l'échéance que je vous ai fixée dans la lettre vous n'avez pas réglé votre dette, votre terre sera saisie. Point final.

Il fit une courte pause, regarda dans le lointain derrière eux, soupira dans un regret définitif:

–C'est tout ce que j'avais à vous dire.

Et sans lever les yeux, il fit demi-tour et partit sous les invectives dérisoires et les vaines menaces de ses visiteurs. Il fit quelques pas courts dans un couloir bref puis disparut dans une pièce dont il referma la porte qu'il barra derrière lui. Le bruit de la clef dans la serrure convainquit les visiteurs de l'inutilité de leur démarche. Ils quittèrent les lieux le coeur au bout du poing en se promettant de trouver justice, faudrait-il poursuivre cet usurier jusqu'en enfer et engager le meilleur défenseur du canton ou même de Sherbrooke, un homme... honnête, un honnête homme de loi...

Ω

Tôt le jour suivant, Donald se rendit chez un avocat du nom de McLean. Il fut reçu avec tous les égards dûs à l'épaisseur de sa bourse. Quand le récit de son futur client fut terminé, il s'écria, l'index pointé vers le ciel et le médius vers l'avenir:

–Cette cause est gagnée d'avance, monsieur Morrison, absolument gagnée d'avance. Que l'on m'amène cet homme-là dans la boîte à témoins et je vais vous le confondre en moins de deux minutes. Il a déjà admis avoir reçu de l'argent et il admettra avoir reçu toute la somme qui lui était due. La réputation d'honnête homme de votre père triomphera, mon jeune... ami. Le juge ne pourra qu'en tenir compte. Oui, messieurs, deux versions et deux réputations vont s'affronter et la justice triomphera.

L'homme était vêtu de noir. Il avait le front couvert de dignité dans des replis de la plus haute réflexion. Col dur, oeil rapace, il se leva de sa chaise, contourna son bureau d'un pas appuyé, militaire, bruyant, et se rendit jusqu'à celui qu'il considérait déjà comme son client. Il lui mit sur l'épaule une main décidée, scruta les yeux du cow-boy jusqu'au fond de l'âme, fit une déclaration péremptoire:

–Donald Morrison, faites-moi confiance; et vous ne le regretterez pas. Justice sortira du sac en même temps que la vérité...

Il ne donna pas un instant à l'autre pour réagir et tourna aussitôt les talons. Il regagna son fauteuil et ajouta, le ton banal et nécessaire:

–À la condition que tout ce que vous m'avez dit soit la stricte vérité. Bien sûr, il faudra que j'en parle à votre père.

Combien d'argent avez-vous envoyé chaque année, disiez-vous? Il paraît que... c'est assez payant, le métier de cow-boy!? Selon ce que vous m'avez dit, vous avez réussi à vous ramasser un certain pécule pour finir de régler l'hypothèque sur votre ferme?...

L'homme multipliait les questions sans donner à l'autre le temps de répondre afin d'arriver plus vite au but: avait-il devant lui un bon client, c'est-à-dire quelqu'un capable de le payer pour ses services professionnels?

–J'ai pas loin de mille dollars.

L'impécunieux personnage ne put empêcher un mouvement des paupières qu'il prit soin d'enterrer aussitôt par une question dont chaque mot, par le ton, suggérait la farouche détermination qui l'animait ; de plus, il semblait vouloir communiquer à Donald l'esprit du combat et le goût de la victoire.

–Voulez-vous, monsieur Morrison, que nous allions au fin fond des choses? Le désirez-vous vraiment? Voulez-vous que la question soit vidée, entièrement vidée, réglée une fois pour toutes? Bref, voulez-vous retenir les services d'un avocat qui, ma foi, a fait ses preuves? Je suis là, David McLean, pour vous servir. Il n'en tient plus qu'à vous, qu'à votre décision... Il y a d'autres avocats très qualifiés par ici, je ne suis pas le seul, loin de là...

–Si vous pensez que...

–Je ne pense pas, mon cher ami, je suis certain. Nous irons en procès. Un procès imperdable. Nous ne disposons pas de la preuve légale, c'est entendu, mais nous avons la certitude, je dis bien la certitude morale, et voilà peut-être ce qui compte le plus. On va lui arracher l'aveu, vous verrez. Il faut tout vous dire... Bien entendu, il me faudra une certaine recherche, du travail de préparation. Coupons au plus court car, à mon avis, un cow-boy qui est un homme fier, fort, solide et direct n'aime pas les choses qui traînent en longueur. Faites un dépôt aujourd'hui même, tout de suite, maintenant: une sorte d'avance sur mes honoraires et dans une heure, je me mets à plein temps sur cette cause. Deux cents dollars vont montrer que vous êtes sérieux et que vous avez l'intention de gagner, et que vous voulez vraiment que j'entreprenne toutes les démarches légales qui vous sauveront, vous et vos parents, de la ruine... et de la déchéance...

Donald fouilla dans ses poches sous son pistolet, la main contrariée mais à demi rassurée.

Puis il fut décidé de ne pas attaquer McAulay et plutôt de le laisser les poursuivre; ce serait rapide, beaucoup plus coûteux pour lui et bien moins pour les Morrison...

Ω

Une semaine plus tard, Donald dut refaire son geste de puiser dans ses goussets; McLean exigeait un autre montant de deux cents dollars. Quinze jours passèrent, il lui en fallut cent autres. Le jour de l'audience, près de six cents dollars lui avaient ainsi été versés, morceau par morceau, promesse par promesse, garantie par garantie, clins d'oeil complices par oeillades rassurantes. "Naturellement tout vous sera remboursé lorsque la cause sera gagnée," affirmait-il chaque fois qu'il demandait de l'argent.

Ω

Le dix juin 1887, au palais de justice de Sherbrooke, la cause fut entendue. McLean présenta une défense molle, sans contenu ni énergie, comme si son client avait été battu d'avance. Il ne tint pas sa promesse de traquer le major McAulay dans la boîte à témoins, vasouilla, tergiversa, donna l'air de quelqu'un qui pense à autre chose, qui prépare une autre cause ou bien qui s'endort des suites d'une nuit douteuse. Et le major, les yeux fuyants, l'esprit marécageux, soutint à deux reprises que Murdo n'avait honoré que les deux premiers paiements sur l'hypothèque.

Malgré sa profonde conviction personnelle en faveur des Morrison, le juge dut s'en tenir aux preuves légales. McAulay eut donc gain de cause par la force des écrits.

Pour Donald Morrison, la justice n'était guère mieux

administrée dans l'Est que dans l'Ouest, sauf qu'ici, ce n'était pas la loi du plus fort mais celle du plus futé qui prévalait. Au moins celle de là-bas était-elle plus franche, moins hypocrite: directe, expéditive, nette. Il perdit ce qui lui restait de confiance en elle et bien plus encore dans les avocats.

Ω

La décision du juge n'ayant pas été prise sur-le-champ, il fallut en attendre l'acte de jugement qui mit à venir un temps inquiétant, de longues semaines qui remplirent d'appréhension le coeur des Morrison. Lorsque McLean eut fini de le lire devant Donald et Murdo, il dit, l'air faussement désolé, le geste détaché:

–Croyez bien, mes bons amis, que j'ai fait tout mon possible. Et plus encore! Considérant que la cause fut perdue, je ne vous demanderai pas d'honoraires supplémentaires malgré tout ce que cette affaire m'aura coûté en temps. Il ne vous restera donc à assumer que les frais de cour qui, comme vous le savez, sont toujours à la charge de la partie perdante. On appelle ça les dépens...

–Qu'est-ce qu'il va nous rester à faire? demanda Murdo le ton battu, comme s'il connaissait déjà la réponse.

McLean fit une suggestion qu'on refuserait sans doute, il l'espérait, puisque ces gens-là n'avaient plus rien à lui rapporter:

–Peut-être aller en appel?...

–À quoi ça servirait? dit Donald en retroussant la moustache dans un signe d'impuissance.

–Bon... avec un nouveau juge, les choses seraient peut-être autrement?

–D'autres frais? s'enquit Donald méfiant.

L'avocat se dit qu'en grattant les fonds de tiroirs, ils pourraient peut-être trouver des résidus.

–Oh, deux cents dollars, pas plus!

Donald fit plusieurs signes de tête négatifs.

La voix de son père reprit un peu de mordant. L'homme fit tourner son chapeau sur lui-même sur ses genoux par une manipulation nerveuse des rebords.

–S'il ne reste que deux cents dollars à perdre, autant aller en appel?

–Le problème, c'est qu'il ne me reste presque plus d'argent, objecta Donald.

–Ne vous sentez pas obligés de me payer aujourd'hui même, intervint l'avocat dans une grande exclamation. Je vous connais maintenant. Je sais qu'on peut vous faire confiance. Vous me paierez la veille de l'audition...

Donald demeura silencieux. Son cerveau concoctait d'autres projets.

–En attendant, dit l'avocat, retournez voir McAulay et tentez de le faire réfléchir, de l'infléchir... Trouvez-lui des sentiments. Briser ainsi le coeur de deux personnes âgées, ce n'est pas très beau... ce n'est pas très bien... pas bien du tout, du tout...

Ω

Ce jour même, les Morrison se rendirent chez la major. On les fit asseoir dans un bureau sombre à meubles noirs et luisants. McAulay se fit attendre pour les culpabiliser, les mieux manipuler, les dominer définitivement, leur asséner le coup de grâce, le coup de gourdin que l'on frappe entre les cornes d'un animal pour le faire mettre à genoux avant de le saigner. Le ton de ses visiteurs le désarçonna un moment. On lui parlait doucement, tristement, de la douleur des vieux qui finiraient leurs jours dans la misère. L'homme d'affaires montra de la compassion. Verbale seulement. Il se désola de ne pouvoir rien faire. Donald misa sur les devoirs de la religion. Il cita même la sainte Écriture. «Tu ne voleras point!» McAulay s'assombrit, le prit pour une insulte, parla de l'équité de la justice, du procès gagné, de la mauvaise mémoire de Murdo qui devait souffrir de cette maladie répandue chez les vieilles personnes et qui leur fait tout oublier.

Le major se leva, les contourna à distance respectueuse bien qu'il sût que Donald ne portait pas ses armes. Et il ouvrit la porte donnant sur le couloir puis le vestibule, tout cela sans dire un mot comme si sa conscience avait enfin trouvé la paix et l'assurance. Il attendit qu'ils soient rendus dehors pour conclure:

–Je vous accorde quinze jours pour quitter les lieux, ce qui m'apparaît fort raisonnable. N'oubliez surtout pas que les animaux, les outils de ferme et meubles meublants doivent rester sur place... et en bon état puisque vous en avez la garde jusqu'à votre départ. Autrement, vous risqueriez la prison... Et à votre âge, monsieur Morrison... Quant à vous, jeune homme, je vous conseille de veiller au bon ordre de tout ce qui se trouve sur la ferme...

C'était le comble de l'écoeurement pour Donald. Son corps réagit, sa bouche s'emplit, il cracha bruyamment en direction de l'homme d'affaires afin de lui manifester son degré de haine méprisante et vengeresse:

–Prépare-toi, mon sale voleur des pauvres gens, à faire face aux pires problèmes que tu peux imaginer. Tu ne vas pas l'emporter en paradis...

McAulay sortit un mouchoir et il épongea sa manche de chemise souillée par le crachat. Il demeura froid, la voix blanche:

–Quinze jours, pas une journée de plus!

La porte claqua, poussée un peu plus que d'habitude mais quand même retenue par de la dignité que s'octroyait l'homme d'affaires et qui lui était toujours profitable.

Ω

Dans les jours suivants, on se reprit d'un peu d'espoir. Revu, McLean promit de porter la cause en appel. Mais il n'entreprit pas les procédures comme dit et fit plutôt parvenir à Donald une facture d'honoraires finale de deux cents dollars car si les Morrison avaient de quoi aller en appel, ils avaient donc de quoi lui payer un dû au grand complet.

Au nom du major McAulay, la firme Brown & French remplit un bref de possession qui fut présenté à la Cour Supérieure de Sherbrooke. McLean refusa de plaider. En fin de compte, un jugement fut rendu en faveur de Malcolm B. McAulay. Ne restaient plus aux Morrison que trois jours pour quitter les lieux définitivement.

Ω

Au fil de son déroulement, l'histoire faisait le tour des cantons. Ceux qui connaissaient bien les Morrison étaient persuadés qu'on les avait spoliés, dépouillés de tout. On leur exprimait de la sympathie. Plusieurs amis de Donald vinrent lui rendre visite et lui offrirent leur aide. Le jeune homme garda la tête haute. Les Morrison avaient toujours su se débrouiller par leurs propres moyens, ainsi le feraient-ils une fois encore.

Donald avait deux frères: Norman et Murdoch. Tous deux étaient mariés et pères de famille. Faute d'espace, ils ne pouvaient pas recueillir leurs parents. Néanmoins, ils mirent à leur disposition tout le peu d'argent liquide dont ils disposaient.

L'un d'eux suggéra qu'on installât les parents dans une maison d'école pour quelques semaines étant donné qu'on se trouvait en période estivale. On gagnerait du temps. Cela permettrait à Donald de chercher un refuge en dehors de Mégantic où il ne se trouvait aucune maison inhabitée.

Ω

La veille du jour où la loi devait expulser les occupants de leur demeure, on fit les maigres bagages: vêtements, petits objets personnels sans plus. Donald mit les valises molles au cuir usé dans le coffre de la voiture fine. Les Morrison prirent place sur la banquette derrière leur fils qui conduirait la Gueuse jusqu'à la maison d'école. Il devrait ensuite la ramener à la ferme avec la voiture avant la fin du jour pour ne pas être considéré par la loi comme un voleur.

Seulement les bruits d'essieux se faisaient entendre, accusant ainsi davantage le silence misérable qui accompagnait ce départ. Jusqu'à la jument qui avait l'air de feutrer ses pas! Les deux vieux s'appuyèrent l'un contre l'autre, épaule à épaule, pour se conforter comme ils l'avaient fait leur vie durant. Ils jetèrent un dernier regard à leur bien qui s'éloignait, cette terre qu'ils avaient mise au monde en la grignotant sur la forêt au prix du plus dur labeur, ces âcres de prairie maintenant fertile qu'on avait gagnés pied par pied en trimant d'une étoile à l'autre pour abattre les arbres, essoucher, épierrer, cultiver, agrandir les bâtisses, fabriquer des meubles rustiques, des couvertures de lin ou de laine, des vêtements... Une vie remplie de toutes les intensités ne valait pas plus maintenant que leur linge de corps et se terminerait dans la honte, l'insupportable honte d'avoir à mendier leur pitance désormais, une honte impitoyable qui marquerait leur front jusqu'au jour de leur mort, jour que chacun espérait le plus rapproché possible.

On pleura tout le long du trajet. Des sanglots presque muets. L'être qui n'a plus rien se sent coupable de tout, même de pleurer. Au moins la petite école avait-elle l'air accueillant. De ses trois fenêtres disposées en triangle et surmontée d'une corniche en accent circonflexe, elle semblait souhaiter une bienvenue un peu désolée à ces vieillards qu'elle abriterait et réchaufferait pendant quelques jours. Ils eurent la très belle surprise d'y trouver des meubles et divers objets utiles dans le quotidien. Dans les jours précédents, les fils Morrison avaient fait une cueillette sans demander une impossible permission à leur père. Partout, Écossais et Canadiens français s'étaient montrés d'une grande générosité.

À la vue de ces choses, Donald prit une conscience encore plus accusée de la disgrâce qui s'était abattue sur ses pauvres parents. Sur le chemin du retour à la ferme, il fit s'arrêter la Gueuse à quelque distance de la maison et alors il jura que personne ne pourrait jamais vivre en paix dans ces lieux, dans ces bâtisses volées, sur cette terre spoliée. Il le ferait savoir à tous, se faisant objecteur de conscience, éteignoir, et personne ne voudrait jamais acheter ce bien devenu une terre de malédiction. Et McAulay resterait Gros-

Jean comme devant avec une ferme invendable sur les bras. Cette fois, il ne s'agirait pas d'une promesse en l'air, d'intentions évanescentes: il irait jusqu'au bout de la légalité pour se faire justice comme cela était si fréquent dans l'Ouest. Et normal surtout!

Il entra, fit le tour des choses pour leur dire une sorte d'adieu. Quand il ouvrit le farinier encore rempli, il lui vint une idée vengeresse et puérile: répandre toute cette farine aux quatre coins des pièces. Mais l'avertissement du major lui revint en mémoire; il avait la garde du bon état des lieux et, autrement, risquerait l'arrestation ainsi que l'emprisonnement, perspectives qui bloquaient son âme et en pétrifiaient des morceaux. Car plutôt mourir que de vivre derrière les barreaux!

Puis il sortit, refermant la porte sur un ultime regard à l'horloge, objet de luxe qu'on n'avait même pas pu garder et qui, dans son infernal et impitoyable tic tac, lui parut étrécir le temps qui restait encore avant qu'on ne fût officiellement et définitivement dépouillé de tout.

Tout devient laid à l'homme amer. Tout devient abominable à celui qu'on prive de son bien, de son droit au travail, de son moyen de subsistance, de sa dignité. Avant de dételer la Gueuse, il jeta un oeil à la grande nature au coeur de laquelle Mégantic avait pris naissance et avait grandi. Il ne put déterminer si les couleurs du lac au loin étaient noirâtres, glauques ou grises: tout se confondait en camaïeu derrière la flamme terne de son dépit et même les montagnes semblaient s'être revêtues d'habits feuille-morte alors pourtant que la ramée était dans son plus vert.

La Gueuse le suivit dans une dernière foulée docile vers la grange. L'entrée était étroite. On frôla le foin frais du galeteau bourré et dont les planches ajourées n'en pouvaient retenir toutes les brindilles. Mais l'animal n'en saisit pas une gueulée ainsi qu'il cherchait toujours à le faire, comme s'il avait eu l'estomac gavé cette fois ou bien que l'âme de son maître lui eût transmis des tristesses qui font oublier les besoins terre-à-terre et le dérisoire du quotidien. Le jeune homme attacha la bête dans sa stalle puis il remplit sa mangeoire de ce foin sombre et poussiéreux qui restait en réserve dans l'espace affecté à recevoir les fourchetées qu'on y jetait depuis le fenil supérieur. Il sentit alors le besoin de caresser la bête pour lui communiquer une émotion. De ses doigts regroupés, il lui frotta la tête depuis la crinière jusqu'entre les yeux où se trouvait un triangle blanc, endroit particulièrement sensible avec le larmier qu'il massa un court instant. Dans la pénombre, la Gueuse le regarda de ses yeux à la fixe matité sans aucun éclat, l'air hébété puis elle secoua la tête comme pour dire à Donald d'en finir au plus vite.

Quant aux bêtes à cornes, il ne s'en trouvait pas une seule dans l'étable, toutes pacageant au loin. Pas de chien non plus puisque le dernier était mort de sa belle mort quelque temps après son retour de l'Ouest. De quelque côté qu'il se tournât après sa sortie de la grange, il ne trouvait rien à quoi se raccrocher, ni la charrue piquée de travers près d'un tas de bois de chauffage éparpillé, ni le tombereau vide aux menoires appuyées sur des quartiers de bois, ni les harnais accrochés sous l'appentis. Le temps ne lui avait pas été donné de corder le bois. Chaque bûchette devait abriter vers, barbots, mille-pattes; il n'aurait pas voulu en déplacer une seule de peur de priver les occupants de la maison qu'ils avaient choisi d'habiter, de crainte de les frauder comme on l'avait fait pour lui. Sa faiblesse et sa nudité lui donnaient à comprendre la petitesse des êtres vivants et leur lutte admirable pour la survie: premier bon sentiment de cette journée affligeante.

L'homme se rendit au chemin. Il se racla la gorge et cracha dans l'herbe. Regarda dans les deux directions. Pas une voiture en vue. C'était mieux. Il marcherait jusqu'à la maison d'école. On ne l'interrogerait point. On ne tournerait pas le fer dans la plaie. On ne se désolerait pas. Il n'avait cure des soupirs plaintifs de tous ces gens qui ne connaissent pas l'injustice. Il avança résolument, le pas décidé, le coeur de retour à la rage déterminée, sans regarder ni le ciel lourd, ni les maisons qu'il doublait et pas même les enfants qui, mal embusqués derrière des arbres reluquaient vers lui, curieux et dans l'attente d'un bon signe. Un mille plus loin, il entendit le flic flac d'un attelage derrière lui mais ne se retourna point. Qu'on passe tout droit! De toute manière, il remercierait poliment car, à coup sûr, on lui proposerait de monter pour lui éviter de se fatiguer... Quand la voiture fut tout près, il sut par les bruits, des clappements, des coups de lanières sur la peau d'un cheval, le hennissement de douleur et le passage du petit trot à la course furieuse, qu'on n'avait pas l'intention de lui adresser la parole, de lui offrir une place dans la voiture. Quelqu'un qui l'avait reconnu sans doute et qui désirait respecter son désarroi!

Malgré la fine épouvante qui emportait cet attelage, Donald ne put s'empêcher d'y jeter un coup d'oeil au passage. Un homme noir au teint blafard et au regard dur fouettait sa bête comme s'il eût été Charon en personne.

C'était le sauvage, ce chasseur métissé qui donnait à frissonner aux femmes et aux enfants et dont la tête ne pouvait être remplie que de pièges diaboliques tant le personnage promenait des allures sombres et fuyantes. Donald l'avait vu souvent sur la rue Maple, qui rasait les murs, l'oeil en biais, comme toujours en proie à de mystérieux et douteux desseins...

Ω

La ferme des Morrison fut rapidement vendue. Entendu aux affaires, le major savait que le mieux était de s'en débarrasser vite comme d'une patate chaude. Un Canadien français de Lambton, Auguste Duquette, s'en porta acquéreur sans trop réaliser que, ce faisant, il s'exposait au danger. Peu au fait des menaces du cow-boy, elles lui furent présentées comme des paroles sans fondement sérieux lancées par un homme emporté, et que le temps radoucirait bien. Quelques jours plus tard, la jeune famille déménagea et s'installa dans sa nouvelle demeure.

Entre-temps, Donald était occupé à reloger les siens. Ses parents devraient quitter la maison d'école pour septembre; il leur fallait au plus vite un nouveau refuge. Par Marion et John McKinnon, il put trouver à Marsden une cabane en bois rond du genre de celle que les Morrison avaient habitée dans leurs tout débuts dans le canton à leur arrivée d'Écosse. Et il y avait autour quelques âcres de terre défrichée qu'un colon découragé par le poids de la tâche, avait abandonnés l'année précédente pour aller vivre des promesses plus reluisantes de la ville de Sherbrooke. Le petit lot fut donc acheté et payé à même les quelques dollars qui restaient encore au jeune homme.

En cette période pénible, pleine d'humiliations, d'amertume et de chagrin pour son jeune ami, Marion lui fut d'un soutien de chaque instant. Plus d'une fois, elle le sentit au bord du profond découragement mais sa présence, ses mots, sa foi en l'avenir et surtout sa patience ramenèrent Donald aux nécessités du jour. Et aussi, par voie de conséquence, à son ressentiment. Quand il se plaignait de son inutile absence de sept ans, de leur si douloureux éloignement, elle lui répondait que l'important était sa présence de maintenant, non son absence d'hier. Et quand il se désolait pour ses parents, elle lui rappelait la mort de sa mère.

Bien que la ferme spoliée fût à onze milles du petit lopin de Marsden, il arrivait souvent que Donald passât devant la maison paternelle perdue en voiture, mais surtout en selle sur un cheval lourd emprunté au père de Marion. Cette façon de voyager sans voiture n'était pas courante et, s'ajoutant à l'image de son ceinturon sur les hanches avec pistolets bien en évidence, elle lui valut bientôt le surnom de 'cowboy de Mégantic'.

Un soir, au bord de la brunante, il arrivait près de la ferme perdue, sa monture progressant à pas lents et pesants. Parce qu'il faisait déjà sombre à l'intérieur, la femme Duquette s'était approchée de la fenêtre, tenant dans ses bras l'horloge de cuisine dont elle remonta le ressort et mit les aiguilles à l'heure plus juste qu'elle avait vue sur une montre de poche de son mari. La pauvre femme, sans même avoir aperçu le passant, donnait l'air de vouloir le narguer avec l'objet le plus personnel à s'être jamais trouvé dans cette maison. Le rappel de son serment, toute la rage contenue depuis des mois, la vue de ces bâtisses qui disaient leur regret de ne plus voir chaque jour son ombre familière et par-dessus tout, cette horloge, symbole des rêves brisés, se liguèrent pour provoquer en lui un accès de fureur noire. Comme des chevaux fous, ces sentiments conduits par celui de l'injustice subie, le conduisirent, lui et sa monture, aux abords de la maison où il sauta à terre. De ce point de vue, il vit la femme s'éloigner puis remettre l'horloge à sa place. Il s'approcha encore de quelques pas, attendit que la femme se fut éloignée et dégaina un de ses pistolets qu'il fit tournoyer à hauteur de ses yeux comme dans une valse-hésitation. Dans les plateaux d'une balance oscillant dans sa tête, le tort qu'il pouvait causer à ces gens se mesurait avec le poids de sa douleur et de son besoin de justice. Il visa, tira. La vitre vola avec fracas et la balle se logea au coeur même de l'horloge qui bascula vers l'arrière et se vida de tout son temps sous le regard terrifié de la femme Duquette que la vue du sang eût bien moins effrayée.

Pour la première fois depuis le lendemain de son retour, Donald Morrison sourit. Olympien, il sauta sur son cheval, se remit bien en selle et il quitta les lieux, l'âme calmée et le coeur un peu plus tranquille.

Posé par un tireur de ce calibre, le geste ne mettait aucune vie en danger. Si la Duquette n'avait pas risqué grand-chose dans l'incident, Donald lui-même venait de se jouer un vilain tour car en lui, le désir de vengeance quelque peu assouvi fut remplacé par un certain goût de la puissance qu'engendre toujours la violence et la peur qu'elle crée. Il se sentait justicier à son tour. Donc fort. La balle l'entraîna dans son sillage en dehors des limites de la loi si bien que trois jours plus tard, il retourna à la ferme pour y exécuter une autre tâche qu'il s'était assignée et qu'il croyait juste.

Duquette avait abattu des arbres, ses arbres, se disait Donald, les avait ébranchés et halés jusqu'à la grange.

C'étaient une dizaine de beaux pins qui serviraient de poteaux du télégraphe. Le cow-boy avait dessein de les tronçonner, donc de les rendre inutilisables pour la fin prévue. Coup double, il savait que le seul commerçant de tels poteaux à Mégantic était le major McAulay. En les sciant, c'est le cou de l'usurier fraudeur qu'il aurait le sentiment de couper, du moins d'entamer un peu.

Son geste fut accompli au grand jour. Il passa lentement devant la maison à deux reprises pour manifester sa présence, et pour faire voir non pas ses armes à feu dont l'image n'offrait plus rien de neuf, mais le sciotte accroché à sa selle et dont l'armature battait le flanc du cheval. Puis il emprunta le sentier menant au lieu de rassemblement des billes. Le cow-boy fut repéré par les Duquette. On cacha les enfants dans une chambre où on les fit coucher par terre après quoi on s'embusqua derrière une fenêtre, le mari armé de son fusil de chasse. Les gestes n'avaient aucune intention offensive et l'on n'interviendrait jamais face à un homme dont on savait maintenant qu'il avait été odieusement trompé. Car la chose était de notoriété publique.

Heureusement, les balles restèrent endormies dans les barillets et les canons d'armes à feu. Le justicier prit bien son temps. Il fit rouler la première bille sur celles de soutien, la stoppa de son pied solidement botté et l'entailla avec son outil bien aiguisé. Les deux parties tombèrent au milieu; il les poussa du pied pour libérer le chantier et bientôt, tous les troncs s'étaient multipliés par deux. Il conserva cette assurance tranquille de l'homme qui sait ce qu'il fait et pourquoi il le fait jusqu'à la fin de son entreprise, après quoi il repartit sur son cheval, une bête plus placide encore que lui-même. Le sentiment du devoir parfaitement accompli le dirigea à Mégantic, à l'American Hotel où, sitôt accoudé au bar, il se commanda un double whisky qu'il but avec mesure tout en racontant au barman ce qu'il venait d'accomplir. On l'approuva: le barman et les autres qui s'étaient regroupés autour de lui pour l'entendre raconter ce nouvel exploit.

Au fond de la salle, dans un coin, un inconnu solitaire,

perdu, s'efforçait de tenir ouverts ses yeux de plomb d'ivrogne professionnel. Après son récit, Donald se retourna. L'apercevant, ne put réprimer un bien étrange frisson. L'homme lui rappelait Tom Horn, cet abominable meurtrier de l'Ouest: mêmes yeux fourbes, même tête oblongue, oreilles décollées... Ressemblance seulement, se dit-il. Il y avait si longtemps déjà!

—Qui c'est, ce gars-là? demanda-t-il enfin au barman après une dernière rasade.

L'autre, un grand fanal à la fine moustache, répondit négligemment:

—Bah! un déchet... Un Américain... Paraît qu'il faisait trop chaud pour lui aux États. Il culbute à gauche, à droite, travaille ici et là quand il trouve... En dehors de ça, il boit. Boit tout ce qu'il gagne. Un vrai trou. Il reste ici, à l'hôtel, au troisième étage, en arrière, dans la pire chambre. Quand on menace de le jeter dehors parce qu'il n'a pas payé ce qu'il doit, il s'arrête de boire et s'occupe deux ou trois jours puis revient tout avaler jusqu'à la dernière cenne noire. Un mois qu'il est dans le canton. Arrivé comme ça un bon matin, un cheveu sur le soupe...

Donald interrompit l'intarissable barman:

—S'appellerait pas Tom Horn?

—Pantoute! C'est un dénommé Warren. Lucius Warren dit Jack. Qui c'est, ça, Tom Horn?

Donald était à quitter les lieux quand lui parvint cette question-cri. Il se tourna un moment pour y répondre tout en regardant Warren qui, lui, semblait vivre dans un brouillard intense:

—Un... déchet... Mais un déchet qui tuait le monde pour trois fois rien. C'était dans l'Ouest. Viendra jamais par ici.

—On sait pas! Changer de nom, c'est pas la mer à boire, surtout quand tu changes de pays en même temps, hein!

Donald fit les derniers pas vers la porte puis il bifurqua vers le soûlard. Moins enivré qu'il ne le laissait paraître, l'homme releva la tête et quand il fut rassuré, il marmonna des mots sans suite et inintelligibles. Le jeune cow-boy avait voulu savoir à coup sûr qu'il ne s'agissait pas du tueur de l'Ouest et il le sut. Aucun doute ne persista, ce n'était pas Tom Horn mais il y avait dans les regards fuyants, derrière les voiles de l'alcool, les mêmes nuances de la félonie.

Ω

Le jour suivant, Donald se rendit à nouveau à Mégantic et au même hôtel. McAulay avait été mis au courant par Duquette du coup des poteaux de télégraphe. Averti de la présence de Morrison en ville, il se rendit à son tour à l'American Hotel afin de montrer qu'il ne se laisserait pas intimider. Le major se fit accompagner d'un garde du corps. Il trouva, accoudé au bar, celui qu'il cherchait et il l'interpella immédiatement:

–Sais-tu comment on arrive à ramasser de l'argent, cow-boy? Je vais te le dire. C'est en travaillant d'une étoile à l'autre sans jeter ce que l'on gagne dans la boisson. Si ton vieux père a bu l'argent que tu lui envoyais, c'est pas à McAulay à payer la facture. Mes poteaux que tu as coupés en deux hier, ils serviront à fabriquer les barreaux de ta cellule de prison. Admets-tu que c'est toi qui a fait cela?

–En personne! dit fièrement Donald en bombant le torse.

–Barman, je te prends à témoin de ce qu'il vient de dire, de nous avouer.

Le serveur n'avait rien à faire de ce vieux ratoureux serre-la-poigne trop sobre à son goût. Il consulta d'abord Donald du regard et, après avoir obtenu un signe de tête affirmatif, il jeta avec mépris:

–Ouais!... Il me l'a conté hier...

–Mon gars, c'est la prison qui t'attend. Tu as tiré de ton arme sur la maison des Duquette et tu as saccagé un bien m'appartenant. Tu vas en prendre pour un an au moins...

–Et en sortant, je vais recommencer, lui rétorqua Morrison, l'oeil plein de contentement.

Donald se tenait au bout du bar, plus droit qu'un po-
teau, un sourire camouflé derrière sa moustache tombante.
Pris de court par son attitude froide, l'autre changea de ton
et se tourna un moment vers la négociation:

–Tu veux quoi, au juste, à faire toutes ces folies-là?

L'homme qui accompagnait le major se sentait mal à
l'aise et cherchait à rester à l'écart. Il connaissait très bien
les Morrison et ne voulait pas avoir l'air de prendre parti
contre eux. Mais l'homme d'affaires le tenait dans ses mains
et en outre, il ne lui avait pas révélé pour quelle raison il le
conduisait à l'hôtel.

–Pouah! peu de chose!

–Quoi donc?

–Rien que les huit cents dollars que toute cette affaire
m'a coûtés.

McAulay fit les grands yeux en hochant la tête:

–Ah! rien que ça, hein!...

–Ouais, monsieur, rien que ça et pas plus!

Le major se mit à rire, d'un rire faux, composé:

–Ça vaut quasiment la peine de boire un coup que d'entendre une folie pareille. Mais la boisson du diable, je laisse
ça à ceux qui s'entendent bien avec le diable. Je vais quand
même te dire une fois pour toutes que la loi est de mon côté,
que la justice est de mon bord, que l'histoire de l'hypothèque est réglée, terminée, jugée pour l'éternité. Suis venu pour
te dire que j'ai assez de magnanimité pour te donner une
dernière chance...

–De quoi? intervint moqueusement Morrison.

–De charité... Mais si tu refais une autre folie, la moindre, tu vas baiser la prison pour deux ans, dit McAulay en
hachurant ses phrases. As-tu bien compris, mon jeune homme,
ce que je viens de te dire là, as-tu très bien compris? La
prison, ça t'intéresse?

–Chacun a sa façon d'agir. Faites à votre guise et moi,

je vais faire à mon idée, conclut le cow-boy qui tourna les talons et s'en alla.

McAulay avait mal aux yeux de toutes ces odeurs de pipe et de cigare mais surtout de son impuissance profonde devant cet homme d'acier. Une voix pâteuse lui parvint à l'oreille; il crut un moment que c'était son compagnon.

–Qui c'est, ce cow-boy? bredouilla-t-on.

La voix absente et le regard perdu, le major répondit sans se questionner sur son questionneur ni même le voir:

–S'appelle Morrison...

–Donald Morrison, intervint fermement et comme avec fierté le barman.

–Et moi... suis Jack... Jack Warren, dit l'arrivant dont la tête bougeait de manière désordonnée, déréglée par les effets de l'alcool...

ΩΩΩ

Murdo Morrison
devant sa cabane à Marsden

Expulsés de leur ferme de Mégantic, dépouillés de leurs biens, les Morrison se retrouvèrent dans ce misérable refuge situé à Marsden (Milan).

Chapitre 8

Duel, rue principale

Quelques familles prêtèrent des animaux aux Morrison et la petite étable fut bientôt remplie. Les vieux pourraient donc subsister, et quand ils le pourraient, ils rendraient à leurs propriétaires les bêtes fournies, ou d'autres de même valeur. C'était ça, l'entraide entre gens des cantons. Et qu'ils soient bien envoisinés aidait beaucoup les Morrison à supporter la honte que leur causait leur déchéance.

Jamais la fierté de Murdo n'aurait accepté qu'on lueur donnât quoi que ce soit. Les dettes qu'ainsi il contractait envers ces gens resteraient gravées dans son esprit comme si quelque graveur les avait inscrites dans le rocher de la gelée. Et même leur remboursement intégral ne les effacerait jamais dans son coeur.

Donald devint homme à tout faire. Il travaillait ici et là, deux jours chez les MacRitchie, trois à Scotstown, une semaine à l'érection d'un marché public à Mégantic, et de retour à Marsden, il aidait Murdo aux petits travaux de cette fermette maigrichonne. Puis, le soir venu, soit qu'il se rende chez sa fiancée, soit qu'il aille à Mégantic retrouver ses amis à l'American Hotel. Quand il ne voyageait pas à dos de cheval, c'était à cheval sur un pompeur, le chemin de fer étant la voie la plus courte et la plus rapide eu égard à la qualité médiocre des chevaux de trait pour faire de la route rapidement.

Le coup de feu dans l'horloge et l'affaire des poteaux exhaussèrent singulièrement sa réputation. Ses vêtements de l'Ouest, les bottes et le chapeau, et surtout ses armes qui maintenant ne le quittaient jamais, faisaient de lui un personnage unique dans les Cantons. Et s'il en effrayait quelques-uns, il imposait le respect à tous et on recherchait sa compagnie. Il faisait office de protecteur sans pourtant avoir jamais servi une autre cause que la sienne, mais il ne posait pas en messie comme les séducteurs de foule de tous les temps. Quand on lui parlait de la ferme perdue, il sortait de sa placidité et affirmait:

—Au printemps, vous verrez, justice sera faite et je vais reposséder mon bien.

Pourtant, cette remise à plus tard montrait qu'il en était arrivé à crâner plus qu'à menacer. Sa détermination avait diminué avec le temps. Sa colère commençait à s'user dans les étuis où il la rengainait de plus en plus. Il s'adaptait à une autre vie que Marion lui rendait si douce. Mesurant la portée de nouveaux gestes illégaux, il s'était rassis. Ses parents avaient de quoi se nourrir, s'abriter, se vêtir, se chauffer, et lui de même. Le coup de l'horloge et celui des poteaux l'avaient libéré du bouchon d'agressivité laissé sur son âme par les événements.

Le jour de l'An au midi, il emmena Marion chez lui. Malgré les misères de l'année, il y avait de quoi bien se nourrir sur la table. Le ragoût de poule était bien assaisonné d'un peu de tristesse et de nostalgie mais il était fort mangeable. Les pets-de-nonne au sirop d'érable cuisinés par Sophia avaient bien quelques rides de plus que ceux de l'année d'avant, mais chacun les aima encore davantage et Donald les déclara savoureux.

Marion avait remodelé un vêtement de sa mère et l'avait ajusté à sa taille plus forte. C'était une robe à larges carreaux gris avec une longue rangée de boutons jusqu'au col. Ni séparée sur le milieu de la tête, ni ramassée en toque sur le dessus ou sur la nuque, sa chevelure veluteuse n'était guère à la mode de l'époque. Elle ondulait, épaisse, s'élargissant par-delà les oreilles, s'y réunissant dans un chignon lâche qui laissait échapper dans le cou de fines mèches tournoyantes.

Donald ne se fatiguait pas d'admirer sa beauté fragile mais par discrétion, il la regardait surtout à la dérobée. Il lui arrivait de lui glisser un compliment subtil, bien troussé, masculin pourtant. Elle faisait refleurir l'espoir dans son âme, y replantait les tiges que l'affaire de la terre perdue avait extirpées. Ne lui restait-il point la santé, l'énergie, l'amour d'une jeune fille exceptionnelle qui l'avait attendu pendant sept longues années? La perte de la ferme lui avait crevé le coeur, mais il prendrait le dessus. Il y avait de nouveaux lots à défricher par tous les cantons. Il y avait du travail à la journée à Mégantic dans les temps morts en agriculture...

Et puis les bois étaient aussi giboyeux qu'au temps jadis où Murdo et les autres Écossais immigrants étaient venus s'installer dans les cantons. Tout l'automne, Donald était allé à la chasse dimanche après dimanche et jamais il n'était revenu bredouille. Ainsi avait-on pu mettre à geler une bonne provision de viande dans la remise à bois attenant à la petite maison. Il avait même pu vendre des carcasses de chevreuil aux MacIver, aux MacRitchie et à plusieurs bourgeois venus de Montréal et dont les chasses étaient généralement peu profitables car ils avaient la tendance malencontreuse à confondre bois de cerfs et branches d'arbres et tiraient sur n'importe quoi, ce qui effrayait le vrai gibier.

Il faisait un véritable froid de canard ce jour-là dans les cantons. Pourtant, il régnait une chaleur acceptable dans la maison par la vertu d'un poêle à deux ponts qui leur avait été vendu pour trois fois rien par une bonne âme de Mégantic. Et une boîte était pleine de bon bois tout autant que la remise. Endimanché, le col dur autour du cou, Donald avait perdu ses allures de cow-boy et acquis celles d'un notaire de village. Un certain décorum lui était nécessaire pour l'annonce de sa grande nouvelle, une nouvelle qui ne commanderait pas la surprise. Il la dit après le repas après s'être raclé la gorge afin d'attirer l'attention de tous et de se faire plus solennel. Le son de sa voix courut le long des poutres basses mal équarries du plafond; il avait le sentiment de parler au monde entier:

–Mon père, ma mère, je vous déclare que le vingt juillet 1888, Marion McKinnon et Donald Morrison vont se marier devant Dieu et devant les hommes.

Murdo savait bien que ces deux-là se marieraient puisque c'était écrit dans les étoiles de leurs yeux et du ciel, mais il s'était fait à l'idée que ce serait plutôt en 1889 afin qu'on se remette d'aplomb après les secousses de 1887. Le front inquiet, il dit à voix retenue en regardant tout autour comme pour montrer l'espace trop étroit de la maisonnette:

–Mais... où c'est que vous resterez?

–Chez les McKinnon avec Marion. Mais soyez sans crainte, je viendrai tous les jours pour vous aider. Et puis je travaillerai le plus possible à Mégantic pour me faire des gages. Le lot d'ici, on va l'agrandir tranquillement. C'est ça que j'aurais dû faire au lieu de m'en aller sept ans dans l'Ouest. Notre terre serait restée à nous autres.

Murdo s'assombrit. Il dit, lointain:

–C'est pas de ta faute; c'est de la mienne. C'est personne d'autre que moi qui t'a fait perdre sept ans de ta vie, personne d'autre...

–Pas vous, papa, mais votre trop grande honnêteté. Il y en a partout, des pourris comme le major McAulay; le crime est payant pour ces gens-là, pas pour les petits comme nous autres. Il faut savoir voler intelligemment; c'est pour ça que les lois sont faites.

Content de sa phrase à laquelle il trouvait un certain humour, Donald chercha les yeux de Marion qui ne se faisaient pas rieurs mais implorants. Il fallait faire bifurquer le propos.

–Ah! et à quoi ça sert de rabâcher tout ça? Oublier, peut-être pas, mais regardons en avant, d'abord qu'on peut pas faire autrement!

Cette fois Marion lui sourit. Et Donald se sentit heureux. Au coeur de l'après-midi, il prit sa guitare et chanta quelques berceuses. La mélancolie des chansons se mêla aux joies du moment pour diaprer l'atmosphère d'un bonheur vague façonné par le moule omniprésent de la souffrance passée...

Ω

L'hiver fut doux, brumeux, tout bâti de frimas, de grésil et de frasil. Maladif, son règne fut court. Donald travailla dur. Il bûcha pour les MacRitchie, fit boucherie chez les MacIver, trappa pour son propre compte. Tout lui réussissait. Il avait des bras solides et infatigables. On le payait avec certitude. L'année 1888 commençait bien. Il croyait qu'elle serait la plus belle de toute son existence, la plus fructueuse.

Ω

En avril, quelques jours avant Pâques, en pleine saison des sucres alors que les propriétaires de cabanes s'y trouvaient, y compris les Duquette, une lueur rougeoyante apparut dans le ciel de Mégantic. Accourus dehors, les villageois devinèrent qu'une bâtisse assez importante brûlait pas loin du village. On se rendit sur les lieux de l'incendie. Les flammes avaient déjà tout décidé. La grange et la maison des Duquette étaient le proie des flammes qui s'enroulaient sur elles-mêmes pour emporter plus haut dans le ciel ce qu'elles dévoraient avidement.

L'on supputait comme on le fait toujours quand un événement sort de l'ordinaire. Et la première question du coeur devant les catastrophes est invariablement: qui est responsable, qui est coupable? L'image du cow-boy de Mégantic se transporta d'un regard à l'autre, allumée par les étincelles du brasier et des souvenirs de ses mauvais coups de l'année précédente. Mais en même temps, personne n'osait y croire. Le jeune homme ne pouvait pas s'être rendu coupable de crime

211

d'incendiat, d'un délit aussi grave! Venu à son tour, le major clama tout haut ses doutes. Il n'avait pas la sympathie des gens; on ne l'écouta que d'une oreille. Si Morrison avait mis le feu, pensait-on, c'était pour se faire justice comme il l'avait promis. Et on le lui pardonnait d'avance malgré la gravité des conséquences pour la famille Duquette.

Le lendemain, à une ferme située de l'autre côté de Marsden sur le chemin menant à Scotstown, Donald apprit la nouvelle par la bouche d'un de ses meilleurs amis, Norman MacRitchie, un jeune homme roux au visage tout couvert de taches.

–Si c'est toi, si c'est pas toi, j'en sais rien et j'en veux rien savoir, fit le visiteur en levant les mains ouvertes devant lui. On dit que c'est toi; moi, je dis que non...

Donald protesta avec véhémence:

–J'ai jamais mis le feu nulle part sauf dans les abatis. Encore moins faire brûler une grange avec les animaux restés à l'intérieur! Faudrait être barbare pour agir ainsi. Jamais de la vie! La Gueuse, laisser brûler vive la Gueuse, qui croirait ça?

–On voudra que tu prouves où tu te trouvais hier soir. Paraîtrait qu'on va faire émettre un mandat d'amener contre toi. C'est le major McAulay qui pousse assez fort là-dessus.

Les deux hommes et le propriétaire de la ferme, un dénommé McLeod étaient dehors, près d'une sleigh sur laquelle avaient été mis des billots qu'on avait halés la veille depuis le haut de la terre. Derrière, plusieurs piles de ces troncs d'épinette se succédaient jusqu'à la grange. Il fallait maintenant les mettre sur le train à Marsden et le faire assez rapidement; c'était la raison pour laquelle le propriétaire avait eu besoin de bons bras, et qu'il avait donc fait appel aux services de Donald. Il y avait aussi que cet homme s'était blessé à une cheville quelques jours auparavant. Un commissionnaire avait été envoyé au cow-boy qui avait accepté la proposition de travailler.

–Suis monté ici à pied hier soir.

212

–Ça va te prendre quelqu'un pour confirmer ça. Ils vont dire que tu as pu te rendre à Mégantic.

–Mais les gens sont à leur cabane: c'est la grosse coulée du printemps.

–Si tu me dis que t'es pas fautif, moi, je te crois, c'est entendu, mais le juge de paix... Je sais bien que si tu es venu ici, tu n'as pas pu te rendre à Mégantic à moins d'avoir marché quasiment une douzaine d'heures sur la voie ferrée.

–Justement, Mégantic et ici par rapport à Marsden, c'est pas la même direction: Marsden est entre les deux.

–Tu es parti à quelle heure de Marsden?

–Sept heures du soir, pas avant. Ma mère le sait, elle.

John McLeod s'approcha un peu en marchant difficilement, appuyé sur une canne. Il intervint:

–Et il nous est arrivé pas plus tard que neuf heures, ça, c'est certain!

Donald se redressa, soulagé d'être blanchi, et il songea tout haut:

–Étant donné que je peux prouver que je ne suis pas coupable, je devrais peut-être en profiter un peu...

Il s'arrêta pour regarder quelque part dans des comportements virtuels.

–Pour faire quoi? s'inquiéta son ami.

–Pour les laisser dans le doute et dans la peur, ces maudits-là qui se partagent mon bien en riant de moi: les Duquette et McAulay.

–Ça t'avancerait à rien, dit McLeod.

–La peur, ça change un homme. Si McAulay craignait pour son derrière, peut-être qu'il me rembourserait mes huit cents dollars.

–C'est risquer beaucoup pour pas grand-chose!

McLeod, un petit homme souriant à la voix conciliante enchérit:

–McAulay est connu dans tous les cantons. Il possède

le pouvoir de l'argent. Il pourrait te faire arrêter et même condamner pour crime d'incendiat.

La vieille colère ressurgit en Donald avec sa phobie de se voir privé de sa liberté.

–Qu'il essaie donc pour voir!

Il ne portait pas son ceinturon, mais il mit quand même sa main sur un pistolet imaginaire...

Ω

L'intérêt augmente la conviction. Le major se livrait à une véritable campagne de bouche à oreille pour persuader tout Mégantic, francophones et anglophones, de la culpabilité de Morrison. Il visita Duquette à deux reprises à Lambton pour l'inciter à faire lever un mandat d'amener contre le cow-boy, ce criminel dangereux, disait-il, qu'il fallait mettre hors d'état de nuire une fois pour toutes. Trouvé coupable, il débarrasserait le canton pour au moins cinq ans.

La rumeur grandit comme une traînée de poudre et se répandit par tous les cantons. Devant son ampleur, Donald révisa ses positions. Parfois, il commentait l'incendie avec un sourire énigmatique mais le plus souvent, il clamait que ce soir-là, il se trouvait chez Gil McLeod à Scotstown. Le vent de soupçons fut donc en partie calmé par cet alibi que peu de gens mettaient en doute.

McAulay mit tout le poids qu'il avait sur Duquette et le juge de paix, et le mandat voulu fut émis. Le shérif Edwards de Mégantic avait charge de l'exécuter. Il se rendit à Marsden sans enthousiasme, convaincu à l'avance de l'innocence du cow-boy. Rien dans les cendres qu'il avait inspectées ne laissait croire qu'on avait pu mettre le feu volontairement. C'est la maison qui avait commencé à brûler puis le feu avait sauté sur la grange à cause d'un vent défavorable. Et la cause première de l'incendie de la maison pouvait être une bougie non éteinte, le phénomène de combustion spontanée d'une guenille, un rat grignotant des allumettes...

Quand il se présenta à la pauvre demeure des Morrison,

214

il se sentit désolé au souvenir de la belle ferme que ces gens avaient et dont ils seraient privés jusqu'à leur mort. On ne pouvait ainsi déposséder de vieilles personnes après toute une vie de travail, de sueur et de sang. Il frappa. On le connaissait depuis longtemps. On le fit entrer. On lui dit que Donald n'était pas là; il en fut soulagé. Il questionnerait ses parents et cela suffirait.

Assis à la table devant une tasse de thé, le constable conversa doucement avec Murdo et Sophia. Le vieil homme raconta tout ce qu'il savait. Son fils avait admis avoir tiré par la fenêtre chez les Duquette et il s'était targué d'avoir coupé les poteaux, mais il avait nié toute responsabilité quant à l'incendie et il pouvait démontrer qu'il se trouvait ailleurs ce soir-là.

–Qui oserait douter de la parole d'un Morrison?! dit Edwards pour conclure. Mais comprenez que j'ai un devoir à remplir car il y a un mandat... Peut-être Donald devra-t-il se présenter devant la justice pour établir son innocence. Ce n'est pas dangereux: dites-lui ça.

L'homme avait vécu longtemps dans le voisinage des Morrison à Mégantic. Il savait que Murdo, ce fier presbytérien, n'aurait jamais menti, pas même pour sauver la tête de son fils. La vérité en tout et à n'importe quel prix: tel était le principe d'un Écossais de race! En son esprit, cette affaire était classée, mais pourrait-il la laisser ainsi? La loi a de ces cheminements que la police ne connaît pas toujours. McAulay via Duquette faisait pression sur le juge de paix afin que le mandat soit rempli. Il fut adressé une lettre au shérif Edwards, lui recommandant fortement de garder les yeux bien ouverts. Ce que fit le policier. Car s'il advenait qu'il aperçoive Donald à Mégantic, il s'empressait de regarder autre part. Quelqu'un rapportait-il à Edwards que le cow-boy était en ville qu'Edwards la quittait sous prétexte d'intercepter le fugitif sur le chemin de son retour vers Marsden.

Donald savait l'embarras qu'il causait au shérif et il tâchait de se soustraire à sa vue le plus possible. On espérait, le temps aidant, que le mandat soit annulé.

Ω

Les semaines passaient mais rien ne se passait. Plusieurs fois, Duquette visita le juge de paix pour se plaindre de son incapacité à faire respecter la loi. Avait-on jamais vu de mémoire d'homme un personnage contre qui existait un mandat d'amener se promener en plein jour au nez et à la barbe des représentants de la loi? S'il fallait porter plainte au gouvernement de Québec, on le ferait.

Ω

Ces événements accablaient Marion. Le mariage serait-il remis à plus tard? Elle en parlait à Donald à chaque semaine. Il la rassurait. Le mariage aurait lieu à la date prévue, c'était certain.

–Mais on pourrait venir t'arrêter à l'église même, se plaignait-elle parfois.

–Pareil scandale ne se produira pas tant que je garderai avec moi mes deux plus fidèles amis, répondait-il en montrant ses pistolets.

–On pourrait tirer sur toi.

–J'aurai tous mes amis autour. Et qui donc oserait venir interrompre une cérémonie de mariage, hein?

Ω

Un soir de juin, Jack Warren rendit visite au major McAulay. Il se proposa pour remplacer Edwards. L'homme d'affaires savait que l'on refuserait cette candidature mais il lui vint l'idée de faire assermenter le douteux personnage en tant que shérif adjoint et le jour même, on se rendit chez le juge de paix pour réclamer justice une fois de plus, justice que le stratagème permettrait de satisfaire sans nuisance au shérif Edwards, un homme respecté de tous et qu'il n'était pas question de faire tomber. Warren clamait qu'il s'y connaissait dans la chasse à l'homme et qu'il lui faudrait moins d'une semaine pour amener ce satané cow-boy devant la justice.

Tout d'abord le juge de paix s'objecta:

–Désolé, mais je ne peux faire cela.

–Alors, monsieur Morin, pourquoi Morrison n'est-il pas encore derrière les barreaux?

–Personne ne croit plus que c'est lui qui a mis le feu. Et Bill Edwards encore moins que tout le monde. L'homme se trouvait à Scotstown; il possède un alibi. La justice perdrait son temps et on se moquerait de nous.

–La loi, c'est la loi! s'écria le major. Si Morrison n'a rien fait, qu'il se lave des soupçons qui pèsent sur lui devant une cour de justice.

–C'est ce que je vous disais: les soupçons n'existent plus que dans l'esprit de Duquette et dans le vôtre...

McAulay se leva. Les traits vindicatifs, frappant le bureau de ses jointures sèches, il déclara:

–Si voilà votre dernier mot, monsieur, alors des têtes tomberont. Auguste Duquette, moi-même et Jack Warren ici présent, on prend le train pour Québec demain matin. Edwards et vous-même serez balayés par la procureur général de la province que je connais fort bien. Dans quel siècle sommes-nous s'il est impossible de vivre en toute sécurité dans nos cantons? Ce cow-boy se pense dans l'Ouest. Il faut le mettre hors d'état de nuire avant qu'il n'arrive pire encore.

Morin réfléchissait à son poste et à la situation. Peut-être vaudrait-il mieux procéder à son arrestation et ce, pour le bien même du jeune Morrison? La justice serait bien obligée de le blanchir et l'affaire serait classée définitivement. Le cow-boy lui-même en sortirait grandi et la major y perdrait des plumes. Il questionna:

–Qui êtes-vous, monsieur Warren? D'où venez-vous? Savez-vous manier une arme à feu? Savez-vous qu'un policier ne doit pas dégainer le premier?...

L'homme fut assermenté et, par le fait même, il reçut l'autorisation de porter une arme. Il s'en procura une la journée même. Le premier geste qu'il posa ce soir-là fut de se rendre à l'American Hotel pour boire et pour se vanter. Il déclara plusieurs fois devant tous qu'il arrêterait le cow-boy, lui, et qu'il n'était pas un peureux comme tous les autres, surtout le shérif Edwards.

Le matin suivant, il mit une cible en position à l'arrière de l'hôtel et y pratiqua le tir pendant une heure. Il n'arrivait jamais que l'on entende autant de coups de feu consécutifs et cela rassembla des curieux à qui Warren annonça qu'il se préparait à arrêter Donald Morrison.

–Ce satané cow-boy va lever les mains en l'air quand je le lui ordonnerai ou bien je vais lui brûler la cervelle, comme ça et comme ça, disait-il à chaque balle tirée dans la planche trouée de bout en bout.

Les bruits se répercutèrent aux quatre coins de Mégantic et des cantons.

Si le cow-boy ne se livrait pas à la police, il y aurait duel un jour ou l'autre, s'attendaient la plupart des gens. Tout le monde sut que Donald savait maintenant les intentions de l'Américain. Et on ne le voyait plus en ville.

Des sympathisants de Morrison se mirent à victimer Warren sans penser aux conséquences fâcheuses possibles. L'un affirmait que le cow-boy était si habile au revolver qu'il l'avait vu abattre une mouche à vingt pieds. «Pourquoi pas un pou comme Warren à cinquante?» glissait-il à l'oreille de ses amis. Un autre le traitait de chien-culottes, un troisième criait qu'il n'oserait jamais se rendre à Marsden ni mettre un pied en dehors du village de peur de se trouver face à face avec le hors-la-loi.

Objet de la risée de tous, Warren devint plus agressif et déterminé. Courir le cow-boy à gauche, à droite, c'était peine perdue, il le savait. D'autant qu'il ne connaissait pas les cantons. Seule la ruse lui amènerait Morrison sans qu'il ne lui soit nécessaire de le chercher. Il lui tendit un piège au soir du vingt et un juin. Sachant que le cow-boy n'avait pas mis le nez en ville depuis près d'un mois et qu'il pouvait compter sur tout un réseau d'informateurs, il annonça que le lendemain, il irait à sa recherche dans la région de Stornoway, ayant appris que Morrison y travaillait.

Mis au courant des faits et gestes et même des paroles de l'Américain, Donald donna tête baissée dans le piège et le jour suivant, il se risqua d'aller à Mégantic pour y faire quelques achats.

Warren quitta l'hôtel de bonne heure, sortit du village puis revint sur ses pas par l'arrière des maisons pour rentrer à l'American Hotel et s'embusquer sur la galerie du deuxième étage donnant sur l'avenue Maple. Il y demeura jusqu'au milieu de l'après-midi, couché sur les planches derrière une courtepointe posée sur la garde, surveillant l'extrémité de la rue poussiéreuse où allaient et venaient des voitures attelées. Sa patience fut récompensée. Vers trois heures, un homme solitaire à la démarche caractéristique parut au loin, sur la voie ferrée qui traversait le chemin. Le chapeau se précisa, les pistolets... L'Américain devint nerveux. Il lui restait un bon cinq minutes encore avant que le cow-boy ne soit parvenu à l'hôtel; il avait le temps d'aller au bar ingurgiter un peu de courage. Il s'y rendit aussitôt et se commanda un double whisky. La place était enfumée. Plusieurs hommes s'y trouvaient et qui commencèrent à rire de ce Warren la grande gueule. Quelqu'un entra, cria:

–Donald Morrison s'en vient, Donald Morrison est en ville, il s'en vient par ici...

–C'est le temps de nous montrer ce que tu peux faire, dit un homme au shérif.

Warren sortit son mandat et l'exhiba en disant à tous:

–Si vous voulez voir comment on arrête ça, un cow-boy, montez sur la galerie mais si vous avez peur des balles, allez vous cacher, bande de faces de rat.

Et il vida son verre d'un trait puis sortit et descendit dans la rue en tenant une main dans la poche de son veston et l'autre dans le revers.

Ω

Le ciel était d'un bleu total. Pas un nuage, pas même une effiloche. Warren n'aperçut que deux voitures circulant sur le chemin; les autres attelages s'étaient rangés de chaque côté de la rue comme si tous avaient deviné qu'il y avait de la poudre dans l'air. La nouvelle de l'imminence d'un duel marchait plus vite que l'Américain. Des hommes du bar s'étaient rendus sur la galerie où Warren avait passé la journée à attendre. Un adolescent courait d'un endroit à l'autre pour avertir les gens. Les coeurs battaient plus fort dans un silence qui installait sa gloire peu commune. La maréchal-ferrant posa son marteau sur l'enclume. Le cordonnier piqua son alêne dans un morceau de cuir. Un marchand ferma boutique et se rendit sur sa galerie du deuxième étage. Des gens de l'hôtel d'en face se collèrent le nez dans les vitres des fenêtres. On avait peur. On avait hâte. Le légendaire western américain venu par les journaux depuis dix ans arrivait enfin au Canada et Mégantic en était le premier et grandiose arrêt.

Mégantic ressemblait à Abilene dans sa rue large de village-frontière, ses balcons, ses marquises et ses vitrines; il n'y manquait plus que l'événement. Et l'événement se trouvait là, ce vingt-deux juin 1888.

Morrison reconnut Warren qui marchait en sa direction. Des éclats durs passèrent dans son regard. Il était déjà trop tard pour rebrousser chemin. On pouvait lui tirer dans le dos. Continuer de marcher dans la rue, c'était aller tout droit au duel. Il ne voulait pas se battre. Il n'avait pas envie de mourir, il avait envie de se marier. Il savait Warren un tireur médiocre mais au revolver, on ne pouvait prévoir les gestes de la chance... ou de la malchance.

Donald emprunta le trottoir de bois sous les garde-soleil des bâtisses. L'autre n'oserait pas tirer en biais et risquer de toucher quelqu'un par accident. Il poursuivit son chemin, le corps raide, les talons bruyants, prêt à riposter en cas d'attaque, frisson dans l'âme, entêtement au coeur. On ne l'arrêterait pas. Il ferait ce qu'il devait faire et retournerait à Marsden.

Warren demanda à quelqu'un si l'arrivant était bel et bien Donald Morrison. On lui répondit par l'affirmative. Quand il jugea son homme à trente pas de lui, il s'écria:

–Morrison, j'ai un mandat d'arrêt contre toi. Lève les mains en l'air et rends-toi à la justice.

Donald s'arrêta devant la vitrine du barbier. Il répondit avec morgue:

–Warren, tu n'as aucune autorité pour m'arrêter. Tu n'es même pas citoyen britannique. Laisse-moi passer et va te mêler de ce qui te regarde.

Le shérif sortit brusquement le mandat de la poche gauche de son veston et, le regard sagitté, il le brandit en menaçant:

–Je vais te montrer si je n'ai pas l'autorité... Lève tes damnées mains en l'air ou bien je fais un trou dans ton crâne dur.

–Laisse-moi passer, laisse-moi passer, fit Morrison en reprenant lentement sa marche.

Warren sentit qu'il n'avait plus le choix, ou bien de laisser passer le hors-la-loi ou bien de le mettre en joue pour l'arrêter, et cela le mit en rogne. Il ne devait pas perdre la face. Il était au pied du mur. Alors il sortit la main qu'il avait tenue cachée jusque là et montra une petite arme qui brillait sous les rayons du soleil. Donald laissa tomber une canne qu'il tenait dans sa main droite et, vif comme l'éclair, le saut félin, il se retrouva dans la rue en même temps qu'il dégainait un pistolet et tirait...

L'implacable projectile atteignit l'Américain qui demeura un moment interdit, comme figé sur une pellicule photographique, l'arme pointée vers le soleil, la bouche ouverte. Puis ses genoux ployèrent et il tomba mollement sur le dos comme un sac d'avoine. Ses doigts tremblotèrent un instant sur la crosse du pistolet. Du sang se mit à couler de ses deux narines et noyèrent sa moustache touffue. Ses yeux se révulsèrent. Un râle sibilant, un sursaut grotesque in articulo mortis et seule la poussière que sa chute avait soulevée bougea encore pour retomber sur lui dans le formidable dérisoire d'une vie terminée.

Donald rengaina, s'approcha dans des pas que l'impossible mesurait pour lui. Tout son sang ramassé au centre de lui-même, il avait le visage d'un revenant. Il eût voulu rattraper le temps, rhabiller son geste et il se sentait transi malgré le soleil chaud. Il n'avait pas abattu l'homme pour déverser un trop-plein de rancoeur mais pour se défendre et pourtant il avait conscience d'avoir franchi un pas terriblement hasardeux.

Des témoins sortirent de leur torpeur. On accourut puisqu'il semblait bien que le duel avait déjà pris fin. Un personnage ventripotent se pencha sur l'homme tombé. Il vit Warren qui gisait inarticulé, les traits à la surprise béate, la tête sur le trottoir et le cou comme cassé vers l'arrière, ce qui ajoutait à l'horrible du spectacle. Le sang qui avait déjà coulé en abondance s'était arrêté avec le coeur. On saura plus tard que la balle avait sectionné la carotide, fracassant la colonne vertébrale à la base du cerveau.

Devant cette situation irréversible, le cow-boy avait l'air de se comporter de plein sang-froid. Mais derrière la mine hagarde, il y avait une âme torrentueuse. Il fixa longuement le cadavre figé puis tourna les talons et repartit vers la sortie du village. Sans rien acheter. Sans rien dire. Le regard absent.

ΩΩΩ

La Maple Street en 1888

Le 'duel' entre Donald Morrison et Jack Warren eut lieu sur cette rue, sans doute où se trouve la caméra qui a pris cette photo.

La rue Maple vue depuis le nord

C'est au bout là-bas que se produisit l'événement mortel du 22 juin 1888 alors que Morrison et Warren s'affrontèrent au pistolet.. La présence d'automobiles signifie que la photo est plus récente et date du début du 20ᵉ siècle.

Chapitre 9

La machine judiciaire

Dans sa marche triste et monotone vers Marsden, un pas long à chaque deux dormants de chemin de fer, Donald Morrison regrettait son geste trop impulsif. Il confia à Dieu son âme, sa sincérité, ses faiblesses, priant le ciel de lui pardonner ce sang qu'il avait sur les mains, se demandant aussi pourquoi le mauvais oeil était vissé à ses pas depuis toutes ces années. Pas encore trente ans et tous les malheurs s'étaient abattus sur lui comme si la tragédie était son destin et la douleur son aspiration. On le jetterait en prison pour toujours. Ou on le pendrait comme ce Riel. Non, il n'irait pas en prison et on ne le pendrait pas. S'il devait mourir, se jurait-il à chaque pas, ce serait dans la grande liberté, l'arme à la main, comme un Indien, comme un cow-boy...

Le regard rouge, absent, le coeur las, il frappa à la porte des McKinnon. Et il attendit en se rappelant les cris et les rires des enfants qui l'accueillaient toujours en cette maison avant son départ pour l'Alberta. Mais tant d'années avaient fui depuis ces jours meilleurs, tant d'années s'étaient dérobées sous lui en ce seul jour du vingt-deux juin 1888 où il venait de tuer un homme. Les enfants avaient grandi. Le dernier frôlait ses dix ans. À part lui, il ne restait plus que deux adolescentes dans cette maison. Les autres, des garçons, avaient quitté, ils étaient partis ailleurs fonder leur propre famille. Ils avaient dix, douze ans d'avance sur lui et pourtant étaient bien plus jeunes. Cette pensée lui fit hausser les épaules.

Marion devina que c'était lui. Les coups dans la porte, leur espacement discret, un sentiment: c'était Donald, son époux dans moins d'un mois. Elle se défit d'un tablier, se lécha les doigts et lissa ses cheveux puis se pressa à la porte. Mais son sourire se figea dans l'angoisse extrême qui s'étendait dans les yeux de l'arrivant. Elle la connaissait bien, cette peur froide qui sortait par lueurs sombres du regard de son fiancé. Il se rendit s'asseoir dans un silence pesant.

—Suis seule comme tu vois. C'est pour ça que la porte était fermée. Et puis c'est le pire des mouches de ce temps-là. Les autres sont partis pour Stornoway. Vont à la pêche demain de bonne heure.

Elle montra sa robe tachée de farine.

—Faut pas trop me regarder, je prépare de la pâte. Suis dans la farine par-dessus la tête.

Elle rit timidement et changea le ton:

—Je t'attendais pas comme ça en plein vendredi soir. Surprise un peu... et inquiète... On dirait que t'as des mauvaises nouvelles plein tes poches.

Puis elle s'assit près de la table, sur une chaise droite, vers lui.

Il resta muet en détachant sa ceinture qu'il accrocha au dossier de la chaise berçante qu'il avait prise. Il respira profondément puis il regarda sa fiancée avec intensité comme s'il eût voulu tout lui dire sans dire un mot. En même temps, il tâchait de se forger un sourire qui tourna en grimace désolée.

—Tu avais bien raison quand tu disais que de porter des armes c'était comme de porter le malheur.

—Il est arrivé quelque chose on dirait?

—Oui, et de très grave!

Elle attendait, le front assombri. Il hochait la tête. Puis comme emportée par le pressentiment d'un malheur épouvantable, irrémédiable, elle courut à lui, s'agenouilla près de sa chaise, secoua son bras.

–Qu'est-ce qui s'est donc passé de si terrible? demanda-t-elle mais s'attendant à sa réponse.

–J'ai tué un homme. Cela te fait-il peur?

Elle embrassa sa main en gémissant:

–Comment donc avoir peur d'un homme capable de tout donner ce qu'il possède par amour des siens?

–J'ai tué un homme, soupira-t-il encore.

–Cette crapule de McAulay?

–Non... Jack Warren. Tantôt à Mégantic. Il a voulu m'arrêter, m'a menacé, j'ai pris peur.

–Tu n'as donc fait que te défendre. Et puis il s'est vanté partout qu'il te mettrait une balle dans la tête si...

–Je sais, je sais, mais il portait un mandat.

–Tu disais qu'il n'avait aucune autorité pour t'arrêter...

–Oui, je sais... mais... mais je ne sais plus.

Envahie par l'abattement moral de son fiancé, assommée par la certitude que leur mariage était fichu, l'esprit en proie aux plus sombres présages, Marion se mit à pleurer. Touché, coupable, perdu, il ne trouva rien de mieux que de lui caresser les cheveux en lui disant des choses qui se voulaient rassurantes mais qui ne voulaient rien dire.

–Ne pleure pas! Tout va s'arranger. Tout finit toujours par s'arranger. Tu verras. Reprends foi en la vie!

Quand elle se fut vidée des flots interminables de toutes ces larmes brûlantes, elle exprima dans une révolte douloureuse:

–Quand donc cette vie va-t-elle nous laisser vivre? Qu'arrivera-t-il de nos rêves, de notre mariage, de notre avenir? Oh, mon Dieu, vas-tu devoir repartir pour l'Ouest et ne jamais revenir?

–Non, non... je vais rester ici, près de toi, jusqu'au jour où j'aurai trouvé la justice.

–Mais la justice va t'arrêter, te pendre peut-être!

Donald frissonna. Sur le chemin du retour, il avait bien pensé à la potence, mais pas aussi sérieusement que maintenant. Il laissa Marion dans l'attente de mots nouveaux, resta silencieux à évaluer ce qui s'était passé, à imaginer ce qu'en penserait la justice des hommes. Il finit par jurer, les poings crispés:

–Jamais ils ne me prendront vivant, jamais! On m'a volé mon bien, on m'a jeté dehors de ma maison, on m'a accusé de crime d'incendiat, maintenant on ne va pas me pendre. Je n'ai jamais rien fait pour mériter ça! Ils ne m'auront pas, ils ne m'auront jamais!

La tête appuyée contre sa poitrine, Marion écoutait, horrifiée, pétrifiée. Leur avenir n'existait plus. Ou bien il serait pendu par la justice ou bien il serait abattu par la police. Il ne restait qu'une seule issue: Donald devait repartir pour l'Ouest et ne jamais revenir. Elle partirait avec lui. Ou après lui pour le rejoindre. La frontière américaine était là toute proche; il lui suffirait de la franchir puis de fuir par le train. Elle le suivrait jusqu'au bout de la terre. Sa part était faite pour les siens. Il fallait vivre maintenant.

Elle lui fit part de son idée, de ses intentions. Il refusa net. La honte retomberait sur les McKinnon autant que sur les Morrison. Partir pour une destination inconnue avec un fuyard que l'on désignerait comme un meurtrier: ce serait marquer à tout jamais au front deux familles entières. Et ce serait baisser les bras, s'avouer coupable de tout depuis le début de l'affaire de l'hypothèque. Il n'oserait plus jamais regarder sa dignité dans un miroir après cela.

Marion redevint calme. Ses pensées s'ordonnaient. Une voie à suivre lui apparut: claire, nécessaire. Elle releva la tête et dit sur un ton déterminé, définitif:

–Si nous ne pouvons pas nous marier le vingt juillet, alors marions-nous tout de suite, ce soir, ici...

Il comprenait mal pareille réaction. Ses principes lui dirent un premier mot. L'horrible souvenir de l'après-midi poursuivit le discours. La peur de l'avenir et un immense sentiment d'impuissance ajoutèrent leurs nuances. Il ouvrit les mains, enveloppa la tête de Marion et leurs regards douloureux se rencontrèrent. Il dit:

–Mais je viens juste de tuer un homme, ma pauvre petite fiancée.

–Ce n'était pas ta faute.

–Tu n'as donc pas peur de moi?

–Épouse-moi cette nuit, mon fiancé. Dieu lui-même nous dispense de la cérémonie religieuse. Et c'est Lui qui a voulu que nous soyons seuls ici ce soir et jusqu'à demain.

Longuement, leurs yeux s'échangèrent le consentement mutuel, puis leurs lèvres mirent un sceau sur leur contrat et elles s'unirent avec toute la passion de coeurs brisés qui se libèrent soudain d'un poids les écrasant depuis trop d'années. Les âmes se rassurèrent, s'apaisèrent; et les émotions se réunirent. Ce mariage drainerait toutes les amertumes de leur coeur.

Elle se mit debout devant lui et reçut sa tête sur son ventre comme s'il avait été un enfant à consoler. Il se leva à son tour pour redevenir un homme. Il avait la moustache enfarinée. Elle s'en moqua. Il lui entoura l'épaule de son bras comme tant de fois déjà lors de leurs randonnées côte à côte sur les sentiers de Marsden, certains soirs jusqu'au petit cimetière de Gisla à plus de trois milles dans la forêt vers Winslow. Ils marchèrent émus jusqu'à l'escalier sombre qui menait à la chambre de Marion.

La brunante s'infiltrait par les fenêtres et envahissait les choses de la maison, les recouvrait de ses gris, de ses noirs, de ses néants...

Ω

Puisque Jack Warren avait été assermenté shérif par un juge de paix, un policier avait donc été tué. La nouvelle se répandit avec les vents forts des jours suivants. Tous les cantons et tout ce pays interminablement endormi jusqu'au Pacifique où rien de bien passionnant depuis Riel n'était arrivé, tourna les yeux vers Mégantic. À la une des journaux de toute la province, on voyait chaque jour la photo du cow-boy que l'un d'eux avait pu acheter d'un photographe de Sherbrooke visité récemment par Donald.

Le lundi suivant, deux détectives venus de Montréal et deux autres de Québec arrivèrent à Mégantic. Des hommes cravatés, compétents. Ce que l'on savait d'avance sur l'homme recherché: son nom, son âge, sa taille, son poids, la couleur de ses yeux, de ses cheveux, sa moustache, les noms de ceux de sa famille. Au cours de la première journée d'investigation, chaque équipe rencontra une bonne douzaine de personnages répondant à la description de Donald Morrison. Peut-être faudrait-il davantage de renseignements sur le hors-la-loi. Les deux équipes se réunirent à l'American Hotel ce même soir. Il fallait échafauder des plans afin de ne pas perdre de temps et pour écourter un séjour prévu d'une semaine. L'un, maigrelet aux allures de croque-mort, établit doctement que le fugitif n'oserait pas se montrer en ville avant longtemps, sachant qu'il était recherché par plusieurs policiers. De plus, il serait peut-être plus prudent voire efficace de continuer de travailler à deux comme on l'avait fait ce jour-là puisque le cow-boy semblait un tireur d'élite.

On questionna le barman, le propriétaire, des clients. Personne ne savait rien. On repéra un jeune homme à moitié ivre et aux yeux fourbes. Celui-là dirait quelque chose. On l'achèterait avec un whisky. Il sourit à un Montréalais qui s'en approcha. Après un verre sur le bras du détective, il lui glissa à l'oreille que Morrison se trouvait caché dans une ferme près du lac. Le policier content se frotta les méninges et les mains et il retourna auprès des autres. Mais il garda bien son secret. Ces maudits Québécois n'avaient pas à savoir. Et qu'ils s'en bûchent, des sources de renseignements!

Quand ils furent dans leur chambre, lui et son collègue,

il révéla ce qu'il avait su et on planifia la capture du hors-la-loi. Le mardi matin, à la barre du jour, avant même que les Québécois ne soient debout, on se mettait en marche dans la direction indiquée par le délateur. Toute la journée, on fouilla des bâtisses où Donald Morrison n'avait jamais mis les pieds, sous les regards amusés des propriétaires. Les pauvres bernés finirent par se rendre compte qu'ils avaient été les dindons d'une farce plate et ils se jurèrent que dorénavant, leur crédulité serait moins grande.

Pendant ce temps, les Québécois, plus perspicaces et méthodiques, s'étaient postés au bord du chemin à l'entrée de Mégantic, dans une voiture fine ordinaire, banalisée, et ils interceptaient tous les arrivants. Parmi les Écossais qu'ils questionnèrent, certains répondirent en gaélique, d'autres en anglais et seulement quelques-uns en français, seule langue que ces hommes de loi connaissaient. Par signes, par gestes et par mots, il leur fut dit qu'on n'avait pas vu Morrison depuis longtemps. Il leur fut donné des descriptions farfelues du cow-boy. Quelqu'un leur dit que le hors-la-loi s'était rendu au service funèbre de Jack Warren la veille. Finalement, un homme à cheveux blancs, les traits du plus haut sérieux, les convainquit que Morrison n'était pas loin derrière lui, qu'il venait en ville armé d'une Winchester .73 et de ses pistolets chargés, qu'il voulait chasser tous les étrangers... ou bien leur donner un compagnon: Jack Warren. L'homme fut si disert, si éloquent que les deux détectives, ainsi que des peaux de veau, rentrèrent précipitamment à l'American Hotel pour organiser un système de défense à l'aide des Montréalais.

On se réunit à quatre dans une chambre. Il fut trouvé que devant l'ennemi, Québec et Montréal feraient mieux de se serrer les coudes. Stratagèmes, stratégie: ces habitants des cantons, amis dévoués, semblait-il, d'un tueur, auraient affaire au flair de renards plus avisés qu'eux. On ferait la preuve que plus son lieu d'origine est important, plus sa valeur l'est. Mais à ce chapitre, l'on n'insista pas afin de ne pas rendre Québec trop envieux de Montréal.

In vino veritas! On écouterait méthodiquement ce qui se disait aux tables tout en ayant l'air de rien. Un seul bon renseignement ramassé, et à quatre hommes, on affronterait le bandit qui se résignerait devant le nombre et la qualité.

Dans toutes les conversations revenaient les mêmes grandes lignes. Donald Morrison n'était pas un assassin mais une victime. Et jamais il ne se laisserait prendre vivant. Et surtout, il était si habile tireur - n'avait-il pas envoyé Warren ad patres d'une seule balle tirée à trente pas?- qu'il pouvait abattre dix hommes avant même que trois d'entre eux n'aient eu le temps de dégainer ou de viser avec leur carabine. Dans la tête des policiers, Morrison devint alors en une seule personne Frank et Jesse James, Cole Younger, Billy le Kid, Wyatt Earp, Doc Halliday, Pat Garrett, et même Sitting Bull, bref tout l'Ouest de la gâchette que de par leur profession, ces policiers suivaient à la ligne dans les journaux depuis quinze ans. On en vint à la conclusion qu'il faudrait des renforts et cela servit de prétexte à ne plus sortir de l'hôtel.

Leur peur suinta. Ils furent espionnés, écoutés dans leur chambre. Tout ce qu'on apprit d'eux fut rapporté à Morrison qui vivait chez les McIver pour quelques jours. Enhardi par la semaine écoulée depuis la mort de Warren, plus déterminé que jamais à vivre sa vie au pays qu'il aimait avec celle qu'il aimait, le hors-la-loi eut l'audace de se rendre à Mégantic le soir du vingt-neuf juin, tout juste une semaine après un assassinat qui n'en était pas un et un mariage qui n'en avait pas eu l'air non plus. Ceinturon bardé de balles, revolvers bien à la vue, carabine à la main, il fit son entrée à l'American Hotel à la surprise générale mais aussi pour l'agrément de tous, à part les policiers de la ville. On accueillit Morrison comme un politicien célèbre en fin de campagne électorale, à coups de claques dans le dos, de «tiens bon, t'es capable» de «c'est pas des morveux de Québec ou de Montréal qui vont venir faire la loi à Mégantic» de «eux autres, ils connaissent pas Mégantic mais nous autres, on connaît Montréal».

Tout d'abord restés bouche bée, écrasés par tous ces regards sagittés, les quatre détectives commencèrent à s'aplatir individuellement en même temps que leur esprit de clan s'évanouissait. Bientôt, de l'un d'eux, il ne resta plus au-dessus de la table que la tête. Un deuxième mit ses mains en oeillères sur ses tempes et s'enroba d'une couche de ciment. Le troisième adressait un sourire imbécile en direction du cow-boy et le quatrième cherchait à s'éloigner par de petits à-coups donnés à sa chaise, manoeuvre apte à le soustraire du groupe.

Le hors-la-loi se mit debout, accoudé au bar, à sa place habituelle, au bout. Des hommes lui parlèrent à voix basse. Parfois on montrait les détectives dont la moitié transpirait et l'autre tremblotait

Son verre vidé, Donald serra la main de ceux qui l'entouraient, vedettariat obligeant, puis il quitta la salle puante en s'écriant:

–Les amis, à la semaine prochaine!

Il passa dans le lobby où se trouvait l'escalier du deuxième étage ainsi que la sortie extérieure. Moins d'une minute plus tard, les policiers se levèrent et se bousculèrent dans la porte afin de courir trouver refuge dans leur chambre. Dans le lobby, l'un d'eux vit le cow-boy par la grande fenêtre et qui avait l'air de revenir sur ses pas pour rentrer dans l'établissement. Il le cria aux autres dans un gémissement pointu.

Une heure après, le barman retrouva les quatre hommes à demi étouffés, cachés dans un placard étroit sous l'escalier. À l'aube du jour suivant, ils étaient tous sur le quai de la gare avec armes et bagages.

Ω

Quelques semaines calmes passèrent. Personne ne vint inquiéter le hors-la-loi. Le constable Edwards continuait de ne pas le voir quand il le voyait. À Mégantic et dans les cantons, l'opinion publique avait force de loi et Morrison le savait. Donald reprit ses activités habituelles tout en restant sur le qui-vive. Ses armes ne le quittaient jamais et la nuit, il les gardait sur une chaise près de son lit, prêtes.

Il y avait eu des sanglots dans la petite maison des Morrison à Marsden quand on avait appris la mort de Warren. Sophia et Murdo savaient que leur fils n'était pas un criminel; de plus, on le leur répétait constamment pour qu'ils en soient encore mieux convaincus.

Ω

«Par l'action agressive des Conservateurs, le gouvernement de la province de Québec vit tous ses ennemis et adversaires politiques tirer sur lui à boulets rouges. On lui reprochait son manque d'énergie, sa tolérance criminelle. Ce n'est pas Morrison que l'on jugeait mais la justice québécoise qui aurait dû juger, elle, le cow-boy après l'avoir fait arrêter.»

Le premier ministre Honoré Mercier rencontra le maire de Montréal et lui demanda d'envoyer à Mégantic une équipe de ses meilleurs limiers afin d'arrêter cet homme dangereux... politiquement. Le chef Silas Carpenter se rendit lui-même sur place. Il procéda à son enquête personnelle. Tout d'abord, il chercha à connaître la valeur des raisons invoquées par les détectives de Québec et Montréal pour expliquer leur échec. Il avait tout le mal du monde à imaginer qu'une population entière puisse protéger ce hors-la-loi fantasque.

Pendant quatre jours, il parcourut la région, questionnant, cherchant à différencier le vrai du faux, visitant deux douzaines de familles de Mégantic et du voisinage: Marsden, Stornoway, Scotstown... Partout, il fut reçu correctement mais sans chaleur. Les réponses manquaient de précision, se contredisaient, se faisaient évasives; l'enquête piétinait. Il avait l'impression de patauger dans un marécage de ouï-dire. Une seule évidence: tous les regards sans aucune exception disaient de la sympathie à l'endroit du jeune fugitif.

Enfin il retourna à Montréal. On tint une réunion au bureau du maire, à laquelle participaient outre le chef lui-même, le grand connétable Bissonnette et le juge François-

Octave Dugas. La maire eut une conversation téléphonique avec le premier ministre après quoi, solennel, il annonça:

–Messieurs, la tête du meurtrier de Mégantic est mise à prix. Le gouvernement de la province versera trois mille dollars à celui qui le prendra mort ou vif. Il nous faut envoyer une bonne dizaine d'hommes là-bas. Et le gouvernement lui-même va nous faire envoyer des soldats qui se mettront à notre disposition, ainsi que des policiers provinciaux. D'ici à septembre, l'affaire devra être réglée... enfin, l'homme devra être écroué. Pour ce qui est du procès...

On en vint à décider que le juge Dugas prendrait lui-même la charge des opérations là-bas. Il serait secondé par Silas Carpenter. C'est ainsi que quelques jours plus tard, les forces de l'ordre installaient leur quartier-général à l'American Hotel. Ainsi en avait décidé le juge, affirmant que l'endroit était plus propice à la cueillette de renseignements en vertu du vieil adage «In vino veritas!», expression prise pour du gaélique par les oreilles constabulaires de Carpenter qui avait trop entendu de cette langue à son goût lors de son séjour à Mégantic.

Revenu à la maison de ses parents, Donald fut informé de l'arrivée des forces de l'ordre. Il s'en fut à travers bois chez les MacRitchie, se rapprochant de Mégantic, ce que ses amis et lui-même considéraient comme un avantage. On lui arrangea un coin du grenier de la maison. Il y attendit la suite des événements. Chaque jour, il faisait parvenir des messages à Marion via un réseau d'amis. Il lui demandait de se montrer patiente mais de se tenir prête car il pourrait lui arriver comme un cheveu sur la soupe n'importe quand.

Il fit aussi parvenir un billet au juge Dugas et dans lequel il écrivait qu'il se rendrait si on lui remboursait l'argent que la justice lui avait fait perdre dans le procès avec le major McAulay. Pareille insolence irrita le juge. Comment ce petit homme d'un petit peuple, simple cow-boy, meurtrier de surcroît, osait-il ainsi défier la loi et vouloir négocier avec la justice. L'administration de la justice ne négocie pas la justice autrement qu'avec des avocats bien rémunérés: on ne change pas un système pour le bien individuel d'un petit marginal qui s'est fourvoyé...

Sa réponse fut d'assigner des hommes en permanence pour surveiller la maison des Morrison et celle des McKinnon à Marsden.

—Amenez devant moi sa petite amie, ordonna-t-il. C'est par elle que nous allons attraper le poisson.

Ω

Cela fut fait le jour suivant par Carpenter qui, tout au long du trajet, questionna la jeune femme en vain. Elle ignorait où il se trouvait; de plus, elle voulait cacher l'intensité de son sentiment pour lui. Aidée par sa timidité, elle resta presque toute l'heure de route dans un mutisme complet.

On la fit asseoir dans le lobby de l'hôtel, près du placard qui avait sauvé les apprentis-détectives et pour un moment, on se concerta à l'écart.

—Elle est restée muette comme une carpe, avoua Silas Carpenter.

-Vous n'avez pas su vous y prendre, dit le juge. On ne peut se rendre au cerveau d'une femme qu'en empruntant le chemin de son coeur. Ne dites rien et laissez-moi faire. Mieux, restez loin!...

Un peu froissé par ces remontrances, Carpenter présenta la jeune fille à son chef et il se retira dans sa contrariété qu'il se rendit noyer dans un verre de whisky.

Sous les moustaches poivre et sel du juge se dessinait un bouc touffu lui conférant un air de sagesse et d'autorité qu'accentuait un regard mélancolique. Ses paupières épaisses fermaient en lenteur pour se rouvrir sèchement: manoeuvre, croyait-il, apte à démasquer, à désarmer, à déconcerter, à déshabiller pour mieux contrôler les réactions. Ce truc et plein d'autres lui avaient valu la réputation d'un grand avocat puis de juge très hautement qualifié, éminemment juste, béni des évêques.

Il prit place dans un fauteuil vert à deux pas de la jeune fille et croisa la jambe pour faire peuple mais dans un geste au demeurant resté fort honorable. D'une voix douce et basse, persuasive et condescendante, il dit:

–Je vais aller droit au but, mademoiselle McKinnon, je vous ai fait venir pour vous parler de monsieur Morrison, vous vous en doutiez bien évidemment. C'est que, voyez-vous, la clef pour en arriver à régler cette malheureuse... disons malencontreuse affaire au mieux pour tout le monde, y compris et surtout pour monsieur Morrison lui-même, eh bien, c'est vous.

Marion gardait une attitude méfiante, le regard bas, les pieds à plat perdus sous sa robe longue, le corps un peu renfrogné dans son fauteuil de cuir noir. Le juge savait qu'il lui faudrait beaucoup de mots pour arriver à son but et il poursuivit:

–Vous n'êtes pas là pour trahir quelqu'un, bien au contraire, vous êtes là pour sauver quelqu'un... votre fiancé Donald. Vous devez sûrement savoir qu'il court en ce moment un grave danger en se dérobant à la loi.

–Je le sais.

–Si un policier tente de l'arrêter et qu'il résiste, il peut se faire abattre, vous savez. Si vous nous aidez, c'est de cela que vous le protégerez.

–Je sais qu'il est en danger mais je ne peux rien faire pour vous.

–Pas pour nous, mademoiselle McKinnon, pas pour nous, je vous l'ai bien dit, pour lui, pour le sauver de la mort...

Elle hocha la tête négativement. La volonté de Donald était plus forte que la sienne. Elle l'avait épousé et c'était à lui de prendre toutes les décisions désormais. Qu'il tienne à s'ensevelir dans la fuite perpétuelle, qu'il risque la mort à chaque fois qu'il sortirait d'une de ses caches, c'était lui seulement qui y pouvait quelque chose. Oui, en l'épousant, elle avait aussi épousé toutes ses décisions actuelles et futures:

c'était cela, la fidélité d'une femme.

–Si vous m'écoutez bien, vous allez peut-être changer d'avis ensuite. Vous êtes une jeune femme très jolie et votre visage respire l'intelligence, nul doute que vous comprendrez. Vous aimez Donald Morrison. Or, la loi ne hait personne, elle. La loi, c'est un moyen de différencier le bien du mal; or, tuer un homme n'est pas forcément le mal. Pensons à la guerre par exemple. Il y a, c'est certain, dans ce duel du vingt-deux juin, un aspect de légitime défense qui aura beaucoup de poids devant la cour comme il en a dans l'entendement populaire. Bien sûr que je ne pose pas devant vous en juge et ce n'est probablement pas moi qui aurai à le juger si on devait l'arrêter et le traduire en justice, mais les témoins lui sont favorables et cela n'est pas à négliger... D'un autre côté, arriveront demain à Mégantic plusieurs soldats, tout un régiment. Cent hommes armés jusqu'aux dents avec ordre de tirer à vue car la tête de Donald Morrison est mise à prix. Le hors-la-loi clame que jamais on ne le prendra vivant. Deux et deux, ça fait quatre: il se condamne donc lui-même à mort. Et en plus, il risque de tuer des soldats, des policiers qui eux ne le méritent pas, qui sont des pères de famille et des citoyens honorables.

Marion écoutait attentivement. Le propos du juge lui paraissait logique et effrayant à la fois. Il poursuivit, la voix remplie de mansuétude:

–Par contre, s'il se rendait aujourd'hui même, il aurait droit à un procès juste et équitable. Il pourrait compter sur un ou plusieurs avocats excellents pour défendre sa cause. On tiendrait compte du fait qu'il s'est livré à la justice. Je verrai personnellement à ce qu'il soit bien représenté; je connais les meilleurs plaideurs au Canada. Et à travers ce procès, il pourra même peut-être mettre en évidence l'injustice dont il dit avoir été la victime. Voilà donc: d'un côté, il peut être abattu à tout moment et de l'autre, il aura droit à la protection paternelle de la justice. Comprenez-vous bien la situation, mademoiselle McKinnon?

–Il ne fait pas confiance à la justice qui l'a trompé déjà et il craint qu'on le pende.

–Rien n'est moins certain.

–Et pour lui, plutôt la mort que de se voir emprisonné à perpétuité.

–Écoutez, je ne peux rien promettre. Il aura droit à un jury et douze de ses pairs décideront de sa culpabilité ou de sa non culpabilité. L'opinion lui est favorable. Il s'en sortira peut-être avec seulement trois ou quatre ans de prison. Qu'est-ce que c'est pour un jeune homme de vingt-huit ans?

–Il a déjà perdu sept années de sa vie à cause des simagrées de la justice.

Le juge haussa les épaules, respira profondément pour se montrer désolé, leva une main mue par du reproche et qu'il tendit en biais vers la jeune femme.

–Ma pauvre amie, préférez-vous le voir étendu mort dans la poussière comme ce Jack Warren?

Marion ne parvenait pas à changer son idée. C'était à Donald de décider de sa vie. Elle voulait toujours qu'il reparte pour l'Ouest où elle le retrouverait ensuite. Certes, il risquait de se faire abattre à courir les bois en hors-la-loi, surtout avec une prime sur sa tête, et il se trouverait tôt ou tard un Judas pour le trahir mais pas plus que son fiancé ne croyait-elle en la possibilité d'un procès équitable. L'offense était majeure et la punition le serait. D'un côté, une balle; de l'autre, une corde! Une seule issue: la fuite, l'exil.

–Cet homme a besoin de sa liberté comme de l'air qu'il respire. L'en priver, ce serait comme de l'étouffer. Ce n'est pas possible, pas possible du tout.

–S'il est trouvé innocent, il ne tardera pas à recouvrer sa liberté.

–La justice l'a déjà dépouillé de ses biens.

–La situation n'était pas la même. Ce n'était pas une affaire criminelle mais civile. Les règles ne sont pas les mêmes. Il n'y a pas deux personnes en cause entre lesquelles il

239

faut trancher, il n'y a que lui-même face à lui-même en quelque sorte.

–Pour lui, tout ça, c'est du pareil au même.

Le juge se leva et se tourna vers la grande fenêtre pour regarder dehors mais c'est vers l'inutilité de sa démarche que son esprit se tournait. Il laissa tomber:

–Je ne vous demande pas d'avoir une plus grande confiance en moi ou en la justice qu'en lui-même, je vous demande de réfléchir à sa place. C'est l'émotion qui le mène. Son coeur est rempli de fiel à cause du bien qu'il a perdu. Et vous dites que l'idée d'être pendu le terrorise. Comment un tel homme pourrait-il exercer à froid sa faculté de penser?

Marion se laissa fléchir quelque peu:

–Qu'est-ce que vous voudriez que je fasse? Vous dire où il se cache? Je l'ignore autant que vous, monsieur.

–Vous ne communiquez pas avec lui?

–Oui, mais je ne sais pas davantage où il se trouve.

–Faites en sorte d'arranger rencontre. Qu'il soit mis en ma présence! On ne va pas l'arrêter, je vous le garantis. Tout ce que je veux, c'est tâcher de le persuader de se rendre, lui parler.

Marion réfléchit longuement. Le juge demeura silencieux. Elle murmura sans grande conviction:

–J'essaierai.

–Peut-être qu'il n'est pas nécessaire de le prévenir; il pourrait refuser à cause de ses émotions trop fortes...

Pour Marion, arranger une rencontre, ce n'était pas ça. Elle se cabra, se leva et marcha jusqu'à la sortie.

–Ce n'est pas une rencontre que vous voulez que j'arrange, c'est un guet-apens que vous voulez lui tendre par moi. Non, je ne le trahirai pas, je ne le trahirai jamais.

Sans un mot de plus, le coeur ombragé, elle partit plus déterminée que jamais à convaincre Donald de s'en aller en exil pour toujours.

Ω

Le lendemain, le régiment de soldats envoyé par le gouvernement d'Ottawa en vertu de la loi martiale sous le coup de laquelle se trouvait tout le territoire des cantons, arriva à Mégantic, de Québec. Les soldats étaient des francophones dont on s'était dit qu'ils n'hésiteraient pas à accomplir leur travail: fouille de maisons et granges, battues, patrouilles. Des anglophones risquaient plus de se montrer favorables au hors-la-loi que soutenait toute la communauté écossaise des cantons.

Deux semaines suffirent pour que les soldats perdent le goût de traquer le fugitif. On leur apprit son histoire et bientôt ils partagèrent la sympathie de tous envers lui. On croyait de plus en plus en son innocence et en la justesse de sa cause.

Un soir, Norman MacRitchie dit à Donald:

–Quand on signale ta présence quelque part, les soldats retardent tant à s'y rendre ou bien font un tel tapage en y allant que le gibier aurait cent fois le temps de disparaître avant leur arrivée. Si les choses continuent, dans un mois ou deux, les soldats canadiens-français seront devenus aussi écossais que toi.

–Il est bon d'apprendre que les gens ordinaires ont davantage le sens de la justice que les hommes de loi. Mais cela me donne une idée, fit Donald songeur.

Les semaines qui suivirent jetèrent le discrédit sur les forces de l'ordre. Cette mystification à laquelle on se livrait apportait du piquant dans la vie érémitique du hors-la-loi. Chaque jour, il se trouvait quelqu'un pour signaler la présence de Morrison à un endroit ou un autre. Des dizaines de fermes des quatre coins des cantons furent fouillées sous l'oeil amusé des fermiers.

Le juge décida alors qu'on fouillerait de manière systématique c'est-à-dire rang par rang, paroisse par paroisse. Il était improbable qu'on attrape le gibier de cette façon mais on avait des chances de le dénicher et de l'obliger à se déplacer. Il y avait fort à parier que le cow-boy ne disposait que d'une seule cache depuis l'arrivée des forces de l'ordre; en tout cas le juge en était convaincu. Il fallait à tout prix faire bouger le hors-la-loi. C'est à parler de chasse au chevreuil avec les gens que l'homme avait décidé de suivre cette tactique.

Quand il le pouvait, le chef Carpenter se promenait sur le trottoir, arrêtant les gens, questionnant, espérant finir par trouver quelqu'un qui accepte de collaborer et qui pourrait s'avérer utile dans la découverte d'une piste valable. Un après-midi, il ramena à l'hôtel un homme qui semblait posséder les caractéristiques d'un délateur efficace. Timoré au point d'endormir tous les soupçons, il semblait fasciné par l'idée d'empocher trois mille dollars de prime. Asocial, disait-on, il ne devait pas partager le sentiment populaire envers le fugitif. On lui donna deux cents dollars dont la moitié servirait à appâter la victime. En premier lieu, il reçut pour mission de rencontrer comme par hasard un jeune homme soupçonné d'avoir des liens avec le hors-la-loi. Il lui donnerait vingt dollars pour le soutien de la cause de Morrison, se déclarant de tout coeur avec lui. Ensuite, après avoir suscité la confiance chez les proches amis de Morrison, il leur suggérerait la mise sur pied d'un fonds pour soutenir sa cause. On croirait en lui, en sa sincérité. Alors il pourrait se livrer à du porte à porte, se mettre à l'affût du plus petit indice, surveiller, dénoncer. Un espion!

L'homme rentra chez lui. Il cacha l'argent dans le foin de sa grange sans révéler son secret à quiconque, pas même et surtout pas à sa femme. Son étrange conduite intrigua celle-ci, de le voir ainsi dans un incessant va-et-vient entre la maison et la grange. Elle le questionna sans en avoir l'air. Guidée par ses réponses, elle se rendit à la grange le jour suivant alors qu'il était parti remplir sa première mission et elle trouva le magot qu'elle cacha ailleurs. Quand il se rendit compte de la disparition de son trésor, l'homme chétif rentra à la maison et questionna durement. Mais c'est lui qui parla le premier. Il avoua son marché pour perdre Morrison. Gagnée à la cause du fugitif, elle dit qu'elle avait jeté du foin aux vaches le matin et que celles-ci avaient pu manger les billets.

Le petit homme passa trois jours à chercher partout, dans le pacage, dans les bouses, dans le crottin de cheval pour tâcher de récupérer son cher argent. L'histoire fut ébruitée. On l'exagéra. Il devint la risée de tout le canton.

Ω

Donald et Marion ne purent se voir qu'à deux reprises durant les mois de fin d'été et du début de l'automne. Car la surveillance de la maison des McKinnon ne se relâchait jamais, et s'y rendre, pour le hors-la-loi, tenait de l'exploit le plus téméraire.

La première fois, ce fut le père de Marion qui cacha le fugitif dans sa voiture sous un tas de sacs vides. Les fiancés purent se voir pendant quelques heures dans la grange; et à la faveur de la nuit, il put repartir sans être inquiété.

Plus tard dans la saison, Donald demanda à Norman MacRitchie de le reconduire chez les McKinnon. Son ami aménagea son boghei de manière à doubler la cloison arrière de sorte qu'un homme puisse y loger debout sans être aperçu, même de près. Seules les jambes du cow-boy dépassaient par le dessous mais il eût fallu s'approcher et se pencher pour voir sous la voiture, ce qui leur apparaissait fort peu probable malgré les patrouilles nombreuses sur les routes. Pour plus de sécurité, on installa une jupe de toile qui cacherait les pieds. Et à la brunante, l'on se mit en route. Pas loin de la maison des McKinnon, trois soldats interceptèrent la voiture. Norman raconta qu'il venait de Mégantic et se rendait chez les McKinnon sur l'invitation d'une des filles.

–Laquelle? Marion? demanda un soldat, l'oeil moqueur.

–Non... Mary.

Un autre fit une inspection rapide derrière le siège de Norman. Puis il se pencha pour voir dessous. Cette jupe inutile lui parut suspecte et alors il mit sa lanterne par terre et il releva la toile avec le canon de sa carabine, découvrant ainsi les bottes du cow-boy. Il fut un moment interdit par la surprise. Puisque la prime ne serait pas versée à un soldat en devoir et que de mettre fin à la chasse à l'homme mettrait automatiquement fin à la chasse à la femme à laquelle il se livrait joyeusement depuis son arrivée et qui lui avait permis de connaître une jeune fille fort attirante et agréable, il se tut et tâcha de faire taire aussi les palpitations de son coeur.

De le voir ainsi fouiller sous la voiture, quelqu'un demanda:

–Quelque chose de spécial?

–Non, rien, fit-il aussitôt. Puis il ajouta en anglais comme à l'intention de Norman et du fugitif:

–Nothing special!

Il se remit debout, leva sa lanterne à hauteur du visage de Norman et répéta avec un sourire énigmatique:

–Nothing special!

Marion ne réussit pas plus que les fois précédentes à convaincre Donald qu'il devrait repartir pour l'Ouest. Et leur discussion fut âpre.

–Tu cherches à te faire tuer, à jouer à ce jeu-là, se plaignit-elle à plusieurs reprises. Pourquoi? Pourquoi ne t'en vas-tu pas? Tu dis que tu m'aimes et tu veux te faire abattre...

Il exhiba des découpures de journaux.

–Regarde, la presse est de mon côté. Toute la presse. Regarde ce que l'on dit à mon sujet... Que j'ai été spolié, volé, triché par la loi, que j'ai tiré sur Jack Warren pour défendre ma vie, que je considère ma liberté plus importante encore que ma vie... Ils sont tous pour moi...

–Le temps que ça va durer. Les gens se tannent de tout, même et surtout d'appuyer les bonnes causes.

Le jour suivant, Marion écrivit à Norman MacAuley en Alberta et le supplia de venir chercher Donald pour le ramener avec lui dans l'Ouest. Elle misa sur leur amitié et les terribles dangers qui pesaient sur Donald...

Ω

Septembre couvrit les cantons de ses radieuses splendeurs. Ce fut la rentrée scolaire. Dugas se dit que les enfants pouvaient constituer une véritable petite mine de renseignements. Il envoya des hommes au voisinage des écoles. On interceptait les écoliers et on les questionnait, parfois en les menaçant. Mais tous les petits avaient été avertis par leurs parents de ne jamais dire à qui que ce soit quoi que ce soit concernant Donald Morrison.

La présence de ces hommes à proximité de son école pendant plusieurs jours troubla fort une maîtresse de Mégantic, nouvelle venue dans le secteur. Elle devint si nerveuse qu'elle envisagea de fermer la classe par peur de ce hors-la-loi qui pouvait surgir n'importe quand et prendre les petits et elle-même en otage. Les gens qui la prenaient en pension ne parvenaient pas à la calmer et la nouvelle se répandit. Donald fut chagriné à la pensée que des enfants risquaient de souffrir à cause de lui; il voulut solutionner ce problème.

Un soir, à son retour à la maison, la jeune maîtresse fut présentée à un visiteur, vague cousin venu de Scotstown et en route pour Mégantic. Le voyageur, dit-on, s'était arrêté pour quelques heures visiter la parenté et il avait même sa guitare avec lui. C'était Donald déguisé en homme ordinaire, sans ses bottes, son chapeau et même ses armes qu'il avait cachées sous la véranda, dehors. Le repas fut agréable, la conversation fut bonne et le jeune homme se permit même de chanter quelques berceuses apprises dans l'Ouest. Célibataire à trente ans et pas des plus jolies, la maîtresse se laissa charmer par ce personnage à si fière allure et à la voix si remplie de tendresse et de séduction. À son départ, elle le raccompagna jusque sur la véranda dans la nuit fraîche.

On la laissa dormir sur ses impressions et le lendemain, au moment où elle allait partir pour l'école, le maître de la maison, un homme surnommé Big Nose pour une raison fort évidente, lui dit la vérité:

–Mademoiselle, vous ne sauriez plus avoir peur de vous

rendre à l'école à cause du hors-la-loi maintenant que vous avez passé une soirée en sa compagnie hier.

Elle faillit s'évanouir et pourtant il fallut lui redire trois fois la vérité. Quelques jours plus tard, on la questionna sur le fugitif.

–Plusieurs enfants m'ont affirmé qu'il se trouvait du côté de Red Mountain, dit-elle aux enquêteurs.

Le jour suivant, elle aperçut tout un régiment d'hommes armés, des soldats marchant dans la direction qu'elle avait indiquée.

Ω

Il faisait déjà trop froid le soir pour laisser des hommes plantés en des points fixes sur la route et pour cette raison, il fallut relâcher la surveillance de la maison des McKinnon. Les fiancés purent se voir plus souvent. Mais à cause des patrouilles, on évitait le risque de se donner rendez-vous à la maison ou même à la grange. Et ce fut la cabane à sucre qui les réunit à quelques reprises.

À la nuit tombée, la jeune fille marchait le long des clôtures et quand elle avait fait quelques pas dans l'érablière, elle allumait sa lanterne. Aux abords de la cabane, elle l'agitait devant elle selon un signal convenu. Et Donald répondait par la flamme d'une allumette.

Fenêtres bouchées, portes verrouillées, on s'isolait dans une pièce où avait été percée une porte inapparente qui aurait permis au hors-la-loi de s'échapper en cas d'urgence. Il arrivait souvent au fugitif de coucher là car il se déplaçait davantage maintenant à cause des fouilles systématiques entreprises par les homme de Dugas et de Carpenter.

John McKinnon les considérait mariés; aussi apportait-il tout le soutien qu'il pouvait au jeune homme. La généreuse et dévouée Marion qui avait sacrifié tant d'années à sa famille méritait de retrouver son fiancé, d'autant qu'elle risquait d'en être bientôt séparée pour de bon. Il approuvait entièrement ces rencontres clandestines comme si elles avaient été celles de personnes dûment mariées par l'église. Il avait donc aménagé un espace de sa cabane pour que le hors-la-loi puisse y trouver refuge, sécurité et chaleur.

Certains jours, Donald se sentait l'âme gluante, empêtrée dans divers sentiments désagréables qui lui collaient à l'esprit comme de la tire d'érable épaisse et noire. Son moral coulait à pic. Alors Marion exerçait plus de pression pour qu'il s'en aille. Il répondait toujours non.

–Ce serait lâche de ma part. Les gens veulent que je reste. Ils me protégeront. On penserait que j'ai fui parce que je suis coupable. Je ne pourrais pas ravoir mon bien. Je ne pourrais pas revoir mon pays. Je dois rester. Je connais par coeur tous les bois de Birchton à Whitton, de Stornoway jusqu'aux États; on ne pourra pas me prendre. Ils sont cent à me courir après depuis deux mois et je suis encore aussi libre qu'un chevreuil...

–Les chasseurs de prime sont les plus dangereux. Quelqu'un finira par te trahir.

–Mes amis ne me trahiront jamais. Quant aux autres, je les évite.

Ce qu'il disait, il ne le pratiquait pas toujours. Et c'est à son flair qu'il se fiait pour évaluer le degré de confiance qu'il pouvait mettre en quelqu'un.

Ω

Le lendemain de cette rencontre avec Marion, il marchait vers un village voisin où des amis l'hébergeraient pendant quelques jours. Après une courbe prononcée, il tomba sur un détachement de quatre hommes, visiblement des officiers de police à sa recherche et qui bavardaient tranquillement assis sur un tronc d'arbre, les fusils pointés en l'air mais à portée de la main. Il était trop tard pour rebrousser chemin sans les alerter Ils se lanceraient à sa poursuite et finiraient par le débusquer peut-être. Il valait mieux bluffer.

On devait s'attendre à ce que le hors-la-loi porte des signes permettant de l'identifier comme cow-boy: chaussures, chapeau, armes et ceinturon avec balles. Il faisait disparaître tout cela maintenant lors de ses déplacements. Seuls ses pistolets restaient soigneusement dissimulés dans ses vêtements. Et il ne possédait pas la même carabine qu'auparavant après avoir échangé l'autre avec un ami. En cette époque de l'année, il pouvait aisément être pris pour un chasseur et il misa là-dessus en priant le ciel que ces gens-là n'aient pas sur eux une photo de lui.

Il s'approcha en déjetant son dos pour imprimer à sa démarche une claudication légère afin de mieux tromper. Et il dit à voix ferme:

–Bonjour messieurs, il fait beau temps aujourd'hui.

Sa langue montrait qu'il était Écossais. On supposa le sens de ce qu'il avait dit par les gestes éloquents qui avaient accompagné ses mots. Chacun marmonna des salutations. Un homme comprenait l'anglais mais il avait le regard suspicieux et Donald le remarqua; il s'adressa à lui plus qu'aux autres:

–Gageons que vous êtes à la recherche du hors-la-loi, ce Donald Morrison.

–Je pensais que tu pourrais bien être Donald Morrison, dit l'autre.

Donald rit. Il montra sa carabine qu'il tenait bien dans sa main et déclara, joyeux:

–Je chasse le chevreuil, mais vous pensez bien qu'un panache de hors-la-loi vaut pas mal plus cher que ceux de cinquante orignaux par les temps qui courent. Quand j'aurai le cow-boy dans ma ligne de tir, il s'arrêtera ou bien il va mordre la poussière.

Les chasseurs de prime n'aimaient guère qu'on les identifie et ils se faisaient passer pour des chasseurs simplement. On le soupçonna de courir le gros gibier à trois mille dollars, mais c'était son droit. On parla d'orignaux, de chevreuils, de perdrix, d'armes, du temps: le tout en deux ou trois phrases hachées, masculines. Puis Donald reprit son chemin, le corps droit, la démarche assurée. Et il disparut vite au-delà de la colline suivante. Le policier sceptique le regarda aller un moment et se remit à la conversation. Puis il réagit fortement:

—Mais ce gars-là est arrivé en boitant et il est reparti comme un milicien...

—Moustachu, six pieds, yeux bleus, armé, dit un des compagnons qui se rappelait le signalement du hors-la-loi.

On se regarda une seconde avant de courir aux fusils puis de gravir la côte au bout de laquelle on ne vit plus que des arbres; Morrison s'était évanoui dans la nature. Sans doute avait-il piqué à travers la forêt, mais dans quelle direction?

—C'était notre homme, s'écria le policier en frappant le sol de la crosse de son fusil.

—Attention, le coup va partir, prévint l'autre.

Mais ce furent des jurons qui éclatèrent sous le ciel bleu et froid de l'automne des cantons.

Le fugitif se rendit jusqu'à une route parallèle. Il marcha longtemps puis il aperçut un boghei qui venait et il s'embusqua. Quand il eut reconnu un citoyen du village voisin où il avait l'intention d'aller, il sortit de l'arrière d'un arrachis et sauta sur le chemin. Le voyageur, un homme d'âge mûr à l'air noir, devina à qui il avait affaire; mais il demeura impassible dans les gestes comme dans la tête et il invita l'autre à monter. Donald s'approcha de la voiture et demanda à l'homme s'il avait vu des policiers.

—Oui, de bonne heure ce matin, mais pas depuis. Et toi, tu es le petit Morrison de Mégantic, hein?!

—Oui monsieur!

—Alors monte. Je m'en vais à Dudswell. Content de te connaître! Et fier de pouvoir parler au célèbre hors-la-loi de Mégantic! Je m'appelle John Hall.

—Je savais.

—Je suis peut-être un chasseur de prime, dit Hall pince-sans-rire.

—Dieu m'en préserve!... Mais j'en serais surpris. Vous

êtes commerçant de moutons et un grand ami de John Smith. J'ai entendu parler de vous et je vous ai souvent vu passer sur ce chemin... et sur d'autres. John Smith ne serait pas de vos amis si vous étiez un donneur...

Hall sourit un peu. Puis on discuta de l'affaire du hors-la-loi. Il tenta de persuader son passager de se rendre. Lui conseilla de se faire trahir par un complice qui toucherait la prime de trois mille dollars, somme que l'on pourrait ensuite affecter à sa défense.

–Tous savent que tu as descendu Warren pour sauver ta vie. Tout est mauvais dans la réputation de cet ivrogne, Dieu ait son âme. Pas un jury ne te déclarera coupable! Et puis, tu aurais ta revanche sur la justice elle-même en utilisant son argent pour ta cause.

–Je ne crois plus en la justice.

–Mon bon ami, c'est que tu ne vas nulle part en ce moment, nulle part sinon vers une balle entre les deux yeux tirée par un cupide chasseur de prime.

On était sur une hauteur d'où le panorama offrait dans toute son éternelle majesté la montagne de Chesham. Donald y promena un long regard nostalgique comme sur les Rocheuses d'antan, la tête ballottée par les secousses de la voiture. Et il annonça, la voix grave:

-Sans doute qu'on m'abattra, mais je mourrai dans la grande nature comme un chevreuil, pas comme un mouton que l'on égorge dans une boucherie.

Hall hocha la tête en souriant:

–Je gagne ma vie en vendant des moutons, c'est vrai, mais je préfère les chevreuils en liberté. Deux choses sont nécessaires à l'homme: la santé et la liberté. Y'a pas un maudit gars instruit qui va me faire penser autrement, pas même un homme de religion.

Quand le village commença à apparaître entre les squelettes des arbres, Donald descendit. Il tendit la main, remercia l'autre pour son aide. Le visage austère mais la voix appuyée, Hall dit:

–Si un jour je peux t'aider, ma maison te sera ouverte. Je demeure voisin du cimetière. Et que le ciel te protège, homme libre...

–Monsieur, je me livrerais sur l'heure si la justice était administrée par des gens comme vous.

–Ah! mais moi, je n'ai pas l'instruction qu'il faut. Tu sais, il faut en savoir beaucoup pour être juste, il faut en savoir beaucoup, beaucoup...

ΩΩΩ

Chapitre 10

Le bien-aimé

Sur le quai de la gare, deux jeunes gens s'échangèrent une vigoureuse poignée de mains. Habillés à la mode, endimanchés dans leur col de celluloïd, cheveux séparés par le milieu : fine fleur d'une jeunesse de la fin du dix-neuvième siècle. Et ils venaient de sceller un pari. En fait, le défi mutuel jaillissait d'une autre amicale prise de bec comme celles si nombreuses qu'ils avaient eues lors de leurs études dans une même institution de Montréal.

-Si au jour de l'An tu n'as pas obtenu ton entrevue avec le hors-la-loi, tu avoues ton échec publiquement dans ton journal, c'est bien ça?!

–Et si je l'ai obtenue, alors toi, tu voteras pour Mercier aux prochaines élections.

–Ce sera le pire malheur de ma vie, mais je m'y résoudrai, je m'y résoudrai.

–Une jolie jeune fille vêtue d'une robe longue vert foncé aux ornements rose sortit de la gare avec ses valises. Les deux hommes commencèrent à s'échanger sur elle des commentaires favorables.

L'un, John Leonard, était avocat et il pratiquait à Sherbrooke tandis que l'autre, Peter Spanjaardt, travaillait comme journaliste pour le Montreal Star, et son journal l'avait envoyé à Mégantic pour couvrir l'affaire Morrison et surtout pour tâcher de rencontrer ce hors-la-loi en voie de devenir une véritable légende à la mesure des héros de l'Ouest, vilains ou représentants de l'ordre, dont on lisait les exploits depuis tant d'années. Il était enfin donné au Canada de s'enorgueillir d'une chasse à l'homme formidable et les journaux se devaient d'être à la une de toute l'affaire.

Le journaliste s'installa à l'hôtel Graham d'où il pourrait surveiller toutes les allées et venues des policiers logés à l'American Hotel. Mais ce n'est pas cela qui lui permettrait de parler au légendaire personnage. Il se donna donc une stratégie. D'abord, il claironna sa présence dans tout Mégantic et bien évidemment dans le Montreal Star où chaque jour, il signait un article sur l'affaire. Il eût tôt fait de se montrer favorable à la cause du hors-la-loi. À la fois sincère et intéressé, on aurait confiance en lui et ça lui vaudrait peut-être de découvrir quelqu'un capable de le mettre en contact avec le fugitif. Il chercha à le rejoindre via ses parents et Marion McKinnon qui transmirent ses messages à Donald, mais celui-ci ne voulut pas leur donner réponse par crainte de faire se sentir terriblement coupables ceux qu'il aimait pour le cas où une rencontre avec le journaliste l'aurait conduit dans un piège. Plus tard, il fit transmettre un message à Spanjaardt par un ami sûr. Il accepterait une rencontre secrète si le journaliste en faisait la une du Star afin que tout le pays puisse connaître son point de vue, ce qui aurait pour effet de contrebalancer les allégations de certains journaux dont La Presse et La Patrie qui présentaient le hors-la-loi comme un dangereux bandit, pris de panique à l'idée d'être pendu, et prêt à tirer sur quiconque se mettrait en travers de son chemin.

Une organisation secrète pour la défense du hors-la-loi avait été mise sur pied quelques jours avant l'arrivée de Spanjaardt par le propriétaire de l'hebdomadaire local, un brave homme instruit, honnête, grand connaisseur du folklore écossais, fermement convaincu de l'innocence du jeune fugitif. Un soir, cet homme rendit visite à Spanjaardt. On parla naturellement de journalisme, des nouvelles voies de ce métier, d'une qu'on appelait le journalisme d'enquête, de la puissance illimitée des journaux qui formaient l'opinion publique. Subitement, l'homme livra un message concernant le hors-la-loi:

–Demain matin, prenez le train. À la sortie du village alors que sa vitesse est encore très faible, descendez. Un jeune homme vigoureux comme vous peut très bien le faire. Marchez jusqu'à Sandy Bay en prenant soin de n'être aperçu par quiconque et attendez là-bas.

Et l'homme lui remit un papier avec le cheminement à suivre pour se rendre à l'endroit désigné.

Voilà qui devenait fort palpitant. Le journaliste se pâma en lui-même une partie de la nuit et au matin, il se rendit à la gare avec une valise afin que les policiers croient qu'il quittait la ville. Et il parvint sans mal au lieu entendu. L'attente fut longue sous la froidure de novembre. Et le vent venu du lac pinçait la peau alors que les minutes écoulées flagellaient l'esprit à l'idée qu'on avait peut-être voulu lui poser un lapin et se payer sa tête. Mais deux heures plus tard s'amena un boghei avec un seul occupant. Celui-ci, un jeune homme grand, tout de noir vêtu comme un homme de religion, chapeau melon et cravaté, dit simplement, la voix volontairement bourrue:

–Il est toujours temps pour vous de repartir, monsieur Spanjaardt. Si vous montez avec moi et que nous tombions dans un traquenard, vous seriez le premier à vous faire descendre... par moi. Je suis armé et à chaque deux milles se trouve un homme armé qui surveille la route. Si vous avez des arrière-pensées de trahison, vous feriez mieux de retourner à votre hôtel et ensuite à Montréal.

–Monsieur, je ne suis pas un crâne fêlé, fit Spanjaardt l'oeil lançant des lueurs d'ironie. Je suis le dernier homme au monde à vouloir trahir Donald Morrison.

–C'est qu'il n'y a pas que l'argent misé sur sa tête qui peut attirer un homme, il y a aussi la gloire... Celui par qui Donald serait capturé serait bien fier de son coup.

–Non, monsieur, ce serait un misérable de la pire sorte, un lâche, un petit personnage.

–Montez.

Et le reste du voyage fut peu bavard. Le jeune inconnu redit ce que le journaliste savait déjà quant à Morrison; et sur d'autres sujets, il répondit par des oui et des non laconiques ou des on-dit. Parfois un ami émergeait de la forêt et il lui parlait mais en gaélique. Quelques piétons rencontrés s'adressèrent à lui, aussi en gaélique et on jetait au journaliste des regards peu amicaux.

On s'arrêta à Stornoway à un petit hôtel pour y prendre le repas du midi. Le guide alors s'excusa, prétendit qu'il devait faire effectuer une réparation à sa voiture à la boutique de forge et il partit. Il revint et annonça qu'on viendrait prévenir quand les réparations seraient faites. Tout cela constituait une mise en scène. Les amis de Donald devaient s'assurer que l'entreprise de Spanjaardt ne cachait aucun piège. Aux trois quarts de l'après-midi alors que la nuit tombait rapidement, l'on se remit en route. Le trajet dura une heure et ce fut sous un clair de lune que le dernier mille menant à une grosse maison découpée en ombre chinoise sur l'horizon fut franchi. L'habitation était éloignée du chemin et sa voie d'accès était coupée par une barrière gardée par un homme armé.

Le guide entra sans frapper comme si la maison avait été la sienne. Il invita le journaliste à s'asseoir dans une grande pièce faiblement éclairée. Habitué à suivre de près des affaires criminelles, Spanjaardt ne se sentait pas très à l'aise pourtant à l'intérieur de toute cette mise en scène qu'il trouvait un peu exagérée. Mais s'agissait-il d'une mise en scène ou bien tous ces gens défendaient-ils le hors-la-loi comme s'il avait été un proche parent? Toutes ces armes qu'il avait vues au cours de la journée l'impressionnaient moins que ces regards furibonds posés sur lui et qui l'avaient fait se sentir un intrus, mais surtout l'avaient mis au fait de la farouche détermination de cette petite communauté de protéger un des siens par tous les moyens.

Depuis le quart d'heure qu'il s'y trouvait, Spanjaardt supputait sur l'endroit. Il y avait quatre chaises dans la pièce et pas un autre meuble. Et rien sur les murs. Pas de rideaux aux fenêtres qu'on avait bouchées avec des couvertures de laine. Pareille habitation à deux étages ne pouvait pas être abandonnée d'autant que circulait un fumet de cuisine et une certaine chaleur issue à coup sûr d'un poêle. Mais aucun bruit ne bougeait comme si cet intérieur était mort pour toujours. Ce silence interminable l'énervait et il sursauta quand brusquement, la porte donnant sur le reste de la maison s'ouvrit et laissa voir dans son embrasure une silhouette mystérieuse, celle d'un homme sombre qui resta un moment sans bouger puis qui s'approcha lentement. Puis la voix se fit entendre et il tendit une grosse main rugueuse:

–Suis Donald Morrison. Suis le hors-la-loi terrible qui fait trembler toute la province de Québec. Je suis honoré de voir que le plus brillant journaliste de la province de Québec s'intéresse à l'humble personne du cow-boy de Mégantic.

–Content de vous connaître! fit l'autre en serrant la main.

Des ombres dansaient dans le visage de Morrison par la vertu de la flamme d'une lampe à pétrole posée sur une tablette murale. Spanjaardt chercha à le sonder mais il n'en eut pas le temps. Il ne put rien dire non plus pendant un bon quart d'heure au cours duquel Donald parla sans arrêt tout en arpentant la pièce. Il résuma tout d'abord le temps joyeux de son enfance à la ferme paternelle, dit sur Marion des mots qui ne purent garder captive sa grande tendresse pour elle, insista sur son grand motif de partir pour l'Ouest. Il raconta ses expériences là-bas, puis de son retour, de son projet avorté, de sa terre perdue, spoliée. Il jura que son père lui avait écrit chaque année par la main de sa mère pour l'assurer du fait qu'il avait bien reçu l'argent et payé le montant dû sur l'hypothèque. Il décrivit McAulay, ses attitudes, ses affaires louches. Il raconta comment l'avocat McLean lui avait soutiré le reste de son argent grâce à des promesses fallacieuses. Il avoua le coup de l'horloge et celui des poteaux, admit qu'il avait proféré des menaces contre le major, mais il protesta

257

véhémentement de son innocence quant à l'incendie des bâtisses des Duquette et dit s'être servi de la peur engendrée par les événements pour tâcher de faire pression sur cette crapule de McAulay.

Puis il donna plusieurs noms de personnes qui avaient entendu Jack Warren clamer qu'il tirerait à vue sur lui et que cela avait suffi à l'empêcher de se montrer à Mégantic, et il soutint enfin que le vingt-deux juin, jamais il ne se serait montré en ville sachant que Warren s'y trouvait.

–Et si je l'avais aperçu assez tôt, je serais reparti aussi vite. Mais j'ai eu peur qu'il me tire dans le dos. Cet homme en était bien capable. Et je n'ai tiré qu'après avoir vu son revolver. Ce fut de la légitime défense.

Il soupira avant de finir.

–Et puis, j'suis pas si bon tireur, vous savez. La balle avait toutes les chances de le manquer mais la chance n'était pas de mon côté... ni du sien non plus, il faut bien le dire.

Spanjaardt enregistrait tout dans sa tête. Il ne sentait pas le besoin de poser des questions puisque l'autre se faisait aussi loquace. Donald vint à lui, s'accrocha un pied à une chaise et déclara fermement:

–Monsieur, je ne me rendrai à la justice que le jour où on m'aura remboursé mes huit cents dollars; c'est alors seulement que je prendrai une nouvelle chance avec la loi. Je le demande pour mes vieux parents, pour leur éviter de tomber dans la misère noire si on devait m'enfermer pour un bout de temps. C'est mon devoir de m'occuper d'eux en tant que dernier de famille. Il m'appartient de les faire vivre jusqu'à leur mort. Si on peut donner trois mille dollars au premier venu qui me tirera entre les deux yeux, comment ne peut-on pas me rembourser mes huit cents dollars si je promets de me rendre en retour. Pour le gouvernement, ce serait là une économie de deux mille deux cents dollars.

Et il termina, la voix plus basse, comme si tout devait aller mal pour lui:

–C'est toute mon histoire, monsieur! Je peux jurer sur

la sainte Écriture que je vous ai dit l'exacte vérité. Vous êtes le premier étranger à qui je raconte ces choses. Faites-en bon usage s'il vous plaît. Faites savoir à vos lecteurs comment je fus traité. Dites pourquoi je suis devenu un hors-la-loi, comment la loi elle-même m'a rejeté en dehors de la loi. Dites ce que je demande pour me livrer. Dites que tous les Écossais des cantons se sentent traqués avec moi et qu'ils réclament justice pour moi et ma famille.

Il tendit la main et conclut:

–Je dois partir. J'ai un long chemin à faire ce soir pour retourner dans ma cache. Je vous remercie de votre attention, de votre compréhension et sachez que je vivrai dans l'espérance de ce que vous écrirez dans votre journal.

Spanjaardt lui retint la main et dit:

–Si ce que j'écris vous satisfait, me laisserez-vous vous présenter un excellent avocat qui se trouve aussi un de mes bons amis depuis longtemps, un homme intègre qui pourrait vous défendre de la meilleure façon qui se puisse être?

Donald fronça les sourcils comme pour réfléchir sur son premier mouvement de recul face à cette idée nouvelle et surprenante. L'autre insista:

–Il s'appelle John Leonard. C'est un bon Irlandais catholique originaire de Winslow, mais il parle gaélique et je pourrais répondre de lui comme de moi-même.

–Oui mais c'est un avocat! soupira Donald.

–Tout ce que je vous demande et recommande, c'est d'y penser.

–On verra, on verra!

On se serra encore la main et vigoureusement. Le jeune homme se retira sans ajouter un mot. Jamais de toute sa carrière Spanjaardt n'avait rencontré quelqu'un pour un article de journal sans avoir eu à lui poser une seule question. Il eût voulu en connaître davantage sur les amours du cow-boy, mais il en supputerait pour le plus grand plaisir de ses lectrices. Et il commença à rédiger mentalement le texte de son article du lendemain quand le guide revint le chercher. En partant, il repéra des hommes armés ici et là et il fit le décompte approximatif de ceux qui avaient pris part à cette opération de la journée. Au moins douze hommes s'étaient manifesté depuis son départ de Sandy Bay le matin. Tout cela ne pouvait donc être que systématiquement organisé.

Ω

Trois jours plus tard, caché en plein coeur de Mégantic, le hors-la-loi obtint un exemplaire du Star où on le présentait en première page dans un portrait de lui-même esquissé à la main et au-dessus duquel étaient les mots en lettres noires:

MORRISON: LE BIEN-AIMÉ

L'article parlait de lui comme d'un élégant écossais, rude cow-boy au regard d'acier, au visage toujours sérieux qu'un sourire énigmatique venait parfois mais rarement éclairer, ce qui pouvait bien entendu se comprendre vu les circonstances.

«Rien dans les manières du hors-la-loi ne dénote une forme ou l'autre de déséquilibre mental comme l'ont laissé entendre certains articles de journaux...»

Donald fut heureux de retrouver ensuite presque mot pour mot les propos qu'il avait tenus devant Spanjaardt. Le journaliste l'avait compris; il serait son ami pour toujours. Et alors, en son esprit, il accepta son conseil de rencontrer l'avocat Leonard quand le moment serait venu.

Ω

Ce même jour, quelqu'un vint raconter au hors-la-loi une âpre engueulade qui s'était produite à l'hôtel Graham entre le juge Dugas et le journaliste du Star. Le juge avait juré qu'il le ferait taire, lui et sa feuille de chou à sensations; Spanjaardt lui avait ri au nez.

ΩΩΩ

Chapitre 11

Dialogue de sourds

Considérant les moyens mis en oeuvre pour l'arrêter, Donald Morrison était devenu le plus fameux hors-la-loi de toute l'histoire judiciaire du pays sans pour autant avoir commis un seul crime délibéré. Sa rébellion contre l'autorité, contre la justice, son entêtement et son courage, l'appui de sa communauté lui avaient valu une chasse à l'homme sans précédent aux coûts gigantesques et qui mobilisait par douzaines policiers et miliciens. Bien plus qu'une affaire de justice, c'était devenu une dangereuse épine dans le pied du gouvernement et qui risquait fort de gangrener ce qui lui restait encore de crédibilité.

Le premier ministre voulut en rediscuter avec son procureur général. Il y eut rencontre entre les deux hommes au bureau du procureur.

Mercier aurait pu passer pour le frère de Donald Morrison tant il en avait le type physique: carrure, moustache, sourcils touffus qui plongeaient plus profondément les yeux dans les orbites, et même mâchoire vigoureuse. Lui-même fils de cultivateur, il déployait l'énergie et la rudesse d'un bûcheron. La nez différait. Celui de Morrison avait une forme douce, féminisée tandis que celui de Mercier frappait par une sorte de virilité presque barbare. Et le premier ministre avait une chevelure très sombre et des yeux foncés.

C'était cette sauvagerie dans l'apparence du visage et celle de la voix, rauque et nasillarde, qui avait aidé Mercier à électriser cinquante mille personnes au Champ de Mars le vingt-deux novembre 1885 alors que moins d'une semaine après la pendaison de Louis Riel, il avait prononcé un discours magistral qui exprimait la rancoeur collective des Canadiens français 'frappés durement au coeur par l'exécution de leur frère du Nord-Ouest'.

La nation entière s'était alors sentie protégée par ce tribun au courage exceptionnel qui avait osé traiter publiquement d'assassin le premier ministre du Canada lui-même. C'est ainsi que Mercier avait été propulsé au faîte de sa popularité et que lui avait été pavée la voie d'un pouvoir qu'il convoitait et qui allait lui échoir deux ans plus tard.

Sans trop s'expliquer pourquoi, Mercier faussait mentalement compagnie à son procureur tout le long de l'entretien. Il se remémorait les passages les plus brillants de son discours inoubliable par ce jour prenant de tant de grâces où il avait claquemuré l'anglais dans les conséquences de son crime à l'aide du sang du métis. Il se mit à en réciter par le souvenir tout en faisant alterner ces extraits de données sur le problème du hors-la-loi de Mégantic dont il était plus que fatigué d'entendre parler.

Mercier avait refusé le fauteuil offert. La tête haute, il marchait, l'air dubitatif, devant le bureau de son ministre en pestant contre ces maudits journaux francophones qui harcelaient chaque jour le gouvernement avec cette histoire et ses coûts 'faramineux'.

—Tu peux t'asseoir, Arthur, ordonna Mercier qui tourna le dos à son ministre et se rendit à une fenêtre qui donnait sur la ville.

Il demanda, le poing roulé dans l'impatience:

—Qui donc est ce Morrison que cent soldats et trente policiers pourchassent depuis six mois?

Petit homme joufflu aux allures de gratte-papier, courtois et pointilleux, le procureur répondit sur un ton exhalant l'excuse et la justification que lui dictait sa culpabilité de savoir que ses forces de l'ordre étaient la risée du pays:

–Un jeune Écossais devenu... cow-boy et que protège toute une population.

"Ça, je le savais déjà," pensa Mercier qui ne dit mot.

Et Turcotte recommença le récit de toute l'affaire, ce qui permit à Mercier de discourir mentalement, la parole de l'imagination souveraine et le ton patriarcal:

"En tuant Riel, Sir John n'a pas seulement frappé notre race au coeur, mais il a surtout frappé la cause de la justice et de l'humanité qui, représentée dans toutes les langues et sanctifiée par toutes les croyances religieuses, demandait grâce pour le prisonnier de Régina, notre pauvre frère du Nord-Ouest..."

–Mais comment est-il possible que les Écossais de toute une région donnent assistance à un hors-la-loi? Ces gens-là posent donc des gestes criminels. Personne n'est au-dessus des lois. Qu'on les arrête et qu'on les juge!

Le procureur entama une réponse. À nouveau l'esprit de Mercier s'envola vers le Champ de Mars.

"Nous unir! Oh! que je me sens à l'aise en prononçant ces mots! Voilà vingt ans que je demande l'union de toutes les forces vives de la nation. On a répondu à ce cri de ralliement parti d'un coeur patriotique par des injures, des récriminations, des calomnies. Il fallait le malheur que nous déplorons, il fallait la mort d'un des nôtres pour que ce cri de ralliement fut compris."

Le premier ministre interrompit son procureur:

–Dis-moi, Arthur, pourquoi Morrison ne s'en va-t-il pas aux États-Unis comme Riel l'a fait? Son problème serait réglé et le nôtre par la même occasion et ce serait un tel soulagement pour tout le monde.

–Ce Jack Warren, l'homme qu'il a abattu, était un Américain et cela entre peut-être en ligne de compte dans son esprit. Comment savoir ce qui se mijote dans cette tête brûlée? Et puis, il déclare, dit-on, qu'il préfère la mort à l'exil, qu'il ne veut plus quitter son pays...

–Pauvre, pauvre Riel! soupira distraitement le premier ministre.

–Vous voulez dire: pauvre Morrison, je présume, monsieur Mercier.

–En effet, bien entendu!... Je ne sais pas pourquoi je le confonds avec Riel dans ma tête. Tout est d'un tel fatras là-dedans ces jours-ci. Et qu'est-ce qu'il veut au juste ce cow-boy de Mégantic? On dit qu'il a des revendications...

–Des choses qu'on ne peut pas lui accorder, des choses inconséquentes...

–Mais encore?

–Au commencement de l'affaire, il voulait se faire remettre l'argent que lui a coûté un procès qu'il a perdu contre le créancier de son père. Ensuite, fort de l'appui du Star, il est devenu plus revendicateur. Il voudrait maintenant que la ferme de son père lui soit rendue avec la promesse qu'on ne le pendra pas pour le meurtre de Jack Warren, ce shérif adjoint...

Mercier était reparti dans le passé.

"... au nom de la justice foulée aux pieds, au nom de deux millions de Français en pleurs, nous lançons au ministre en fuite une dernière malédiction qui l'atteindra au moment où il perdra de vue la terre du Canada qu'il a souillée par un meurtre judiciaire."

-Chaque semaine, chaque jour, Arthur, nous perdons des partisans à cause de se damné cow-boy. Il faut absolument que cette chasse à l'homme aboutisse avant Noël, absolument. Nul en ce pays n'a le droit de défier la loi pour aucune considération.

–Tant que les Écossais l'aideront, il est probable que...

–On va monter la prime à cinq, six mille piastres. Le

gouvernement se fait saigner chaque jour à payer tant d'hommes pour lui courir aux fesses. Combien ça coûte, combien, Arthur?

–Cinq cents dollars, hasarda Turcotte.

–Maudit bâtard... faut que ça finisse, cria le premier ministre, le poing levé.

–On a tout fait, monsieur le premier ministre.

–Pas tout, Arthur, pas tout! En politique, on n'a jamais tout fait. Que l'on fasse appliquer la loi martiale dans toute sa rigueur! Que les miliciens que nous prête Ottawa servent à quelque chose! Qu'on arrête et qu'on questionne tous ceux qui sont soupçonnés de prêter assistance au bandit en fuite. Et si on leur trouve une culpabilité, alors qu'on les jette en prison! On va le mettre au pas, le faire réfléchir, ce petit peuple minoritaire.

Le visage empourpré, stimulé par ce propos coléreux et par l'autre discours tout aussi emporté que son cerveau lui rappelait, il s'écria mentalement:

"En face de ce crime, en présence de ces défaillances, quel est notre devoir? Nous avons trois choses à faire: nous unir pour punir les coupables; briser l'alliance que nos députés ont faite avec l'orangisme et chercher dans une alliance plus naturelle et moins dangereuse la protection de nos intérêts nationaux."

Les gestes de Mercier avaient déplacé sa longue capote de fourrure noire; il la rajusta sur ses épaules et se tourna pour dire à son ministre:

–Tu as vu, Arthur, comme le Courrier de Saint-Hyacinthe me tombe encore dessus à bras raccourcis. Ces gens-là se complaisent à écrire sur tout ce qui peut me causer du tort. La seule manière de les faire taire, c'est de retourner la situation en notre faveur et la seule façon d'y arriver, c'est d'arrêter au plus tôt ce cow-boy de malheur.

Mercier supportait mal la critique et encore moins celle de ce journal mascoutain qu'il avait lui-même dirigé et qui était l'hebdomadaire de sa circonscription électorale.

—On va tâcher d'y voir, fit le procureur en plissant les lèvres de dépit sous cette avalanche de reproches.

—Voir à quoi?

—À cette histoire de cow-boy.

Mercier se dirigea vers la porte en pointant son ministre du doigt:

—Ce n'est pas la première fois qu'on me chante cette chanson-là. Le juge Dugas, le chef Carpenter, toi-même Arthur: vous pourriez former une grande chorale tant on dirait que vous avez répété ensemble.

Turcotte se leva. Il fit une moue désolée. Mercier ouvrit la porte.

—Tu sais bien, Arthur, que nous avons des choses autrement plus importantes à régler de ce temps-là. On en a plein les bras avec l'extension du réseau ferroviaire.

Il s'arrêta, hocha la tête et changea le ton pour devenir presque suppliant:

—Essaye donc de me régler ça au plus sacrant, cette histoire de ce... Quel est son nom déjà?

—Morrison.

—De ce Morrison.

Et le chef du gouvernement, le front barré par les rides de mille préoccupations, sortit en soliloquant:

"Si ça continue, vont en faire une sorte de victime de cet Écossais. Ah! ces maudits conservateurs de mes fesses! Si au moins je pouvais compter sur tous mes libéraux, mais je sais jamais le jour où y'en a qui vont se revirer contre moi... Mais on ne m'aura pas aussi facilement, non monsieur, non monsieur..."

Ω

Quelques jours plus tard, une réunion fut tenue dans la cuisine d'été chez une famille amie des Morrison. Elle regroupait les plus chauds partisans de Donald. La cause était devenue écossaise en même temps qu'humaine. En aidant le fugitif, chacun avait désormais le sentiment de s'aider lui-même. Revenu des prairies, Norman MacAuley y assistait. Il avait répondu à la demande de Marion mais aussi à une autre, non officielle, qui lui avait été transmise de la part du procureur de la province et dans laquelle il lui avait été demandé de tenter de convaincre le hors-la-loi de se rendre à la justice. Mais dans l'esprit d'Arthur Turcotte, il y avait le désir inavouable de voir Morrison quitter le pays et s'en aller avec son ami au diable vert pour ne jamais revenir.

L'assemblée était dirigée par le journaliste, chef du comité pour la défense de Morrison. Il eût été bien trop risqué d'inviter le hors-la-loi lui-même. Et en ce moment même, Donald et Marion s'étreignaient dans leur chaud refuge de la cabane à sucre des McKinnon. On voulait établir une stratégie en regard de l'application de loi martiale afin de la contrer sans trop de dommage.

La pièce était glaciale et la fumée des pipes semblait en suspension dans l'air. Huit hommes avaient pris place autour d'une table en madriers ajourés. Certains fumaient, d'autres mâchonnaient, tous parlaient du quotidien. Puis le président frappa trois fois la table avec un marteau de bois de juge; les assistants se redressèrent et lui donnèrent toute leur attention.

–Vous savez tous un peu d'avance ce dont je vais vous entretenir, messieurs, et il s'agit d'une souscription populaire qu'il est proposé d'organiser afin de régler au mieux pour tous l'affaire de Donald Morrison. Que chacun d'entre nous recrute dix familles désireuses de participer et capables de souscrire vingt-cinq dollars et nous pourrions racheter la ferme des Morrison et la redonner à ses vrais propriétaires, Sophia et Murdo. Après quoi, nous demanderons à Donald qu'il se rende à la justice ou bien ferons-nous en sorte de le livrer nous-mêmes afin de recueillir la prime qui servira à sa défense et à rebâtir maison et grange pour remplacer ce qui fut brûlé. De la sorte, la communauté écossaise s'attirera la sym-

267

pathie de toute la province de Québec et Donald sera en très bonne situation pour s'en sortir avec, tout au plus, quelques mois d'emprisonnement.

–Les Morrison ne voudront jamais accepter qu'une souscription populaire soit organisée pour eux, dit un homme au visage décati.

–Quelle honte y aurait-il à cela?

–Ils se sentent responsables, coupables des malheurs qui leur sont tombés sur la tête.

–Levez la main, ceux qui accepteraient cela s'ils se trouvaient à leur place?

Cinq firent des signes vagues. On voulait bien cacher Donald, l'encourager, le nourrir, mais l'idée d'une mobilisation générale aussi importante et exigeante avait besoin d'être mûrie. Vingt-cinq dollars, c'était quand même le prix d'un bon cheval.

–À quoi ça servirait de ramasser des fonds s'il nous faut les redonner ensuite à ceux qui auront souscrit?

Celui d'entre eux qui était le plus favorable au projet, un dénommé Malcolm Matheson, personnage révérencieux au visage émacié, prononça des paroles mesurées et de son bon ton mais qui n'étaient pas de nature à persuader à cause de leur manque de poigne:

–Nous affecterons les sommes ramassées, avec la permission des donateurs, à la défense de Donald quand il sera pris, ce qui arrivera tôt ou tard et probablement d'un jour à l'autre si l'on considère le nombre de gens qui le pourchassent.

–À moins qu'il ne s'en revienne avec moi dans l'Ouest, suggéra Norman MacAuley.

On continua de tourner en rond en présumant des intentions du hors-la-loi et de ceux qui cherchaient à le capturer, de celles de la justice et des concitoyens écossais, de l'entendement des Canadiens français quant à l'affaire, de tout et de rien...

Ω

Malgré toutes les précautions qu'on avait prises pour garder secrète cette réunion, les autorités apprirent sa tenue. Le juge Dugas cria victoire; on avait un lieu où frapper. Carpenter proposa d'arrêter tous les assistants et de les emprisonner avant de les traduire devant la justice. Dugas s'objecta. Il valait mieux arrêter chaque participant, un à la fois. L'un d'eux craquerait et livrerait tout.

Dès le jour suivant, un mandat d'amener fut émis contre Malcolm Matheson qui fut conduit au quartier-général à l'American Hotel, dans un bureau improvisé à même le lobby par les justiciers. Il fut interrogé courtoisement et il répondit de la même manière mais sans rien avouer de valable. Dugas se mit à penser que l'autre se moquait de lui, il perdit patience et se fit alors menaçant:

–Monsieur, sachez que j'ai le pouvoir de vous faire jeter en prison sur l'heure, sans autre forme de procès que ma décision.

Matheson qui bourrait sa pipe l'alluma tout en parlant:

–Quelle utilité de m'emprisonner? Quand je serai là, mes yeux seront fermés, mes oreilles seront bouchées et ma bouche sera cousue.

Dugas se leva, et drapé de toute sa dignité et de son autorité, il contourna son bureau et s'approcha de son prisonnier en lui parlant sur un ton solennel:

–Nous savons que vous êtes un meneur du groupe qui protège Donald Morrison et lui prête assistance. Savez-vous, monsieur, qu'il s'agit là d'un crime grave qui pourrait vous valoir des mois voire des années de geôle?

Matheson se montra désolé par un haussement des épaules et une moue significative.

–Dix ans de prison par exemple, ça voudrait dire quoi pour un homme de votre âge? Une vie finie. Vous avez assisté à une réunion de partisans de Morrison chez John Hammond: pourquoi?

–Pour jaser, jacasser... fumer une pipée de bon tabac.

Matheson se mit à cracher par terre comme pour se montrer défiant. Le juge fit apporter un crachoir. Le vieil homme crachait à côté. Puis il toussota, se racla la gorge et dit doucement, la voix volontairement affaiblie:

–C'est comme ça que la consomption commence.

Dégoûté, le juge retourna s'asseoir. Il demanda:

–Où se trouve Donald Morrison en ce moment?

–Je ne sais pas... exactement.

–Pourriez-vous le trouver?

Matheson hocha la tête.

–Pourriez-vous le trouver? redemanda le juge.

Dugas venait de se résigner bien que de fort mauvaise grâce à faire acheminer au hors-la-loi une proposition de trêve faite par le gouvernement. Le procureur général voulait à tout prix que l'on parlemente avec Morrison et qu'on aille, s'il le fallait, jusqu'à lui faire certaines concessions, certaines garanties morales pour qu'il se rende. Maintenant, pareil aboutissement aurait déplu au juge Dugas. Morrison était allé trop loin. Il avait mis les autorités et les policiers en échec pendant trop longtemps pour qu'on accepte de gaieté de coeur une reddition conditionnelle de sa part. Pour ôter aux représentants de la loi ce bonnet d'âne dont Spanjaardt et d'autres les avaient coiffés, il fallait arrêter Morrison contre son gré.

–C'est que j'voudrais le rencontrer, monsieur Matheson.

–Sûrement pas!

–Je ne vous demande pas de le trahir, je veux le rencontrer, lui parler d'homme à homme, raisonnablement, faire la revue des événements survenus depuis le début, obtenir ses vues, lui faire comprendre qu'il a tort de ne pas faire confiance à la justice, parler de cette ferme qu'il dit avoir perdue. Qui sait si, à faire baisser sa peur par une rencontre de longue durée, je n'arriverai pas à une entente avec lui... pour le bien de tous. Nous accepterons toutes ses conditions pour la tenue de cette rencontre. Qu'il exprime ses desiderata et nous l'entendrons; nous ne sommes pas des gens sourds. N'ai-je pas moi-même un fils de son âge? Permettez-moi d'essayer au moins!

Matheson considérait le pour et le contre à mesure que l'autre parlait. Il dit:

–Je vais voir ce que je peux faire.

–Quand ça?

–Je ne sais pas.

–Le plus tôt sera le mieux. Demain peut-être?

Matheson sourit. Il cracha directement dans le crachoir et répondit en s'avançant sur sa chaise comme pour faire une confidence à l'autre:

–Non, je ne vous dirai pas quand. Et si dans les jours à venir je me rends compte que l'on me surveille, alors je ne bougerai pas d'une ligne.

Dugas chercha à se composer un sourire mais son entreprise tourna au rictus. Et la comparution de Malcolm Matheson prit fin.

Ω

Une semaine s'écoula. Matheson retrouva alors le juge au même endroit et lui confia:

–J'ai vu Donald Morrison; il a considéré votre requête et m'a répondu qu'un juge n'est pas un homme en qui il peut avoir confiance.

Dugas rougit de colère. Il agita une petite clochette posée sur son bureau. Carpenter accourut.

–Arrêtez cet homme! Emmenez-le immédiatement à Sherbrooke et qu'on l'emprisonne! Il a donné assistance à un criminel en fuite.

Quand il apprit cette nouvelle de l'incarcération de Matheson, l'avocat John Leonard qui s'intéressait maintenant de près à toute l'affaire Morrison, et grâce à l'intervention de Spanjaardt, flanqué du député fédéral John Henry Pope, se rendit déposer une caution pour assurer la libération du prisonnier. L'action du juge Dugas non seulement était neutralisée, mais elle se retournait contre lui: la presse et le public lui reprochaient ces arrestations arbitraires, inutiles et coûteuses.

Honoré Mercier donna un ordre à Arthur Turcotte. Le procureur en donna un à Dugas et le juge dut se creuser les méninges pour se faire valoir d'une autre façon.

ΩΩΩ

Chapitre 12

Ruée vers l'homme

En cet automne de l'année 1888, Mégantic assista à une véritable ruée vers l'or. Le filon était un homme à abattre. Venus des quatre coins de la province de Québec, de l'Ontario et des États-Unis, les chasseurs de prime se multipliaient et la petite ville fourmillait de rabatteurs de gibier, tous assurés de pouvoir saisir l'insaisissable. Plusieurs d'entre eux, comme au Klondike ou au Colorado, subirent mille misères.

Quelques-uns seulement avaient réussi à se loger à l'American Hotel, quelques autres au Graham. Soldats et policiers accaparaient les places disponibles et la plupart des arrivants devaient, s'ils le pouvaient, trouver refuge chez des particuliers en se faisant passer pour de véritables chasseurs. Car ceux qui s'identifiaient comme des individus à la poursuite de Morrison se faisaient claquer la porte au nez, autant par les gens de la communauté écossaise que par les Canadiens français. Et ceux que l'on devinait être des chasseurs de prime déguisés en chasseurs d'homme, se faisaient exploiter vigoureusement et il leur en coûta les yeux de la tête pour s'assurer gîte convenable et repas mangeable. Après quelques jours de recherches vaines dans les forêts des cantons, ils reprenaient le train, excédés par leur entreprise aussi fâcheuse que stérile.

Ω

Un soir d'octobre, deux hurluberlus de Montréal, jeunes gens dans la trentaine chargés d'armes et de munitions en quantité suffisante pour soutenir le siège d'Alamo, s'amenèrent à Mégantic en comptant joyeusement par avance l'argent de leur prime et en se racontant de quelle manière ils entendaient le dépenser. Chacun portait deux cartouchières croisées en X sur la poitrine et qui lui tournaient autour des épaules. Personne ne leur offrit l'hospitalité. Déçus de l'attitude de tous ces rabat-joie qui leur avaient refermé la porte, et de guerre lasse, sur les conseils de Carpenter, ils se rendirent chez le major McAulay dont ils connaissaient par ailleurs l'existence par leurs lectures du Star. Car ils avaient suivi passionnément l'affaire Morrison, ce qui les avait conduits à fabuler.

La maison de l'homme d'affaires grouillait déjà de petite vermine. Et ceux-là du village, peu nombreux, qui avaient pris parti contre la cause de Morrison n'avaient pas de place non plus chez eux. Le major loua donc aux arrivants un vieux camp qu'il possédait à quelques milles du village. Mieux valait une cambuse que de devoir repartir sans une seule journée de chasse ou bien de coucher à la belle étoile par ces nuits trop froides. Quant aux édifices dits publics, la gare, la bâtisse municipale, on les barricadait à double tour dès le soleil couché.

Les deux justiciers se mirent en route à pied, carabine d'une main, petite valise dans l'autre. Ils ne craignaient pas une heure ou deux de marche, eux, adeptes de culture physique et de toutes sortes de sports depuis quinze ans. On les vit passer. On les classa sans mal comme des chasseurs de prime. On sut où ils allaient installer leurs pénates. Le lendemain même, les amis de Morrison connaissaient leur existence et leur lieu de résidence.

Malgré l'évidence, les Écossais ne voulurent pas s'en prendre à ces hommes sans connaître leurs desseins de leur propre bouche. Il fut décidé de leur tendre un piège.

Norman MacRitchie se coiffa d'un chapeau de cow-boy et il se rendit sur une colline bien en vue depuis la cabane, mais il demeura à distance respectable. Son complice, John McIver, se présenta au voisinage du camp et il se mit à tirer en direction de l'autre que pas même une Winchester .73 n'aurait pu atteindre à cette distance. Et dès qu'il aperçut les chasseurs de prime se glisser furtivement à l'extérieur, rampant de 'peur', il leur cria:

–Regardez là-bas, c'est le cow-boy, c'est Morrison le hors-la-loi. Venez m'aider, on va le cerner comme un orignal. Vous avez des carabines, prenez-les. On divisera la prime en trois parts égales, venez...

Surpris un moment, puis rassurés et excités, les citadins retournèrent prendre leurs armes, des titres de journaux dansant déjà dans leur tête. «Deux courageux Montréalais arrêtent le dangereux criminel de Mégantic.» «Dumesnil et Flynn: les héros du jour.»

Quand ils reparurent, armés jusqu'aux dents, cartouchières en bandoulière, le faux Morrison avait disparu. McIver leur expliqua:

–Vite, on va le manquer. Vous, prenez à gauche et vous à droite. Moi, je reste au centre. On va le prendre dans l'étau. Rendez-vous sur la colline dans un quart d'heure. Vite, ne perdons pas de temps; mille dollars nous invitent et nous attendent.

Ils avalèrent tout. L'humain déjà crétin est enclin à devenir crédule, peureux, déboussolé dans des situations extraordinaires, surtout celles qui comportent un danger de mort et des fusillades. Ils se lancèrent en avant par la futaie épaisse vers le lieu de rendez-vous dans une course qui les fit suer, souffler, s'époumoner. Pendant ce temps, MacRitchie rejoignait tranquillement son ami près de la cabane avec, sous un bras, une caisse recouverte d'un morceau d'étoffe grise. Les deux amis pénétrèrent dans la cabane vétuste. Norman glissa sa caisse sous un lit, tira sur une corde qui retenait l'étoffe à la caisse et l'on repartit. Une demi-heure plus tard, à bout de souffle et après avoir failli se tirer l'un sur l'autre en haut de la colline, les chasseurs de prime revenaient à leur logis sans comprendre encore qu'on les avait bernés. Dumesnil s'assit sur son lit et dit à son compagnon dans un anglais fortement teinté d'un accent français:

–Il l'a arrêté tout seul et il va empocher la prime. On devrait peut-être courir sur la route pour les rattraper si c'est ce que je pense.

–Peut-être qu'il s'est perdu ou qu'il va revenir?

Personnage rond et petit, le nez haut et le visage replet, Dumesnil souriait à chaque phrase qu'il disait en multipliant les clins d'oeil complices. Il voulut mettre son arme sous son lit. Un jet de liquide lui frappa la main et se mit à couler en même temps que lui parvenait l'odeur insupportable d'urine de mouffette qui se répandit par toute la pièce dont l'exiguïté devint alors très criante.

Flynn, un roux filiforme déploya sa grandeur en sautant sur ses pieds et la tête lui frappa la poutre centrale du pla-fond.

–Une maudite bête puante, s'écria-t-il en pointant la caisse derrière les jambes de son compagnon, comme si quelqu'un avait pu encore douter de l'origine de l'odeur.

Ils se ruèrent à l'extérieur comme si l'animal eût été un serpent à sonnettes sous les rires retenus de MacRitchie et de son compère embusqués derrière un tronc d'arbre à quelque distance. Il y eut ensuite une discussion animée. Chacun vou-lait envoyer son compagnon faire sortir la bête mal-aimée. Un argument de taille fut trouvé par Flynn qui le vociféra:

–Tu pues déjà à mort, qu'est-ce que tu risques encore?

Dumesnil hésita. Il regarda la cabane, Flynn, puis il se décida. Tenant la cage d'aulnes à bout de bras, il se rendit la jeter à une centaine de pas de la bâtisse. Terrifiée, la petite bête s'enfuit en brimbalant ses rayures noires et blanches.

Les hommes reprirent leurs valises. L'arrosé se changea de chemise et jeta celle qui avait été souillée puis il se rendit à un ruisselet voisin pour se laver la main et le bras. On rediscuta et on fut longtemps en porte-à-faux sur la décision de rester ou de repartir. Flynn vérifia l'odeur du camp et ce fut l'argument final. On ne saurait tenir là une nuit durant sans risquer une asphyxie nauséabonde. On se résigna donc à décamper.

Au tiers du chemin, on vit venir un petit groupe d'hommes aux allures peu orthodoxes, qui chantaient, titubaient, se bousculaient, comme si ces gens avaient été en état d'ébriété. Soudain Flynn se rendit compte que l'un d'eux portait un chapeau western.

–C'est le cow-boy, s'écria-t-il, c'est le cow-boy!

Norman MacRitchie s'était caché derrière le groupe et à la dernière minute, accroupi, il avait coiffé le chapeau. Les deux citadins comprirent enfin qu'ils étaient les dindons d'une farce. Les six hommes leur faisant face portaient chacun une carabine bien astiquée et qui brillait sous les reflets du soleil. L'un d'eux épaula et tira en biais au-dessus des citadins qui restèrent interdits un moment puis paniquèrent.

–Débarrassons la route! cria Flynn qui ajouta le geste à la parole, et à la vitesse de l'éclair.

Sautant comme un crapaud, Dumesnil s'élança à sa suite dans le sous-bois, un lieu planté d'épinettes et sapins inextricablement enchevêtrés et dont les branches pointues piquèrent cruellement les fuyards, déchirant leurs habits, lacérant leur peau.

-Comprenez-vous ce que c'est de courir dans le bois pour sauver sa peau? leur cria un ami de Morrison.

Mais aucun d'eux n'entendit rien d'autre que ses propres pas qui craquaient en écrasant les bouts de branches secs jonchant la sapinière.

McIver, MacRitchie et leurs compagnons rirent un bon coup en poursuivant leur chemin vers le camp du major où on disait qu'on allait fumer une pipée. Deux heures plus tard, la cabane était la proie des flammes. «Une négligence, une pipe vidée sur le plancher sans le faire exprès,» se disaient les amis de Morrison en regagnant Mégantic.

L'âme meurtrie, le corps égratigné, fourbus, les chasseurs de prime arrivèrent enfin à l'American Hotel. Ils affirmèrent devant le juge Dugas que Morrison avait cherché à les abattre. Dumesnil puait encore. Il fut expulsé et dut aller se procurer des vêtements neufs et des chaussures qui lui coûtèrent une somme exorbitante. Flynn raconta qu'ils avaient été pourchassés toute la journée par le hors-la-loi assisté d'une bande d'hommes armés. Le juge dépêcha aussitôt des policiers au camp du major McAulay.

Ω

Durant la soirée, Dugas et Carpenter interrogèrent les deux hommes. On les bouscula. On les traqua. On les accusa d'avoir fait brûler la cabane du major. Ce faisant, Dugas avait une idée derrière la tête et il parvint à son objectif.

–Si ce n'est pas vous autres comme vous le prétendez, alors qui c'est? leur demanda Carpenter.

–Nous ne demandons qu'à vous croire, mais dites-nous qui, pensez-vous, aurait mis le feu.

–C'est Morrison, risqua Dumesnil.

–Ah! fit le juge. Vous voyez que c'est facile de dire la vérité.

–Et comment ça s'est passé?

–Ben... nous étions cachés et nous avons vu le cow-boy frotter une allumette sur sa cuisse, l'allumer et la jeter dans la cabane.

–Bon, fit le juge. Maintenant, si vous voulez être libérés, il vous suffit d'assermenter ce que vous venez de dire et aussi de venir témoigner au procès de Morrison quand il aura lieu.

–On l'a arrêté?

–Pas encore, dit le chef, mais c'est une question de journées maintenant. Dès que les froids et la neige seront là, le bonhomme ne pourra pas fuir bien longtemps.

Ω

Aux aurores du jour suivant, après le départ du train, Mégantic comptait deux chasseurs de prime en moins. Hélas! le soir même, quatre nouveaux les remplaçaient. D'autres Montréalais venus leur en faire voir à ces colons des cantons, venus les décrotter.

Ω

Le juge Dugas tenta à nouveau d'entrer en contact avec le hors-la-loi. Les pressions de Québec étaient de plus en plus fortes. L'homme se fit conciliant, condescendant et patient. Pour faire oublier ses méchancetés, il se livra à une offensive du sourire. Dès qu'il rencontrait quelqu'un, il était toujours le premier, le plus vif à dégainer son charme. Et il tirait dans les regards, les visages et même dans le dos des gens pour le cas où ceux-ci se seraient retournés subrepticement. Même Malcolm Matheson qu'il avait fait emprisonner eut droit à ses excuses. Un politicien aurait fait pâle figure à côté de lui!

Un soir, conséquence de sa campagne ou pas, quelqu'un vint lui rendre visite et lui fit savoir que le hors-la-loi était d'accord pour le rencontrer si une trêve était proclamée publiquement, trêve qui mettrait Morrison à l'abri de ses poursuivants. Le juge accepta. Il fit connaître à tous sa décision d'interrompre la chasse à l'homme, et la promesse d'une prime fut levée temporairement.

Pour les besoins de la cause, le quartier-général fut déménagé à Lingwick, hameau situé à vingt milles de Mégantic, direction nord-ouest. Il fut entendu qu'un certain après-midi du milieu de la semaine, le juge devrait se rendre à une école située à quatre milles du village sur le chemin des Écossais menant à Sherbrooke. Il devrait s'y rendre désarmé avec un seul homme pour l'accompagner et Morrison, de son côté, ferait pareil.

Ω

Au petit matin du jour de l'entrevue, des amis du fugitif bien armés se mirent en position autour de l'école; d'autres se cachèrent le long de la route. On ne voulait pas prendre de chances avec les autorités.

L'échange de propos fut mauvais, malmené par le juge qui se fit menaçant, négatif et qui chercha visiblement à faire avorter les pourparlers.

Il invoqua la puissance de la loi:

–Si vous ne vous livrez pas, Donald Morrison, nous allons remplir d'hommes tous les bois des cantons, de Lingwick à Mégantic et jusqu'aux lignes américaines. Un homme à l'âcre et ordre de tirer à vue sera donné.

–Mais que je sache, tout cela est déjà fait, sourit le hors-la-loi. Il est dit dans le journal que cent soixante-quinze hommes me pourchassent. Doublez, triplez, quadruplez et ce sera encore bien peu pour couvrir les cantons. Au prix que tout cela coûte chaque jour au gouvernement, on ferait bien mieux de m'entendre, de régler la question de ma ferme...

–Ça, on ne peut pas mon ami. La loi, c'est la loi! La justice ne doit pas prendre des raccourcis. Elle est la même pour tous; elle doit suivre son cours.

L'école avait pris fin prématurément ce jour-là et même la maîtresse avait vite fait de quitter les lieux. Un voisin avait ouvert. La rencontre se passait dans la seule salle de classe, pièce aux odeurs particulières. Arrivé le premier, le hors-la-loi s'était assis au bureau de la maîtresse et il avait caché un pistolet chargé dans le tiroir. Le juge ressentait de l'humiliation de devoir parlementer ainsi assis à une petite table d'écolier.

Morrison revendiqua sa terre, l'argent du procès. Craignant d'être écouté, le juge se montra de bonne composition mais il retint ses talents pour la persuasion.

–Tel est votre dernier mot, votre proposition finale? demanda-t-il enfin.

–Je ne veux rien de plus et rien de moins, dit Morrison qui se sentait fort de la force de ses amis, de la presse anglophone et de l'opinion publique.

Dugas sourit intérieurement. Il ferait part au procureur de

son succès quant à l'obtention d'un tête à tête avec le hors-la-loi et du même coup de son entêtement borné que pas un sentiment, pas un raisonnement ne parvenait à faire fléchir, d'où la nécessité de doubler les moyens mis à sa disposition pour la capture de cet homme qui le valorisait malgré lui.

Les deux hommes ne se tendirent pas la main à la fin de leur discussion, néanmoins ils se saluèrent froidement. Des murailles épaisses continuaient de les séparer.

Le juge retourna à Lingwick où Carpenter l'attendait. Le chef lui demanda l'autorisation de partir sur l'heure avec un détachement à la poursuite du cow-boy, ce que Dugas refusa net, arguant le massacre dont ils feraient l'objet dans les journaux et l'opinion publique s'ils venaient à rompre leurs promesses de trêve, et il ordonna le retour du quartier-général à Mégantic.

Le surlendemain prenait fin l'engagement de la justice. Le juge donna aussitôt à Carpenter des ordres formels et durs:

–Morrison ne peut plus coucher à la belle étoile comme il l'a fait dans sa cache de Piopolis. Que les patrouilles sortent de nuit et qu'on fouille les fermes de fond en comble: maisons, hangars, granges. Qu'on pique tous les mulons de foin avec des fourches pour faire sortir le rat! Que des groupes aillent visiter les cabanes à sucre! Que l'on frappe à gauche, à droite, partout, sans avertissement, vivement! C'est ce que Napoléon dirait. Et ça réussirait. Et si on aperçoit le fugitif qui se sauve dans la forêt ou dans un champ, qu'on tire sans hésiter! Et ça réussira! Les gens vont se fatiguer de le protéger, de se faire réveiller, envahir au beau milieu de la nuit. N'hésitez pas non plus à tourner les lieux sens dessus dessous comme si Morrison n'était pas plus gros qu'un chat! Allez, allez et débusquez cet animal! Finie la somnolence! Tourmentez les gens qui nous tourmentent... et tous les autres aussi...

Ω

Un soir, le hors-la-loi passa à un cheveu de se faire prendre. Un délateur informa le quartier-général que le fugitif se trouvait du côté de North Hill, caché chez un dénommé William MacDonald. Encore une fausse piste se dit Carpenter qui y envoya un détachement avec ordre de perquisitionner. Chez les MacDonald, on aperçut les lanternes du détachement. Tardivement mais à temps pour permettre à Donald de prendre la fuite et de distancer la troupe si la chance était de son côté. Il sortit par derrière et disparut dans la nuit.

À leur entrée, les policiers aperçurent dans l'escalier menant à l'attique un jeune homme en train d'astiquer un revolver de fort gros calibre. Inquiets, ils commencèrent à parlementer poliment.

–Nous sommes à la recherche de Donald Morrison et on nous a dit qu'il se trouvait ici, dit le porte-parole.

Le jeune homme les regarda sans rien dire et ses parents assis à table restèrent muets eux aussi.

–Il semble que des places viennent de se vider, dit un policier en désignant des chaises déplacées devant lesquelles se trouvaient des assiettes fumantes et qui dégageaient des odeurs de ragoût.

Ce fut encore un silence. On ne risquait pas de trahir Donald par un tremblement dans la voix ou des mots de trop en se taisant: chacun avait le sentiment de cela et ne disait rien. Surtout, cette façon de faire donnait des minutes précieuses au fugitif.

–Nous pouvons faire le tour des lieux? dit un policier qui portait un casque dont les rabats lui descendaient sur les oreilles et au bout desquels pendaient des cordons qui bougeaient sans arrêt et que le jeune homme de l'escalier fixait comme pour s'en faire hypnotiser.

–Montrez-nous un mandat et nous vous laisserons visiter partout, osa dire le jeune homme, un adolescent d'à peine quinze ans et qui paraissait avoir inventé le sang-froid.

–Nous n'en avons pas besoin puisque le district tout entier est sous le coup de la loi sur les mesures de guerre ou si vous voulez de la loi martiale.

–En ce cas, montez!

Mais l'adolescent resta au beau milieu de l'escalier et il gagna ainsi d'autres précieuses secondes pour le hors-la-loi.

Un policier monta lentement en fixant l'arme du regard. Le jeune homme allongea les jambes et bloqua à moitié le passage. Le policier devint nerveux:

–Si tu nous empêches d'exécuter notre tâche, tu pourras être arrêté pour entrave à un officier de police dans l'exercice de son devoir.

–Laisse-les faire leur travail, Dan! intervint le père de famille. De toute manière, ils ne trouveront personne là-haut.

On fouilla la maison puis la grange. Un policier crut voir des pistes d'homme dans un secteur boueux. On se dit qu'elles pouvaient se trouver là depuis des jours et appartenir à n'importe qui.

Ω

Il arriva à Donald de passer quelques nuits dans une famille Nicholson dont le père était un géant paisible qui n'utilisait jamais sa force herculéenne même s'il arrivait parfois que des hommes ivres lui cherchent noise afin de se mesurer avec lui. En cas de provocation extrême, il posait une de ses mains énormes sur la poitrine de l'autre et l'envoyait rouler au sol d'une simple extension du bras. Un jour, disait-on, il avait reconduit hors d'un hôtel en les transportant sous ses bras comme des sacs de farine des hommes qui l'avaient gravement importuné.

Plus tard, les policiers apprirent que le hors-la-loi avait séjourné dans cette ferme. On fouilla la maison de fond en comble à trois reprises, sans crier gare et sans égard pour l'ordre des choses. Nicholson se confia à un voisin:

–Je pense que bientôt, l'une des fenêtres de ma maison va voler en éclats. Et c'est un de ces fouineurs qui va passer à travers quand j'aurai perdu le contrôle de moi-même.

Heureusement pour lui car il aurait pu se mériter une peine d'emprisonnement, ce furent deux chasseurs de prime qui goûtèrent à sa médecine lors d'un bref échange qui tourna à l'em-poignade.

–Nous sommes à la recherche de Donald Morrison, lui dirent les apprentis-détectives quand il leur répondit à la porte de la maison.

–Ah, oui?! fit Nicholson en attrapant l'un d'eux par son vêtement.

Et il le souleva au bout de son bras en leur crachant, d'une voix de tonnerre, le feu à la bouche:

–Moi, c'est vous autres que je cherchais et je vous ai trouvés.

Il les poussa tous les deux en bas de la galerie où ils s'affalèrent pêle-mêle.

–Et maintenant, disparaissez parce que sinon, je vais vous broyer tous les os du corps...

ΩΩΩ

Chapitre 13

Quand le Sauvage entre en scène

«Une récompense de trois mille dollars sera versée à la personne qui arrêtera Donald Morrison mort ou vif ou bien qui fournira des renseignements pouvant conduire les autorités à procéder à son arrestation!»

Pete Leroyer avait lu et relu cette proclamation cent fois plutôt que cinquante depuis qu'on l'avait fait paraître dans les journaux l'été d'avant à quelques jours à peine de la clôture de la deuxième session de la sixième législature à Québec alors que Mercier avait pris quelques minutes pour s'arrêter au cas Morrison et qu'il avait confié à son procureur général Arthur Turcotte et à son ami le maire de Montréal le soin de la régler dans les plus brefs délais.

Cette décision du premier ministre, aussi malencontreuse qu'irréfléchie, avait conduit à un imbroglio sur la conduite des opérations policières dans cette affaire-là. S'y étaient trouvé mêlées trois juridictions: l'administration de la ville de Montréal qui avait dépêché une dizaine de policiers dans le territoire des cantons; celle du gouvernement provincial parce qu'on avait mis à prix la tête du hors-la-loi et qu'on avait aussi dépêché des policiers sur le terrain; et le gouvernement fédéral puisque le crime présumé de Morrison relevait de la justice du pays et parce qu'on mit la région sous le coup de la loi martiale.

Pour Leroyer, tout ça n'avait aucune importance. Ce n'était rien de plus qu'un foisonnement de complications mélangées comme ses propres origines, et qui le désorientaient quand il tâchait d'y comprendre quelque chose.

Lui-même était un sang-mêlé, guide de chasse et de pêche qui avait foulé de son pas feutré chaque pouce carré des cantons, qui vivait à Mégantic huit mois par an, qu'on avait surnommé le sauvage. Tout l'automne, il était resté à l'affût, visitant des cabanes à sucre, cherchant des traces du hors-la-loi. On ne se méfiait guère de lui mais sa discrétion et son silence en inquiétaient quelques-uns de ceux qui craignent d'instinct les eaux dormantes.

–J'ai de l'ouvrage en masse comme guide et je suis un chasseur de gibier, dit-il un jour à quelqu'un soutenant qu'un homme tel que lui devait sûrement avoir rencontré le hors-la-loi ou du moins savoir parfois où il se terrait.

«Il est originaire de Sherbrooke,» disaient d'aucuns.

«De Québec,» disaient d'autres.

«Le sauvage, il a quatre sortes de sang dans les veines,» affirmaient les gens.

Nez de rapace arrondi comme le taillant d'une hache d'où, sur les ailes, naissaient de gros plis noirs, cheveux longs, raides, séparés sur la nuque et formant alors deux tresses qu'il portait devant lui, joues creuses et oeil petit, bouche démesurée, l'homme, par son physique, révélait ses origines mais ne disait rien de son âme. Derrière des traits aussi durs se cache le plus souvent une humanité qui surprend.

Il avait dessein de faire arrêter Morrison; cela était pour lui une simple question de survie. Le gibier était du gibier, quel que soit le nom qu'il porte. Il n'inquiétait pas les amis du hors-la-loi pourtant puisque son métier supposait qu'il se promène en forêt toujours bien armé. Personne ne s'interrogea non plus quand il changea de résidence et quitta Mégantic pour Marsden où il trouva pension chez un fermier canadien-français dont la maison était située entre celles des

McKinnon et des Morrison, ce qui lui permit d'espionner tout à loisir ces jours, par contre plutôt rares, où il ne travaillait pas comme guide.

Un matin de décembre, alors qu'il reluquait par la fenêtre de sa chambre en quête d'un panache de chevreuil ou d'orignal, il aperçut deux personnages qu'il connaissait marcher sur la route que nuitamment, une neige fraîche et brillante avait enrobée dans son silence. Ce cow-boy, c'était Norman MacAuley qu'il avait souvent rencontré avant qu'il ne s'en aille dans l'Ouest. Quant à la silhouette de Marion, elle lui était maintenant familière ayant eu l'occasion de l'observer à son insu à maintes reprises pour des raisons très particulières aucunement rattachées à l'affaire Morrison.

L'évidence lui parut aussi nette que leurs traces dans la neige. Il y aurait rencontre ce jour-là entre Morrison et ces deux-là. Le sang ne lui fit qu'un tour. Il se recula de deux pas par crainte de se laisser voir et surtout pour cacher son noir projet. Jamais il ne s'était senti si près de la fortune! Puisque ni les soldats ni les policiers n'avaient droit à la prime, il lui suffisait de dénoncer le hors-la-loi en révélant l'endroit où il se trouverait à tel moment pour que la magot lui soit versé dans son entier. Et ensuite, ce serait un long bout de vie facile à Sherbrooke: les bars, les filles, la liberté...

Les gens de la maison supportaient la cause du fugitif. Ils aimaient les McKinnon. Il ne fallait donc pas éveiller leurs soupçons car ils pourraient donner l'alerte chez les Écossais. Il se comporta donc comme à l'habitude et ne sortit qu'un bon moment après la disparition des passants après avoir annoncé qu'il se dirigeait au lac Moffat après s'être rendu à Mégantic pour s'y procurer des provisions. Il poussa la dissimulation jusqu'à offrir aux gens de la maison de leur rapporter des effets si on en avait besoin et si on le désirait.

Il attela son cheval à une voiture fine, l'hiver n'étant pas assez arrivé pour requérir une sleigh, et il fit route lentement. Il s'arrêta un moment près de la maison des McKinnon et fit semblant d'aller rajuster la longueur d'une sangle de harnais. John McKinnon sortit. Le sauvage s'y attendait. Il clappa. Son cheval reprit son train tranquille. Quand la maison eut disparu de sa vue, il fouetta l'animal jusqu'à Mégantic où il se présenta à l'American Hotel.

À l'hôtel Graham en face, attablé, en train d'écrire son article quotidien, Spanjaardt aperçut l'arrivant et remarqua l'épuisement de son cheval marqué par de l'écume entre les cuisses et l'énorme vapeur qui jaillissait de ses naseaux. Par l'agitation qui s'ensuivit, le journaliste devina que cet homme était un chasseur de prime venu dénoncer le hors-la-loi. Car tout un détachement de policiers et miliciens, les uns à cheval, d'autres en voiture, se rassembla dans la rue puis se mit en route. Silas Carpenter dirigeait. C'était clair: on s'apprêtait à mettre la main au collet du fugitif.

Spanjaardt laissa son travail en plan, s'habilla d'un long manteau noir et se rendit en toute hâte au journal local pour demander au propriétaire Higgins de l'accompagner à la suite du détachement. On pourrait surveiller l'opération policière afin que la personne du hors-la-loi soit respectée. De plus, l'article qu'on obtiendrait serait lu par toute la province. Higgins attela vite et l'on se mit en route.

Ω

Chez les Morrison, Norman MacAuley et Murdo s'entretenaient en fumant leur pipe tandis que Sophia et Marion préparaient le repas. De part et d'autre, on parlait de tout et de rien. Le sujet qui les avait réunis serait mis sur la table en même temps que les plats. Il fallait presser beaucoup plus fort sur Donald pour qu'il consente à repartir avec Norman pour l'Ouest. On avait voulu se concerter, rallier toutes les forces contre une volonté aussi immuable que le rocher de la gelée.

À quelques milles de là, ensemble dans la même voiture, Carpenter et l'officier responsable des soldats s'entendirent sur un plan tenant compte des trente-deux hommes dont on disposait pour mener l'attaque. On s'arrêterait un peu avant que la maison des Morrison ne soit en vue pour faire récupérer les chevaux, puis on les lancerait à bride abattue afin de jouer de surprise là-bas. Premiers arrivés, les cavaliers passeraient tout droit pour le cas où le hors-la-loi se soit déjà enfui, ensuite, ils se déploieraient de chaque côté du chemin, se distanceraient, s'embusqueraient: pas même le plus petit mulot ne pourrait s'échapper de cette souricière.

D'un oeil distrait, le chef suivait le contour de la montagne sur l'horizon. Les ornières de la route caillouteuse imprimaient à la voiture des mouvements secs se répercutant jusqu'à son menton en galoche qui pointait lâchement à droite et à gauche.

On se taquina sur l'efficacité présumée des soldats et des policiers. Ce que les hommes avaient en commun, c'est qu'ils étaient fatigués de courir les routes à la recherche d'une ombre insaisissable, que la plupart étaient maintenant tout à fait dépassionnés et que le zèle faisait défaut à presque tous.

Le cavalier de tête rebroussa chemin et donna le signal d'arrêt. Le détachement se regroupa autour des voitures et l'officier lança ses ordres:

–Les hommes à cheval bloqueront la route de l'autre côté de la maison. Les six premiers s'enfonceront dans le sous-bois et les deux autres resteront sur la route. La première voiture va prendre la montée, s'arrêter devant la porte et aussitôt les hommes s'y trouvant cerneront la maison. Quant à la deuxième voiture, elle suivra les cavaliers. Enfin, les hommes de la troisième contourneront la grange puis la fouilleront jusque dans le fond de la tasserie. Et tous les autres vont se regrouper autour de monsieur Carpenter et de moi-même devant la maison. Est-ce que tout est clair?

Personne ne répondit. Il poursuivit:

–Pour l'instant, on laisse aux chevaux quelques minutes de repos. Vérifiez vos carabines; qu'elles soient chargées! Celui qui apercevra le bandit le premier lui criera 'hands up', et s'il refuse d'obtempérer, il tirera sans hésiter. Si vous lui laissez une seule seconde, il pourrait, même à cent pas, vous abattre d'une balle directement au coeur... ou entre les deux yeux selon l'endroit qu'il choisira. Compris?

Cette halte permit à Spanjaardt et Higgins de rattraper leur distance. Partis dix minutes après la troupe, ils avaient dû s'arrêter à deux embranchements pour s'assurer de la direction prise par le détachement, encore que les traces auraient pu la révéler sans peine à des pisteurs le moindrement compétents.

Carpenter fut fort contrarié de les voir arriver. Il leur demanda, la voix aigre-douce:

–Deux journalistes sont-ils plus honnêtes qu'un seul?

–Cher monsieur, notre devoir, c'est de dire la vérité et rien que la vérité à nos lecteurs.

–Ça, on peut se permettre de le questionner.

Mais l'enthousiasme reprit le chef à cause de l'excitation que lui procurait l'opération en cours et la pensée d'une réussite anticipée.

–Tâchez de le prendre vivant, avertit Spanjaardt, sinon tout le pays vous pointera du doigt.

–Mort ou vif! nous disent les ordres. Cet énergumène a déjà tué un représentant de la justice; il n'est pas question de prendre la moindre chance avec lui.

Spanjaardt se mit debout dans sa voiture et cria de la voix la plus forte qu'il put:

–Messieurs, soyez respectueux des droits de l'homme que vous allez arrêter. Sachez que c'est tout le pays qui vous regarde par les yeux des deux journalistes que nous sommes, monsieur Higgins et moi-même.

–Cessez de crier ainsi, Spanjaardt ou je vous fais arrêter, ordonna Carpenter.

–Comment cela, est-il criminel de dire le fond de sa pensée et de faire appel au bon sens des gens?

–Vous criez si fort que vous pourriez ameuter tout le pays.

–Ah oui? Je voulais simplement être certain que tous comprennent, répondit narquoisement le journaliste.

Carpenter se tourna vers l'avant et lança l'ordre par le geste et les mots:

–Messieurs, en avant! À l'attaque!

Il fallut moins d'un quart d'heure pour que tous les hommes soient en position. Un policier nerveux aperçut par la fenêtre la silhouette de MacAuley et s'écria:

–C'est lui, c'est Morrison, c'est Morrison!

Murdo et les autres à l'intérieur avaient bien vu venir la troupe, alertés par la voix de Spanjaardt puis le bruit des sabots des chevaux. L'homme s'était calmement rassis à son repas en disant:

–Encore une fouille! La centième peut-être.

–Ils sont rendus qu'ils arrêtent et emprisonnent n'importe qui soupçonné de seulement connaître Donald, se plaignit Sophia.

–Ils ne nous arrêteront pas, dit Murdo.

–Non, parce que ça pourrait être mauvais pour leur image, enchérit le jeune MacAuley.

Chacun continua de manger en silence, du bout des doigts, dans une attente peu confortable. Marion refoulait ses larmes. Elle avait mis beaucoup d'espérance dans cette rencontre et on viendrait la gâcher. On eût dit qu'un esprit malfaisant dévoué à la perte de son fiancé s'évertuait à s'interposer. On pouvait venir arrêter Norman. Elle craignait même pour la sécurité de Murdo malgré ses dires.

–Morrison, au nom de la loi, je t'ordonne de te rendre, cria Carpenter de toutes ses forces entre ses mains placées en cornet sur sa bouche comme s'il avait été en train d'appeler l'orignal.

–Ils sont assurés que Donald est ici, dit Murdo. Je vais sortir, autrement ils pourraient aussi bien commencer à tirer par les fenêtres. Un seul d'entre eux mal intentionné ou que la peur domine et la fusillade pourrait être déclenchée.

Le vieil homme se rendit à la porte et il ouvrit sans brusquerie, tout doucement pour éviter de causer de l'énervement. Carpenter répéta son ordre.

—Ils me prennent pour Donald, fit Norman. Je dois sortir moi aussi.

Il emboîta le pas à Murdo. Carpenter, sûr de son flair, crut à un piège. Il cria à ses hommes:

—Tous à terre et pointez vos carabines.

Murdo et Norman levèrent les bras et se mirent côte à côte sur la galerie. Resté debout, Spanjaardt sourit. Il était maintenant convaincu que Donald n'était pas plus là que lui-même n'était à Chicago.

—Ce jeune homme n'est pas mon fils, cria Murdo.

—Alors qu'il s'avance pas à pas, lança Carpenter qui demeurait sceptique.

Spanjaardt s'approcha et confirma ce que Murdo venait de dire:

—Je connais Donald Morrison, vous le savez, et ce n'est pas lui, ce n'est pas cet homme.

—Qui es-tu? maugréa Carpenter.

—Norman MacAuley, dit le jeune homme qui sauta en bas de la galerie sans baisser les bras.

—Où se trouve le hors-la-loi?

—Il n'est pas ici. Il n'est pas venu depuis le mois de juillet, affirma Murdo en niant aussi avec ses mains.

Carpenter, le vêtement boueux, se remit sur ses pieds suivi de ses hommes. Il se rendit au vieil homme et lui dit:

—Qui se trouve à l'intérieur?

—Ma femme et Marion McKinnon.

—Bon... et votre fils ne s'y trouve pas?

—Je vous l'ai dit.

Carpenter faisait le suspicieux mais il ne l'était plus, autrement, il ne se serait pas mis à découvert. Puis il se dit qu'il y avait peut-être une cache secrète quelque part sous le comble et il ordonna la fouille. On ne trouva pas.

Le visage empourpré par la bise et la colère, Carpenter se planta militairement devant MacAuley puis devant le vieil homme, fusillant chacun de son regard acéré. Peu vêtu, le vieillard frissonnait. Il vint au chef une idée aussi malveillante que cruelle: il interrogerait Murdo Morrison sur place. Spanjaardt lui coupa l'herbe sous les pieds; il retira son long manteau et se rendit le mettre sur les épaules du vieillard qui le remercia du regard. Carpenter fut sur le point de s'interposer mais se ravisa à la pensée de l'acide que la plume de ce journaliste pouvait faire couler sur sa tête. Il s'adressa à l'officier militaire:

–On va les questionner individuellement.

Il jeta un oeil sur les journalistes et rajouta:

–Et sans témoins partiaux. Qu'on garde ceux-là dehors! Et vous, venez avec moi.

Ils entrèrent. On pria Marion de s'en aller à l'extérieur. Le chef se recula une chaise et s'assit en face de Sophia restée à table. Et il questionna, questionna, sans arrêt et sur tous les tons. La vieille dame ne savait répondre que son ignorance et elle finit par éclater en sanglots. Le militaire était écoeuré; il considéra l'effondrement de la femme comme le signal de la fin de l'interrogatoire et se leva. Carpenter lui ordonna de se rasseoir et continua à torturer moralement la vieille personne en lui faisant la description de son fils mort sur la route ou dans un champ:

–Il peut se faire abattre n'importe quand. Vous voulez cela, madame? Il pourrait être frappé d'une balle au ventre ou dans la poitrine et souffrir des heures, des jours avant de mourir. Vous voulez cela? Il pourrait s'enfuir dans la forêt, s'égarer et mourir gelé, et son corps serait dévoré par les bêtes sauvages. Vous voulez cela, madame Morrison?

Sophia gémissait. Son visage devint tuméfié. Elle ne faisait plus que hocher la tête de désespérance. Elle eût voulu mourir sur-le-champ et elle priait le ciel de venir la chercher.

Son tortionnaire finit par se lasser et il lui ordonna de sortir. Murdo et Marion se précipitèrent auprès de la femme effondrée. Carpenter héla Marion et, la voix traînante et indifférente, il lui demanda d'entrer.

MacAuley eut un mouvement vers la galerie; deux hommes lui barrèrent le chemin. Alors il se rendit auprès de Spanjaardt pour se plaindre. Le journaliste dut avouer son impuissance devant la situation du moment.

Malgré les menaces, les promesses, les effets de voix, Marion garda tout son sang-froid. La seule réponse qu'elle fit concernait ses rencontres avec Donald depuis le jour du duel.

—Je ne l'ai vu qu'une seule fois. C'était durant la trêve, affirma-t-elle.

—Ne vous écrit-il pas? Ne vous fait-il pas parvenir des messages?

—Quelquefois.

—Par qui?

—Des amis.

—Lesquels?

—Je ne me souviens pas.

—Celui-là qui se trouve dehors par exemple?

—Il était dans l'Ouest. Il vient juste de revenir.

—Bon... et qui d'autre?

Elle se cloua dans un silence implacable, s'enveloppa d'un châle qu'elle portait pour mieux signifier qu'elle ne voulait rien dire et riva son regard dans le bois du plancher. Il la laissa s'en aller.

Puis Murdo eut son tour. Il ne dit pas le moindre mot. C'était sa vengeance pour ce que Carpenter avait fait subir à sa femme. MacAuley fut ensuite demandé. Il affronta son homme avec morgue, croisa la jambe nonchalamment et répondit avec arrogance.

—Pendant combien d'années as-tu vécu avec Donald

Morrison dans l'Ouest?

–Ah, plusieurs!

–Combien?

–Cinq, sept, plus?...

–Vous faisiez quoi?

–On s'occupait des bêtes.

–Des cow-boys?

–Certains disent des vachers.

–Ça fait quoi, un vacher?

–On garde les bêtes à cornes, on les rassemble, on les marque, on les conduit en convois... Tout le monde sait ça!

–Il vous arrivait d'aller aux États-Unis?

–Deux fois par année.

–Vous fréquentiez les saloons?

–Des fois.

–Avez connu des bandits, des hors-la-loi?

–Surtout des shérifs questionneurs comme vous.

–Quels bandits? Des noms célèbres?

–Frank James, Belle Starr...

–Déjà tiré sur quelqu'un?

–Lui non; moi oui!

–Sur qui?

–Des voleurs de bétail.

–On dit que Morrison a été chassé de Cheyenne par le shérif de la ville, tu crois que c'est la vérité?

–Ça se pourrait bien.

–C'est oui ou c'est non?

–Ça, faudrait le demander à Morrison!

–Pour ça, faudrait que je lui parle. Où est-il selon toi, mon jeune homme de l'Ouest?

–Rien de plus difficile à savoir! L'homme est pas mal

du genre nomade de ce temps-là.

–Pourquoi n'es-tu pas resté dans l'Ouest? Pourquoi es-tu revenu précisément pendant qu'on pourchasse ton vieil ami des plaines, hein?

–Après huit ans à côtoyer les vaches, j'ai eu envie de fréquenter les porcs pour un bout de temps et il n'en manque pas dans les cantons de ce temps-là.

–Tu fais ton petit fantasque, mais prends garde à toi, des cow-boys, ça ne nous impressionne pas plus que ça, nous autres, par ici.

–Je n'ai pas dit que vous étiez un porc.

–Tu as vu Morrison depuis ton retour?

MacAuley esquissa un sourire de provocation comme pour annoncer un mensonge:

–Non, monsieur, pas vu... pas même le bout de son nez pointu et encore moins de son pistolet.

–Tu mens.

–Vous êtes libre de me croire ou pas...

Carpenter prit conscience du fait qu'il perdait son temps, pire, qu'à chaque clou qu'il cherchait à enfoncer, c'était sur ses propres doigts qu'il cognait. Il ne restait plus qu'à rentrer à Mégantic, à faire rapport au juge et retracer ce maudit sauvage qui avait fait courir un détachement complet pour rien du tout, sur des probabilités probablement...

Ω

Après son départ et celui de la troupe, Spanjaardt et Higgins acceptèrent une invitation des Morrison et ils entrèrent prendre une tasse de thé. On se parla des événements du moment.

–Quand j'ai vu monsieur Higgins, dit Murdo au journaliste de Montréal, j'ai su qui vous étiez vous-même et cela m'a rassuré. Les choses auraient pu être bien pires pour nous sans vous dans les parages. Je ne saurais jamais vous en remercier assez.

Spanjaardt sourit:

–Nous n'avons fait qu'être là!

–Vous avez fait bien plus, insista le vieil homme.

Marion remerciait le ciel. La situation se retournait en sa faveur. C'était une chance inespérée que d'avoir ces deux journalistes au coeur d'une discussion sur les pressions à exercer sur Donald pour qu'il s'exile. Qui mieux que Spanjaardt était en mesure de lui livrer des messages persuasifs via sa chronique judiciaire que son fiancé, elle le savait, lisait fidèlement grâce aux amis qui lui apportaient le Star?

On en parla longuement et les deux journalistes promirent d'oeuvrer dans ce sens non sans avoir expliqué qu'ils ne pouvaient conseiller ouvertement Donald, ce qui eût été fort critiquable, mais qu'ils feraient en sorte de lui glisser subtilement le message approprié.

Ω

Le lundi suivant, dix décembre, deux articles importants paraissaient dans le Star. L'un racontait ce qui s'était passé à Marsden lors de l'opération avortée de la troupe dirigée par Silas Carpenter. Il mettait en évidence l'inhumanité honteuse dont on avait fait preuve lors de la fouille et surtout de l'interrogatoire de Sophia. Le ridicule coula à pleine plume sur les autorités dans cette affaire. Il leur fut reproché une fois de plus le gaspillage des deniers de l'État du Québec et de la ville de Montréal.

Le second article parlait de l'élection partielle qui aurait lieu dans Mégantic quatre jours plus tard.

«William Rhodes devient ministre de l'agriculture. Il est bien connu que le premier ministre Mercier cherche à amadouer la minorité anglaise qui a son rôle à jouer dans cette province. C'est pourquoi, vendredi le sept décembre, il a renoncé au portefeuille de l'Agriculture et l'a offert au colonel Rhodes. Autrefois mal disposé à l'égard des Canadiens français, le colonel est un des rares Anglo-Canadiens qui aient blâmé l'exécution de Riel. C'est un vieillard encore vigoureux, au teint coloré, propriétaire d'une grosse entreprise agricole, et qui mêle, comme beaucoup d'autres, la politique et les affaires. Il a présidé la Compagnie de chemin de fer du nord avant son acquisition par la province; il préside maintenant la compagnie formée en vue de la construction du pont de Québec. Mercier l'a déjà nommé membre de la Commission d'enquête sur les asiles. En l'appelant dans le cabinet, il espère se concilier les milieux d'affaires anglais et peut-être le Chronicle. On présentera le colonel Rhodes, qui n'est pas encore député bien qu'il soit déjà ministre, à l'élection partielle dans Mégantic.»

Ω

La bataille serait dure, mais Rhodes l'emportera par quatre-vingt-dix-huit voix de majorité à l'élection partielle qui se tiendra le vendredi quatorze décembre 1888.

Cela eut pour résultat de déconsidérer le hors-la-loi auprès de certains des Écossais, et d'en refroidir d'autres quant à sa cause. Le gouvernement avait fait en sorte de se rapprocher de la communauté et il fallait donc lui répondre favorablement. Or, soustraire un homme à la justice n'allait guère dans ce sens-là...

ΩΩΩ

Chapitre 14

Les deux font la paire

Le lendemain du jour du scrutin vit s'abattre sur les cantons la première tempête importante de l'hiver. Un ciel tourmenté harcela les montagnes puis se rua sur les terres basses qu'il battit de ses vents, de sa neige drue, et qu'il enfouit en quelques heures à peine sous un manteau poudré, lourd et durci.

Toute la journée, Marion jetait des regards lamentables par les fenêtres et chacun ne faisait pas mieux que de lui barbouiller les idées et jeter un peu plus de confusion dans son âme vacillante. Elle avait été bouleversée à retardement par les pénibles événements survenus chez les Morrison. Les paroles de Spanjaardt quant à l'attachement de Donald pour elle lui revenaient constamment en mémoire et elle les reliait à cette nécessité de s'en aller à laquelle son fiancé ne voulait pas se soumettre. La plus efficace pression à exercer sur lui serait peut-être de rompre. Peut-être même que les Écossais devraient lui retirer leur appui. Ah! qu'il était affreux pour elle d'avoir à brasser de pareilles idées dans sa tête! Et quelle douleur à la seule pensée de l'abandonner à sa terrible solitude d'homme traqué par les autres et en lui-même et de l'infléchir grâce au plus cruel des subterfuges: celui d'un rejet qu'on ne porte aucunement dans son coeur et dans sa chair! Mais puisqu'il ne s'agissait là que d'une manoeuvre dilatoire!... Oui mais lui rouvrirait-il ses bras une fois repoussé, une fois reparti pour cet Ouest de nulle part, ces États-Unis du bout du monde qui commençaient derrière Mégantic?

Une fois encore, la centième peut-être, elle se rendit à une fenêtre blanche et plongea son regard dans cette ritournelle glaciale et incessante aux tourbillons rugissants et gémissants. La tempête de neige l'encabanait dans la maisonnette et celle de son âme la claustrait dans son moral bas.

—Miséricorde du ciel! murmura-t-elle en retournant à son fer à repasser et à sa pattemouille.

Elle se remit à retourner les vêtements sur la planche et les idées dans sa tête. Tout ne l'avait-il pas préparée à épouser Donald, à partager son meilleur et son pire? La mort de sa mère et l'hypothèque sur la ferme des Morrison ne les avaient-elles pas condamnés tous les deux à s'attendre par-delà l'usure inévitable des sentiments quand les absences sont longues et que de nouvelles sollicitations se font trop pressantes?

Sa blonde chevelure paraissait terne dans la grisaille du lieu. Que valait son opinion de femme dans cet impossible dilemme? Donald ne possédait-t-il pas toujours l'argument définitif et la pensée de l'homme n'était-elle pas le guide le plus sûr de celle de la femme?

Elle se reprit à songer au soutien moral et à l'aide matérielle que Donald recevait de tout le canton et de l'extérieur. Cela ne le conduirait-il pas plus sûrement à l'échafaud que l'action des policiers ou des chasseurs de prime? Plus le temps passait, moins il semblait enclin à partir. Comme s'il s'était senti une sorte de devoir sacrificiel à poursuivre son action jusqu'au bout! Comme s'il avait été un boxeur sonné, ensanglanté, mais forcé de rester debout pour ne pas décevoir ses supporteurs! Comme s'il avait été le seul galérien d'un bateau se dirigeant sur des récifs, à ne pas avoir les mains attachées! L'exil, ce serait la fuite, la défaite officielle, honteuse et finale! La fierté d'un homme ne doit-elle pas primer sur son sentiment amoureux envers une femme?

Marion sentait toutes ces choses qui ne s'exprimaient pas en mots et comme chez tous ceux à qui les mots pour le dire ne viennent pas, l'imprécision enfantait en son âme l'indécision, un sentiment de culpabilité, du remords. Il saurait la réconforter lors de leur prochain rendez-vous prévu pour le lendemain après-midi à la cabane à sucre. Mais s'il arrivait que la tempête fasse rage de cette manière jusqu'au dimanche, serait-elle assez forte pour braver le ciel et marcher un mille et plus dans la nuit blanche, sous un vent à la sauvagerie démente par un froid à écorner les taures?

Interminable supplice de la question qu'elle n'arrivait pas à faire cesser comme s'il était une sorte de force insondable issue de la tempête elle-même: que son père et les autres membres de la famille reviennent donc à la maison pour qu'elle oublie, pour qu'elle oublie tous ces fantômes poudreux s'arrachant des morceaux de sa volonté.

Elle pria un moment. Alors un désir plus puissant, plus immédiat, et dont la satisfaction ne pouvait nuire à l'avènement pour eux d'un temps plus clément et prospère que la navrante réalité de leur présent et de leur passé, vint prendre en son âme la place qu'il méritait. Le besoin de tendresse, l'envie merveilleuse et bouleversante de se pelotonner dans sa puissance, de sentir sa joyeuse moustache sur sa nuque, d'entendre les vibrations grandioses nées sur sa chair quand les mains aimées se promèneraient sur ses épaules, ses mains, dans son dos et autour de sa taille...

On se cacherait du monde, de la justice. Pas même le destin ne saurait les trouver sous leurs épaisses couvertures en peaux de chat sauvage au creux d'un lit chaud, mariés, fondus, l'espérance refaite et tout l'avenir ramené et résumé en des minutes d'infinitude.

Ω

Ce dimanche-là, dans la petite église aux grands silences, elle demanda pardon au Seigneur une fois encore de vivre ainsi avec son fiancé la relation des époux sans que la bénédiction du pasteur ne leur ait été accordée et n'ait sanctifié leur union.

Dehors, le froid qu'elle avait imaginé la veille n'était pas là. Au contraire, le temps était doux, et le retour à la maison demanda au cheval beaucoup d'énergie, car la neige molle s'embourbait sous la sleigh et parce que les sabots de la bête s'enfonçaient dans le tapis de neige jusqu'au sol mouillé.

Le repas fut vite expédié. On ne voulait pas perdre de temps. Chaque membre de la famille avait un rôle à jouer pour couvrir Marion dans sa démarche vers l'érablière et donc vers son fiancé. Elle mit ses bottes. Son père et une de ses sœurs s'habillèrent. L'un marcherait quelques arpents vers Scotstown et l'autre vers Marsden. On surveillerait la route pour le cas où une patrouille en vienne à se présenter quoique le dimanche parût à tous depuis le début de l'affaire comme un jour de trêve tacite. Sauf qu'il fallait redoubler de prudence maintenant que l'on avait appris par la bouche de Spanjaardt les dangers graves que Leroyer dit le sauvage faisait probablement courir à Donald.

John McKinnon s'accouda à une pagée de clôture et il alluma sa pipe qu'il avait d'avance bourrée. Le métis l'aperçut et se dit que Marion et le hors-la-loi devaient se trouver en ce moment même dans la maison des McKinnon. Son regard s'alluma d'une lueur étrange, celle d'une bête affamée que pousse l'instinct de survie à égorger une victime. Il s'habilla, prit sa carabine et dit aux gens de la maison qu'il partait pour le village de Marsden. C'était la direction opposée du lieu où se trouvait McKinnon. Il s'éloignerait, caché de la vue du guetteur par les bâtisses puis, par un long détour jusqu'à la lisière de la forêt, il prendrait à revers la maison des McKinnon près de laquelle il s'embusquerait jusqu'à la sortie de Donald qui ferait sans doute une visite dominicale à ses parents.

Marion regardait ses pieds qui crevaient la neige molle

et allaient s'imprimer en noir sur la terre mouillée. Le soleil paraissait. Une chaleur douce coulait dans sa substance, et de plus en plus vite à mesure qu'elle progressait vers l'érablière. Elle remercia mentalement son père et sa soeur de se faire complices de ses amours. Ils resteraient là, plantés sur la route, une bonne demi-heure, tant qu'elle n'aurait pas disparu de leur vue derrière les arbres. Puis ils rentreraient à la maison, mais toute la journée quelqu'un serait à l'affût et si d'aventure s'amenaient des policiers ou plus probablement des chasseurs de prime, et qu'ils semblent se diriger vers le haut des terres, alors John tirerait trois coups de carabine en l'air pour alerter les amoureux de la cabane à sucre.

Marion portait une robe longue dont elle avait relevé le bas et qu'elle avait attachée à hauteur des mollets pour ne pas la mouiller ni s'enfarger et trébucher. Et par-dessus, elle avait revêtu une veste en cuir frangé et s'était mis sur la tête un foulard brun qui laissait échapper des mèches blondes frisottées. L'ensemble faisait bizarre, mal coordonné mais il avait été choisi pour le confort. Elle emportait dans une main un sac de provisions pour son fiancé et dans l'autre un fanal éteint en cas de besoin pour revenir. Les grands érables ouatés l'enveloppèrent bientôt de leur sécurité. Elle ralentit un peu pour reprendre son souffle. La fraîcheur du jour était vivifiante. À chaque méandre du chemin, la cabane se précisait car la forêt était claire, libre d'aulnes, ayant été essartée un peu chaque année depuis que John McKinnon avait pris ce lot.

Elle pressa le pas. Bientôt la silhouette de son fiancé lui apparut dans l'embrasure de la porte. Elle lui adressa un signe de la main ouverte, un geste timide et joyeux tout à la fois. En même temps, elle se dit qu'il manquait de prudence de se montrer ainsi, mais elle se trompait: Donald l'avait vue depuis un bon moment déjà depuis le soupirail à vapeur de la cabane qu'il utilisait comme tour de guet. Il était arrivé là-bas de soir et y avait dormi, mais au matin il s'était aperçu que sa piste n'avait pas été comblée par le vent ou la neige. Cela l'avait incité à une prudence accrue et il avait souvent grimpé dans l'échelle du soupirail pour examiner les environs.

Il appuya le canon de sa carabine contre la porte et s'avança vers elle. À cinquante pas l'un de l'autre, ils s'arrêtèrent pour se parler par le silence. Elle le regarda avec une grande douceur. Émanait de lui une force et une majesté se comparant à celles des grands érables et que Marion n'avait jamais trouvées à aucun autre homme. Elle avait le sentiment que le seul projectile capable de le percer était celui de l'amour et qu'en ce moment, tous les autres, ne pourraient que rebondir sur l'étoffe de ses vêtements. Elle s'approcha encore en hésitant et Donald courut jusqu'à elle. Il avait le coeur élégiaque. Elle était là enfin son oréade, sa fée des bois aux yeux brillants comme le ciel, comme la neige, comme des escarboucles. Marion déposa ses fardeaux sans y penser. Il la reçut dans ses bras comme si elle avait été une enfant fragile et sacrée.

Elle posa sa tête sur sa poitrine comme pour s'assurer de sa vie par les battements de son coeur. Et lui laissa son coeur battre simplement. Elle serrait et relâchait ses bras autour de lui pour lui communiquer son bonheur. Après l'étreinte, il prit les choses et ils marchèrent en silence jusqu'à la cabane. Elle le précéda. Il posa le sac et le fanal sur une table et la reprit dans ses bras.

–Bienvenue... chez nous! dit-il plaisamment.

–Tout va bien?

–Je suis libre donc je vais bien. Et quand on est dans la prison de l'amour, tout va à merveille.

–L'amour et la liberté vont-ils ensemble? L'amour, c'est un engagement, un enchaînement.

–Les chaînes que l'on a choisies sont les chaînes de la liberté.

Il lui donna un baiser furtif sur les lèvres puis il se rendit prendre sa carabine et verrouiller la porte. Ensuite il la conduisit dans leur refuge, cette pièce aussi étroite et dénudée qu'une cellule de prison, éclairée par la flamme jaune indécise d'un fanal noir.

—Il y avait des oeufs et de la bonne viande fraîchement cuite dans l'armoire: c'est toi qui les avais mis là?

—C'est papa qui est venu vendredi quand il a appris que tu viendrais passer le dimanche avec moi ici. Et j'ai d'autres provisions dans mon sac. On le videra plus tard.

—Ton père est un homme extraordinairement généreux. Il aura ma gratitude éternelle. Mais je me sens honteux d'accepter tout cela. Je commence à me sentir un poids pour tout le monde.

—Ne dis pas cela!

—Ce sont les articles de journal de monsieur Spanjaardt qui me troublent...

—Monsieur Spanjaardt est l'homme le plus dévoué à ta cause que j'aie jamais rencontré.

—Je sais, je sais, mais... je ne sais pas... je ne sais pas...

Ω

John McKinnon jeta un dernier regard sur la maison des voisins où vivait Leroyer. Sa mine se rembrunit un moment. Puis il se dit que le sauvage ne bougerait sans doute pas s'il se trouvait là. Peut-être agissait-il comme guide à l'autre bout du canton? En tout cas, en dénonçant le hors-la-loi comme il l'avait possiblement fait montrait qu'il n'oserait jamais l'affronter tout seul. McKinnon avait été sur le point d'aller rencontrer le fermier qui hébergeait Leroyer et qui aurait sans doute jeté le sauvage dehors mais il s'était ravisé. On pourrait mieux le garder à vue s'il restait là. Car cet homme représentait à ses yeux le pire danger auquel Donald puisse avoir à faire face; n'avait-il pas une connaissance aussi grande de la forêt, une incroyable capacité d'y survivre sans aide extérieure et des talents reconnus comme chasseur et pêcheur? Pour le neutraliser, il fallait donc l'avoir à l'oeil et miser sur la réputation de tireur imbattable qui appartenait au fugitif.

McKinnon repartit chez lui de son long pas solide. Il avait le regard satisfait et le coeur reconnaissant. Dans l'au-delà, la mère de Marion devait sûrement aider à les réunir comme elle avait souvent cherché à le faire de son vivant. Il lui adressa une louange...

Ω

Leroyer se pencha pour examiner les empreintes de pas. Geste tout à fait superflu car le plus mauvais pisteur aurait été capable de reconnaître ces empreintes de petits pieds bottés et d'en suivre la trace les yeux fermés. Il bougea la tête dans une sorte de hochement désolé et cruel et il se remit en marche dans la piste. Puis il s'arrêta pour vérifier sa Winchester. Il savait pourtant que son magasin était chargé à bloc par dix-sept cartouches 44-40, les plus meurtrières connues, capables de faire éclater le crâne d'un orignal en y laissant sur son passage un trou gros comme le poing.

À l'orée du bois, il sentit que la piste menait droit à la cabane à sucre de McKinnon, ce qu'il avait déjà présumé. Mieux valait s'éloigner de la piste et zigzaguer tout en contournant la cabane pour s'en approcher depuis une autre direction que celle des pas de la jeune femme. S'il tombait dans le champ de vision du hors-la-loi, celui-ci le prendrait sans doute pour un chasseur et il savait que Morrison ne tirerait jamais sur un homme simplement parce que celui-ci marche en sa direction et ne le ferait que s'il se sentait traqué comme ce jour du vingt-deux juin sur l'avenue Maple de Mégantic devant Lucius Warren.

Ω

Les fiancés s'étaient assis sur le lit, un ensemble formé d'une structure en planches de cèdre et d'une énorme paillasse bruyante. Ils s'étreignaient d'un long baiser que la morale eût mesuré même pour un couple dûment marié. Les délices de l'amour ne parvenaient pas pourtant à libérer le coeur de Donald de l'angoisse. Il fit parler Marion sur la fouille dont elle avait été le témoin. Il n'en savait guère plus que ce qu'en avait écrit Spanjaardt et cela était si inquiétant. Cette fois, elle ne chercha pas à le rassurer et lui parla plutôt de sa fuite vers l'Ouest. Mais il répondit évasivement. Il y repenserait. Il ne partirait pas en hiver; ce n'était guère possible. Il n'avait même plus l'argent pour payer ses billets de train et il ne voulait compter sur personne. Non, il serait là pour Noël et ensuite il prendrait une décision.

$$\Omega$$

Pendant qu'ils se préparaient dans la douleur à l'expression charnelle de l'amour, le sauvage arrivait à un point d'où il pouvait apercevoir les empreintes de pas de la jeune femme pénétrer dans la cabane. Une fumée bleuâtre s'enroulait en spirale vers le ciel depuis un tuyau sorti du côté de la bâtisse. Marion McKinnon devait s'y trouver depuis un bon moment à y attendre son ami, ou bien, à l'inverse s'y trouvait-il lui-même depuis plusieurs jours? L'important c'était qu'il ait découvert leur lieu de rendez-vous. Il lui restait à se bien embusquer. Et à attendre. Ce que sa méfiance l'empêcha de faire de suite. Et si tout cela n'était qu'une manoeuvre de diversion? Et si la jeune personne était la soeur de Marion? Le mieux était de lire les pistes autour de la cabane. Il décrivit un immense cercle et finit par croiser la piste laissée par des pieds d'homme, sans doute ceux de Morrison dont le signalement disait qu'ils étaient énormes. Les marques de pas prouvaient que le hors-la-loi avait dû se rendre là fort tôt le matin et peut-être durant la nuit.

Il repéra un érable à deux troncs mais à souche commune et alla s'abriter. Il mit son arme dans le Y et visa en direction de la porte de la cabane. Une longue attente lui permit de brasser mille pensées dans son cerveau nébuleux. Abattre le hors-la-loi pouvait inciter des gens de la communauté écossaise amis de Donald à la vengeance et il pourrait tomber à son tour, victime d'un malencontreux accident de chasse. Son sang indien rendait cette perspective très plausible. Il n'avait de blanc, croyait-il, que son atavisme français, comment raisonner en Écossais? Qu'importe, l'argent de la prime compenserait pour le risque! Il s'en irait ailleurs exer-

cer son métier de guide. À Compton, à Coaticook, au diable...

Pourtant, l'inquiétude augmentait en lui au même rythme
que l'impatience. Il se répéta le récit qu'on lui avait fait de
la mort de Jack Warren. «Morrison peut toucher un homme
entre les deux yeux à cinquante pas,» disait-on partout, et la
phrase lui revenait constamment en leitmotiv. Ah! mais là, si
la distance le séparant de la cabane ne le mettait pas à l'abri
d'une carabine, elle le protégerait des visées dangereuses des
pistolets du hors-la-loi. Oui, mais s'il le ratait à la première
balle, Morrison se ruerait à l'intérieur et il se défendrait à la
carabine... Et alors, il viserait cent fois plus juste. Son oeil
devint plus terne encore et ses rides faciales plus noires. Il
cracha sur la neige pour chasser un frisson qui lui parcourait
l'échine.

Ω

Les amoureux avaient fini de se rhabiller. Ils prirent
place l'un à côté de l'autre sur des chaises foncées en babiche
et s'accotèrent les pieds sur la bavette de la truie. Le bois
que Donald venait d'y fourrer commençait à craquer sous
l'action des braises et les écorces frisées pétillaient en brû-
lant. Il ferait chaud rapidement dans la petite pièce mais en
même temps, l'oxygène serait plus rare et on aurait tendance
à s'endormir et à devenir un peu triste. Ce qui se produisit et
on recommença à s'échanger des propos désolants.

Marion parla de Leroyer et des soupçons qu'on avait
sur lui quant à la fouille récente chez les Morrison. Malgré
Tom Horn, malgré le major McAulay et la présence de tous
ces chasseurs de prime, Donald étaient de ces gens qui n'arrivent pas facilement à croire qu'on puisse leur vouloir du
mal. Il connaissait depuis longtemps le sauvage, un homme
aussi traqué que lui d'une certaine manière par le métissage
de son sang et sa façon marginale de vivre.

—Je vais m'arranger pour ne pas le rencontrer, assura
Donald à sa fiancée.

—Mais il pourrait tirer sur toi en pleine forêt.

–S'il veut prendre ce risque...

Ω

Leroyer avait mal aux reins. Les genoux gelés malgré l'épaisseur de ses étoffes. Et son mackinaw le protégeait moins du froid depuis qu'il était immobile. Et voilà que le ciel commençait à s'opacifier. La brunante viendrait vite. Les chances de toucher le hors-la-loi du premier coup diminuaient. Et il ne voulait pas risquer de s'approcher davantage. Il pourrait être entendu. Et ce Morrison était un gibier trop dangereux pour s'y mesurer dans une demi-obscurité. Tout bien réfléchi, il décida de se retirer...

Ω

Le lendemain, Donald croisa la piste du sauvage et la suivit. Il sut qu'un homme s'était embusqué derrière l'érable en Y. Il lui faudrait désormais exclure la cabane des McKinnon de la liste de ses refuges et il le fit savoir à Marion par son père qui le visita ce jour-là et constata avec lui ce que les traces révélaient.

Dans la journée, Leroyer rendit visite aux autorités à l'American Hotel et il leur proposa d'organiser un traquenard à la cabane des McKinnon le dimanche suivant. On l'écouta avec le plus grand scepticisme. Dugas et Carpenter en avaient assez de courir des fausses pistes et le dernier avis qu'ils eussent été enclins à prendre, c'était justement celui du sauvage qui leur avait valu tant de quolibets suite à la fouille chez les Morrison de même qu'un titre tonitruant dans le Star: 'On traque deux vieillards.'

Dans la pièce, il y avait aussi un jeune constable fraîchement arrivé de Montréal. Six pieds, bilingue, souvent affecté à du service spécial rue Saint-Jacques, d'une affabilité qui plaisait à tous, il avait été délégué à Mégantic par le maire lui-même.

Dugas vit tout l'intérêt qu'il montrait pour les propos de Leroyer. Voilà qui tombait bien car il avait le désir de se débarrasser du sauvage au plus vite en même temps que de ses odeurs bizarres et sa face d'étranger. Il présenta les deux hommes:

–Monsieur Leroyer, connaissez James McMahon, un détective de Montréal dont on dit le plus grand bien!

–Et vous, connaissez monsieur Pete Leroyer, un... chasseur dont on dit qu'il est l'un des meilleurs guides des cantons!

Les deux hommes s'entendirent comme larrons en foire. Un quart d'heure plus tard, au bar, ils discutaient déjà de plans pour faire tomber Morrison dans leurs filets. Non éligible pour toucher la prime puisqu'à l'emploi de la ville de Montréal, McMahon pourrait partager sous la table avec son coéquipier. On était loin de Montréal, qui saurait jamais! Quant au sauvage, ainsi secondé par un policier, Morrison pourrait s'allier au diable lui-même qu'il n'en aurait plus peur. On en vint à une entente. Les verres entrechoqués scellèrent le contrat verbal.

–À notre réussite, dit McMahon. Je serai de retour vers le vingt janvier et la grande chasse commencera.

–Nous allons poursuivre le gibier jusqu'en enfer.

–Il faudra considérer le hors-la-loi comme du gibier ordinaire. Il faudra le traquer sans répit, malgré l'ennui, malgré le froid, la fatigue. Si l'homme se nourrit de viande crue, de porc-épic ou de lièvre, alors nous le ferons aussi. S'il couche sous les étoiles, nous dormirons sous la lune. Les miliciens, les policiers sont incapables de faire autre chose que de la patrouille ou des fouilles, ils ne veulent pas faire un pied dans le bois, nous allons quadriller toutes les forêts des cantons...

ΩΩΩ

Pierre 'Pete' Leroyer dit le sauvage

Chasseur, trappeur, cet homme métissé vivait en solitaire au bord du lac aux Araignées. Il traqua Donald Morrison et, de concert avec un détective de Montréal, l'arrêta le lundi de Pâques 1889, mettant fin à une formidable chasse à l'homme qui durait depuis 9 mois..

Chapitre 15

Trêve de Noël

La semaine suivante était la dernière avant celle de Noël. Tous ces gens venus d'ailleurs et qui participaient à la chasse à l'homme disparurent de Mégantic pour aller passer les Fêtes de fin d'année ailleurs que dans ce canton perdu et isolé.

Les soldats furent rappelés les premiers. Contingent le plus nombreux et le plus actif, ils n'avaient pourtant jamais représenté une réelle menace pour le hors-la-loi. Depuis quelques semaines, ils ne sortaient plus que pour se dégourdir et par temps agréable.

Puis les policiers prirent le train. Et finalement, McMahon, Carpenter et le juge Dugas fermèrent le quartier-général et rentrèrent à Montréal. Les derniers à s'en aller furent les chasseurs de prime et ils se rendirent à la gare sans enthousiasme comme si ce départ devait amoindrir leurs chances d'attraper le gibier. Plusieurs craignaient que d'autres ne partent pas et que le cow-boy soit arrêté quand ils ne seraient pas là. D'autre part, puisqu'ils travaillaient en petites équipes ou individuellement, ils ne se sentaient plus en trop grande sécurité dans les cantons sans la présence des policiers et miliciens.

Donald sut que la racaille avait levé les voiles. Trêve-repos, disait-on, et la chasse se fera plus intense que jamais

313

en janvier. Les habitants de Mégantic se félicitaient de leur chance: une pluie de dollars s'abattait sur la région et l'affaire Morrison rendait célèbre un village dont on aurait ignoré l'existence pour toujours autrement.

Le comité pour la défense du hors-la-loi tint une réunion à laquelle Donald assista. Depuis le début des froids, c'était ce comité qui organisait le système des caches du jeune homme. Sans cela, il aurait été pris. Par contre, Donald devenait une créature entre les mains d'une organisation et cela lui pesait. Mais il comprenait qu'il n'avait guère le choix de faire autre chose.

Il fut décidé que le fugitif reviendrait à sa première cache chez les MacRitchie dont la maison était bien située par rapport à Mégantic et Marsden soit au tiers de la distance séparant l'une de l'autre, mais surtout parce que le boisé faisait une pointe dans le voisinage jusqu'au chemin et pouvait donc constituer une voie d'évasion en cas d'urgence. Il fut demandé à Donald de toujours se coucher tout habillé avec ses armes à côté et ses raquettes à portée de la main dehors. Recommandations inutiles puisque le fugitif faisait cela depuis les neiges.

Puis il fut question de dévotions. Donald dit regretter de ne pouvoir aller à l'église comme tout le monde; finir l'année sans assister aux offices religieux le contristait tout particulièrement. On en fit une question fondamentale. On le rassura par un plan qui lui permettrait comme à tous les gens des cantons de faire lui aussi ses dévotions.

Ω

Un de ces soirs-là, à Montréal, chez le grand connétable Bissonnette conféraient le juge Dugas, le chef Carpenter et le procureur général de la province, Arthur Turcotte.

Tout sentait le vernis frais dans cette pièce haute au centre de laquelle une table massive en chêne réunissait les hommes les plus importants dans l'administration de la justice dans la province de Québec. Après quelques minutes de discussion pour la forme, tous se rallièrent à l'opinion du

314

juge qu'il résuma:

–Quelques hommes pourront réussir là même où des centaines ont échoué. Ce n'est pas là le travail d'une armée. Plus on nous envoie de soldats et de policiers, plus il en parade dans Mégantic, plus les Écossais se sentent menacés et plus ils se serrent les coudes autour du hors-la-loi. C'est un secret de polichinelle, le fait que le comité pour sa défense organise sa fuite et sa vie dans la clandestinité. Réduisons nos effectifs là-bas. Moins on verra d'ennemis, moins on se sentira obligé de protéger cet homme et c'est alors que nous deviendrons vraiment dangereux pour lui. C'est avec quelques limiers au nez fin seulement que nous aurons les meilleurs résultats, c'est-à-dire que nous mettrons la patte sur le corps de ce grand escogriffe qui se moque de la loi depuis trop longtemps.

Bissonnette, un homme au visage pourpre et au ventre débordant approuva l'idée:

–C'est précisément pour cette raison-là que nous avons dépêché McMahon là-bas. Quand cet homme se voit confier une affaire, il agit exactement comme un lévrier et n'a jamais raté son coup une seule fois depuis le temps que je le connais, et ce n'est pas d'hier.

Puis l'on discuta de chemins de fer, d'élections partielles, de politique fédérale et provinciale, d'un enfant grenouille né au New Hampshire dont on disait qu'il possédait six yeux et des membres conformés comme des pattes de batracien, et enfin de Laurier, chef du parti libéral fédéral depuis à peine un an et que tout le Québec voulait voir devenir premier ministre du Canada.

Les derniers mots concernant l'affaire Morrison appartinrent à Arthur Turcotte, politicien perroquet et béni-oui-oui du premier ministre de la province:

–Monsieur Mercier veut à tout prix que l'affaire soit réglée incontinent et aux moindres coûts. C'est la raison pour laquelle je me range totalement de l'avis de mon ami le juge Dugas: le moins d'hommes possible là-bas mais des meilleurs!

Juste assez pour que nos chasseurs de prime se sentent protégés de la population. Et quelqu'un finira bien par avoir le bonhomme; ce n'est qu'une question de temps, messieurs, qu'une question de temps.

Le connétable leva l'assemblée. La rencontre ne prenait pas fin pour autant. Et puisqu'on jouissait de la présence d'un proche collaborateur du premier ministre, aussi bien en profiter pour s'entretenir de politique provinciale.

Turcotte déclara, solennel, doigts dans ses bretelles:

–De ce temps-là, c'est le nord qui intéresse Mercier. Le bon curé Labelle a convaincu le premier ministre que l'avenir de la province se trouvait dans la colonisation.

–Le passé est garant de l'avenir, rétorqua le connétable.

Cette parole fut une porte ouvrant sur les traditions du temps des Fêtes. On se réjouit d'avance des saines agapes qui suivraient la messe de minuit, du whisky que le peuple ingurgiterait durant la période, de la fraternité, des festivités, des réunions familiales, des cadeaux... Il y eut quelques déclarations de principe quant à la sainteté de Noël, la pauvreté et la charité chrétienne.

Il arriva au juge Dugas d'avoir le regard absent, perdu par-delà la grande bibliothèque remplie de livres bruns à titres d'or, rendu, pensa Bissonnette, quelque part dans les Cantons de l'Est.

–Je fais la gageure que vous voilà en train de ruminer encore sur l'affaire Morrison, supputa le connétable en se frottant le ventre.

–Vous savez, je me demande s'il va assister à la messe de minuit comme nous autres.

–Ah! mais ce n'est pas un catholique comme nous, objecta Carpenter.

–Je n'y avais pas songé. De quelle dénomination religieuse sont-ils, ces gens-là? Ont-ils une messe de minuit?
-Voilà une bonne question, dit Carpenter. Moi, je l'ignore. Et vous, monsieur le procureur, vous le savez?

Turcotte haussa les épaules. La question ne lui était d'aucun intérêt. Il avait envie de discuter de choses sérieuses, importantes, des choses proches du pouvoir.

–Parlant de monseigneur Labelle, vous connaissez la dernière nouvelle, messieurs? Eh bien son évêque, monseigneur Fabre, malgré l'avis contraire du Saint-Siège, a donné l'ordre à notre cher curé sous-ministre d'abandonner sa fonction publique, ce qui démontre bien que monsieur Mercier est plus fort à Rome que monseigneur Fabre.

ΩΩΩ

Chapitre 16

Prime en attente

Le soir du vingt-quatre décembre, Donald se rendit chez ses parents. Il y eut des pleurs tout d'abord. Larmes de joie, d'angoisse, de tristesse pure. Ses parents qui ne l'avaient plus revu depuis plusieurs semaines vivaient chaque jour dans la hantise d'apprendre la nouvelle de sa mort. Et le chagrin accumulé, refoulé, se déversa dans une sorte de tranquille dignité pendant toute l'heure qu'il partagea avec eux.

Murdo cacha sa douleur mieux que Sophia en la gardant dans la pénombre près de la fenêtre et dans le prétexte bien fondé de surveiller l'extérieur par crainte qu'un détective ou un chasseur de prime ne se manifeste dans l'obscurité par une lanterne dont il n'aurait pas pu se passer malgré le frileux quartier de lune qui picorait dans la poussière d'étoile de la voûte céleste.

—Vous inquiétez pas, mon père, ils sont tous partis, lui redit Donald à maintes reprises. Ils ont fondu comme neige au soleil à l'approche des Fêtes.

—Mais Pete Leroyer, il est toujours là, lui, comme une bête sauvage qu'il est, à l'affût quelque part, avec ses yeux rouges et son coeur de plomb.

—Ce qu'on dit de lui est-il si vrai que ça?

–Un sauvage, c'est un sauvage!

–Justement, on les juge durement parce qu'ils ne sont pas de la même race que nous autres. Dans l'Ouest, j'ai vu plusieurs Indiens. Sont pas trop jasants, mais sont pas si sauvages que les journaux le disent.

–Les Américains disent qu'un bon Indien est un Indien mort... Les massacres de colons blancs, Custer voilà douze ans...

–Custer était un homme malade de sa propre glorification. Le nombre d'Indiens tués par les blancs a été dix fois plus élevé encore que le nombre de blancs massacrés par les Indiens. Et puis tout ça, c'est fini!

–Méfie-toi quand même de Leroyer. On dit qu'il se tient pas mal à l'American Hotel, dit Sophia qui, emmaillotée dans une couverture de laine se berçait près de la table.

–C'est bien connu que les sauvages aiment la boisson.

–Justement, la boisson, ça leur fait pas à ce monde-là!

Donald se cachait la tête dans le sable. Sa méfiance de Leroyer était aussi grande que celle de ses parents mais il refusait de l'envisager. Il se demandait même parfois s'il ne devrait pas aller lui parler à cet homme, face à face. Il pourrait lire dans son regard, tout lire...

–Les Écossais ont un peu peur de lui, pourquoi? Parce qu'il est français, parce qu'il est catholique... En tout cas, cela me met à l'abri pour aujourd'hui et demain; je ne vois pas le sauvage courir le hors-la-loi la nuit et le jour de Noël...

–Un demi-sang comme le sauvage n'a ni patrie, ni famille, ni heure, fit Murdo excédé. Il peut surgir de nulle part n'importe quand et t'abattre comme un chien.

Donald changea le propos et annonça qu'il partait pour rejoindre sa fiancée. Il passerait la soirée avec elle avant de retourner chez les MacRitchie. Murdo lui rappela tout ce qu'il risquait à circuler à découvert par une nuit où tant de gens voyageaient. Le jeune homme se montra convaincu. Sa mère l'invita à revenir avec Marion le lendemain pour partager leur repas du midi.

–Et faire mourir mon père d'inquiétude toute la journée? s'objecta Donald.

–Le jour, c'est pas pareil: on peut voir venir quelqu'un de loin.

Il sourit un peu mais cette réponse favorable se perdit dans les pas de danse insolites des ombres esquissées par la flamme de la lampe posée sur la table. Il lui fut recommandé de se surveiller en passant devant chez les Langlois où résidait toujours Leroyer.

–Il sera parti comme tout le monde au village, coupa Donald que cet excès de prudence agaçait.

Il refusa de prendre une lanterne et quitta sur des 'prends garde' se répétant comme en écho mais dont le dernier se heurta derrière lui sur des montants en bois gris, usé par les années comme les voix éraillées.

Une liberté grande comme la montagne, pure comme l'eau de l'étang et froide comme la glace qui la recouvrait envahit ses poumons. Il la respirait à fond en accrochant les points d'or de ses yeux à la poussière d'or du ciel noir. Il fit à Dieu une longue prière de reconnaissance jusqu'au moment où apparurent nettement les contours de la maison des Langlois. L'hommage rendu au Seigneur, c'était pour toute cette vie qu'il répandait si généreusement dans les cantons, pour la terre fertile que sa main y avait laissée, pour les forêts giboyeuses et les lacs profonds, pour l'existence des étoiles et de Marion...

Une lueur lui parvint de la maison des Langlois. Elle avait dansé à une fenêtre puis s'était immobilisée. Pourquoi avait-on allumé à ce moment précis? Avait-on pu discerner sa forme sombre sur le chemin gris éclairé par les éclats d'une maigre lune?

La marcheur perçut un léger tremblement dans sa main droite et ce n'était pas le froid qui atteignait sa peau sous ses mitaines doubles. «Quand tu sentiras ta main frémir, tiens-la prête et tiens-toi prêt à lui obéir!» se souvint-il. Bill Henry lui avait répété ces mots-là comme étant le premier verset de la bible du cow-boy appelé à survivre.

Il s'arrêta, mit sa carabine entre ses jambes. Il se défit des deux mitaines de sa main droite qu'il enfouit dans une poche pour qu'à la fois nue et au chaud, elle se prépare... Puis, les yeux braqués sur la fenêtre angoissante, il se reprit à marcher à pas mesurés. Puis d'autres fenêtres, celles d'en avant, laissèrent aussi passer des lueurs suspectes. Mais Donald ne put rien distinguer, pas même une ombre chinoise à l'intérieur.

Seul dans la maison, le sauvage avait vu venir le hors-la-loi. D'ailleurs, il l'avait aperçu quand il s'était rendu chez ses parents et dès lors n'avait pas cessé de surveiller la route. Silhouetté par sa taille, ses vêtements et sa carabine, le hors-la-loi avait été repéré très vite alors qu'il s'approchait et Leroyer, en ses pensées coupables, s'imaginait que l'autre profitait de la nuit de Noël et de l'absence des Langlois pour venir lui régler son compte. Il avait d'abord allumé une lampe dans la cuisine afin d'attirer l'attention et la concentrer toute sur cet étage, et lui était retourné en haut pour mettre le fugitif solitaire dans sa ligne de tir.

Les muscles de ses mâchoires se contractaient et se relâchaient à chaque pas que Morrison faisait. De le voir s'arrêter et ôter ses mitaines d'une seule main décupla son appréhension. Pourtant il n'osait pas tirer. Une notion brouillait ses inquiétudes dans son subconscient. Elle apparut tout à coup: et si Morrison ne faisait que d'aller chez les McKinnon?! Pourquoi donc la panique lui avait-elle commandé d'établir cette stratégie défensive? Allumer cette lampe en bas constituait une erreur grave... Mais peut-être pas non plus: Morrison ne pourrait pas compter sur l'effet de surprise et passerait son chemin...

Donald avançait toujours. Il ne songeait pas à regarder aux lucarnes tant il craignait ce qui se tramait derrière les fenêtres du bas que son regard ne quittait pas une seule seconde bien que sa tête bougeât sans cesse, exercice qui gardait le cerveau plus alerte et rendait cette cible vitale très difficile à viser d'autant que le manège pouvait distraire et incommoder le tireur. «En cette matière, la vie et la mort se jouent sur aussi petitement qu'une pièce de monnaie, sur des fractions de seconde, des fractions de pouce,» lui avait souvent dit Bill Henry.

Le doigt bien appuyé sur la gâchette, l'instinct de chasseur bridé par celui de la prudence, Leroyer attendait, tapi dans l'ombre. Il fut bientôt devant l'évidence: Morrison passait son chemin. Ou bien il n'était pas venu pour le surprendre ou il avait changé d'idée. L'attaquant dangereux lui apparut alors un fugitif vulnérable et son envie de tirer augmenta. Il ne visait pas la tête. Le tronc offrait bien plus d'espace vital. Le foie, le coeur, les tripes, les artères, la colonne vertébrale: une balle de 44-40 pouvait faire éclater chacun de ces points ou plusieurs à la fois et les réduire en charpie.

L'eau d'un plaisir pervers lui vint à la bouche et celle de la haine aux yeux. Pourtant il abaissa son arme. Son jugement lui disait que la vitre pouvait changer la trajectoire de la balle, et puis ce damné Morrison lui donnait la trouille. La rage et l'amertume firent naître en sa bouche un goût de cendre. L'heure viendrait, elle viendrait bien...

Ω

Donald pressa le pas. L'inquiétude baissait. La maison des McKinnon dont toutes les fenêtres jetaient dehors une lumière franche se précisa là-bas, sur sa colline douce, en contre-haut du chemin en même temps que la silhouette de l'autre, aux lueurs hypocrites, disparaissait derrière lui.

Il put renouer avec sa rêverie. Il imaginait sa vie sans le major et sans Jack Warren, une vie libre et chaleureuse dans la ferme paternelle avec des années de prospérité en vue, des enfants à naître, un déjà peut-être...

Marion l'attendait. Elle entendit ses pas sur la galerie, les trois coups discrets sur la porte. Son visage s'éclaira d'un sourire tendre. Verrait-il en entrant la robe qu'elle s'était faite avec toute l'adresse que le Seigneur avait mise en ses doigts et avec cette patience passionnée qu'elle avait nourrie de l'image de son fiancé admiratif?

Un tourbillon d'air froid s'engouffra à l'intérieur en même temps que le jeune homme, mais il fut aussitôt absorbé par la bonne chaleur réconfortante qui rôdait partout comme un fantôme bienveillant. Il s'évanouit plus sûrement encore quand la jeune femme se sentit enveloppée par ses regards qui voyageaient de son visage à sa robe. Hélas, la voix de John McKinnon rompit le charme:

–Ça fait plaisir que tu sois venu, Donald!

D'habitude moins démonstratif, John surprit agréablement le visiteur. Il poursuivit:

–Tu as presque gagné tes épaulettes, tu sais. On dit que tous les oiseaux de malheur de Montréal et d'ailleurs sont retournés chez eux.

Marion se retira de quelques pas. Elle ne voulait pas faire obstacle aux propos échangés entre les deux hommes. Son sens acquis de la servitude lui revint; elle dit:

–Donne-moi ton manteau, Donald.

Il appuya sa carabine contre la porte et se déshabilla.

John était debout en bras de chemise derrière la table du centre de la pièce. La vue de l'arme lui fit dire:

–Chargée?

–Toujours!

–Tu n'en auras pas besoin cette nuit. Marion, mets-la dans le trou à bois sous l'escalier. Donald, viens fumer une pipée et finir de me conter tout ce qui t'est arrivé depuis... l'été passé.

Donald se sentit légèrement inquiet et contrarié; il eût voulu s'occuper un peu plus de Marion. Mais cela viendrait plus tard. John perçut son sentiment et dit:

–Dans une heure, nous autres, on va tous aller se coucher et vous deux, vous resterez ensemble tout le temps que vous voudrez.

Les deux hommes prirent place à un bout de la pièce; les deux adolescentes et leur soeur aînée à l'autre. Les fiancés se sentaient des désirs à fleur de peau, des besoins de tendresse, mais cette légère séparation ne les empêchait pas de rayonner. Du rayonnement de la présence réelle!

Donald qui avait commencé le récit de ses aventures devant John à la cabane à sucre le poursuivit, surpris de constater que Marion ne lui avait rien raconté de ce qu'elle savait pourtant. Puis on échangea sur les chevaux, sur le marché central de Mégantic et sur une nouvelle famille de Marsden.

L'heure passa comme en quelques minutes à peine pour tous. Puis John annonça qu'il se retirait dans sa chambre après avoir commandé aux adolescentes de laisser les fiancés ensemble. Pour tâcher de leur donner un peu de cette quiétude que la vie leur refusait, il leur dit avant de les quitter:

–En haut, il y a quatre chambres. Deux sont libres. Faites-en ce que vous voudrez! Arrangez ça entre vous deux et ce sera ça qu'il faut.

Quelque peu embarrassé, Donald accepta cette invitation dont, du reste, il avait besoin pour passer la nuit chez les McKinnon:

–Fait bon ici. Ça sera pas de refus certain!

–C'est Marion qui mène la vie de cette maison depuis le départ de sa mère.

–J'ose vous demander de l'emmener avec moi chez mes parents demain midi. Les pauvres sont seuls...

–Elle t'appartient davantage qu'à moi. Tu sais que je vous considère comme un couple marié. Pas seulement moi mais aussi tous les Écossais.

–Je vous assure que nous irons voir le pasteur le plus vite possible.

–Si tu veux la jument et la carriole pour demain?

Donald consulta Marion du regard et d'un geste de la main ouverte. Elle acquiesça avec un sourire qui parlait fort.

–Merci! dit-il simplement à John.

Quand ils furent laissés seuls, Marion éteignit une des deux lampes, sa main gracieuse se plaçant au-dessus de son souffle, ses lèvres s'arrondissant, sa poitrine se gonflant, les reflets folâtrant dans ses boucles. Donald se noya à l'image de cette fragile expression et les tourbillons de la tendresse augmentèrent leur rythme dans sa poitrine. Et quand elle retourna vers lui, vers la berçante qu'il avait approchée de la sienne pour elle, il se leva et l'enlaça. Après s'être dit de longs secrets muets, elle prit la lampe allumée sur le manteau de la cheminée et se rendit à l'escalier qui menait là-haut suivie, dans son appel silencieux, de son fiancé qui se questionnait lui aussi. Elle le conduisit à la chambre des visiteurs, déposa la lampe sur une petite commode au gris de bois vieilli.

–Je te laisse toute la lumière, dit-elle, moi, je connais tous les coins.

Il la retint par ses mains sur ses hanches. Elle se réfugia dans ses bras, posa sa tête sur sa poitrine.

–Je pensais que... fit-il sans oser terminer sa phrase.

Elle releva la tête pour le questionner d'une sorte de regard implorant.

–Ta robe, elle est très belle.

–Tu l'avais vue?

–J'ai pas pu te le dire avant. Ton père m'a enlevé à toi.

–C'est qu'il t'aime beaucoup à sa manière.

–Tant d'amis dans les cantons, c'est incroyable et c'est formidable.

–Tu es leur symbole, dit-elle spontanément.

Ces mots inquiétèrent Donald. Quelle était donc la vraie nature de la fidélité de ses amis? Mais il chassa aussitôt cette question vaine. Un bonheur aveugle remplissait cette chambre, cette maison, leur univers: il fallait s'en gaver tandis qu'il en était encore temps. Il soupira:

–J'avais pensé que nous pourrions passer la nuit ensemble comme là-bas, dans notre havre de l'amour à la cabane.

–Les filles?

–Elles doivent déjà dormir.

Elle fit un petit signe de tête approbateur.

–Je vais rester une heure ou deux et ensuite j'irai dans ma chambre...

Ω

Au matin, Donald aida John dans ses travaux d'étable, vêtu de vieux habits prêtés. On déjeuna. Ni la fuite de Donald ni l'Ouest ne vinrent occuper l'heure. On s'apprêta à partir. John lui prêta sa toque de fourrure ornée d'une longue queue de chat sauvage. Cela aiderait à tromper Leroyer ou bien des voyageurs vantards et qui voudraient clamer qu'ils avaient rencontré le hors-la-loi.

Des frimousses noiraudes se collèrent le nez aux vitres quand le traîneau passa devant la maison des Langlois. Donald s'était reculé au fond de la banquette, caché par Marion qui conduisait la jument. Elle agita la main et les traits souriants et gelés de son visage pour saluer les enfants qui sautillèrent de joie tandis que depuis une fenêtre sous le comble, des yeux fauve suivaient la progression de la voiture noire sur le chemin blanc.

Marion mangeotta. Sophia le lui reprocha. Elle avoua qu'elle avait perdu l'appétit ou bien qu'elle avait tout à coup et à tout moment des fringales... Donald et sa mère s'échangèrent un regard qui en disait long sur l'idée qui avait traversé leur esprit. Perdue dans ses pensées, Marion fut ramenée à la table par Sophia qui se mit à lui parler de sa robe. À son tour, Donald devint songeur. Dans sa fuite éperdue, occupé tous les instants par son avenir immédiat, en homme peu responsable des alchimies créatrices du ventre féminin, il n'avait jamais réfléchi aux conséquences extrêmement pénibles qu'une combinaison de facteurs pouvait entraîner c'est-à-dire le fait que Marion tombe enceinte et celui que lui-même soit arrêté et emprisonné pour de longues années voire pendu haut et court. Le pauvre enfant serait marqué pour toujours du terrible sceau de la honte. Puis il se dit que Marion devait désirer de toutes ses forces avoir un enfant de lui, un enfant qui deviendrait l'argument sans réplique pour soutenir le projet d'exil dont elle lui parlait si souvent. Mais alors le sentiment qu'elle ressentait pour lui était-il donc si entier et sa préoccupation aussi généreuse?

Et pourtant s'il avait pu pénétrer au-delà de ce corps frêle, il aurait trouvé une âme forte qui ne se disait pas aux autres et ne se disait guère plus à elle-même. C'était pour qu'il parte qu'elle avait voulu l'épouser devant Dieu ce soir du vingt-deux juin, et pensant qu'il le ferait. Elle avait risqué d'être honnie par toute la communauté de peut-être devoir donner naissance à un enfant bâtard. Hélas, chaque mois, la grande espérance s'écoulait de son ventre pour ne venir l'habiter encore qu'à son prochain rendez-vous avec lui.

Après un moment de répit le temps du repas, Murdo retourna se poster près de la fenêtre afin de surveiller la route. Du côté de Mégantic surtout, de la maison des Langlois. Qu'il approche, ce noir sauvage et c'est lui-même qui le ferait fuir avec la carabine de son fils!

Comment répandre la paix de Noël dans toutes les âmes réunies dans cette pièce, se demanda Donald. Il interrogea une grande croix noire pendue au mur. En abaissant les yeux, il vit sa guitare accrochée et qui l'invitait. Dehors, il arrivait maintenant parfois que des tourbillons de poudre blanche s'élèvent et vrillent un moment comme des tornades issues de la neige et du froid. Le jeune homme tira une chaise, y mit son pied et entama une ballade western.

—Y a la poudrerie qui se lève, annonça laconiquement Murdo entre deux chansons nostalgiques.

La maison se refroidit. Pourtant le poêle ronflait plus fort que la rafale. De la glace apparaissait autour des châssis et au bas des deux portes. Marion dut se revêtir de son manteau. Sophia se plaignit:

–Quand le grand vent se lève, pas moyen de tenir de chaleur dans cette... maison-là.

Donald était transi; il avait les doigts gourds. Il posa sa guitare sur la table en disant:

–Il faut poser un lambris sur les lambourdes. On a le bois qu'il faut dans la grange. Le temps que les chasseurs de prime se reposent, nous autres, on va travailler, le père, êtes-vous d'accord?

Murdo avait fait préparer les planches au début de l'automne. Il savait que la maison était trop mal enveloppée, mais les événements l'avaient affaibli considérablement, et il n'avait pas eu le courage de se mettre au travail tout seul, souhaitant qu'un jour de grand froid, ils s'engourdissent tous les deux, Sophia et lui, pour qu'on les emmène dormir dans leur dernière demeure au petit cimetière de Gisla. Cette proposition de Donald relevait sa volonté et il accepta. Marion fit une objection faiblarde, entre sa peur pour son fiancé et sa pitié pour les vieux. La décision fut maintenue. Le danger était faible voire inexistant; on serait bien armés. Marion dut retourner seule à la maison. Les yeux d'un sinistre personnage la suivirent jusque chez elle.

Ω

Le lendemain, Donald se rendit à Mégantic. Il acheta des clous. Tous le reconnurent. On fut estomaqué par tant d'audace. Et toute la ville en parla.

Effrayé, terriblement choqué, le major McAulay téléphona au juge Dugas. Le magistrat refusa d'envoyer quelqu'un:

–Il saurait avant même notre arrivée... Qu'il dorme et qu'il passe des Fêtes heureuses si cela est Dieu seulement possible à un hors-la-loi assassin! Qu'il noce donc! Qu'il noce en attendant son heure... notre heure...

La major fit valoir une fois de plus son argument suprême: il était l'un des plus importants organisateurs du parti libéral dans les cantons. Rien n'y fit. Le juge coupa court en ironisant:

–Arrêtez-le vous-même et vous empocherez trois mille dollars. Trois mille dollars, c'est le prix d'une bien belle terre comme... celle des Morrison...

ΩΩΩ

Chapitre 17

Jésus, le hors-la-loi

Marion avait laissé les cordeaux lâches sur le dos de la jument. L'animal, une vieille routière des cantons, connaissait son chemin par coeur et aurait pu le parcourir les yeux fermés, ce qu'il faisait du reste la plupart du temps quand on le laissait au pas. On s'arrêta à côté de l'étable. Le retour à la maison avait été pénible pour Marion. La sécurité de son fiancé en était venue à l'obséder. Elle le voyait dans toutes sortes de pièges. Et ce jour-là, par-delà la froidure, elle l'imaginait dans une trappe de sables mouvants.

Elle commençait à croire qu'il refusait de s'aider, qu'il était à la recherche d'une sorte de martyre aussi vaniteux que vain. Et voilà maintenant qu'il donnait l'air d'un homme qui se pense plus fort que la justice du pays et qui aurait entrepris de lui faire plier l'échine. Pour une jeune fille n'ayant connu de toute sa vie que la soumission à ses parents, au Seigneur, aux lois non écrites de sa communauté, aux inéluctables de son temps, voilà qui lui apparaissait comme une entreprise sans issue.

Quand la voiture fut immobilisée, elle y demeura long-temps, engourdie dans sa réflexion brûlante, enfouie sous la robe de carriole, prostrée, sans avenir. Son père qui avait entendu les clochettes de l'attelage, crut que les fiancés étaient de retour tous les deux. Il jeta un oeil dehors mais ne vit qu'une seule tête dans la voiture et présuma que Donald avait eu un empêchement quelconque de revenir avec Marion.

La question quadrilla son front en rides verticales et horizontales. Sa bouche tira sur sa pipe qui le gratifia d'un goût cendreux; elle était morte. Il se rendit au poêle et y vida le contenu refroidi et charbonneux en maudissant l'inefficacité de la pipe. De retour à la fenêtre il vit que l'occupant de la voiture n'avait pas bougé comme s'il avait été gelé sur place. Il fallait aller se rendre compte. Était-ce Marion qui avait pris trop de vin et s'était endormie dans ses emmitouflures? Ou bien avait-on pris Donald, et Marion était-elle effondrée sous la douleur? Il prit un fanal, sortit, se pressa, arriva à la voiture, dit à sa fille:

—Veux-tu me dire ce que tu attends là toute seule? Où est Donald?

Elle émergea de sa torpeur. Il éclaira son visage.

—Resté avec ses parents.

—Rien de grave au moins? Pourquoi pleures-tu?

—Ah, toujours les mêmes raisons, vous le savez bien.

—Pourquoi n'est-il pas revenu?

—Ils vont lambrisser la maison.

—En plein coeur d'hiver?

—Donald veut profiter de ce qu'il appelle la trêve de Noël. Autrement son père ne pourra le faire tout seul et les vieux vont geler comme des cretons dans leur maison.

—Pourquoi il ne m'a pas demandé de l'aide, Murdo, durant l'automne avant les gros froids?

—Papa, ces Morrison-là, ils ont la tête plus dure que la glace, plus dure que la roche. C'est pire que de la fierté, c'est de l'orgueil maladif.

—Je le sais, je le sais bien, soupira John. Bon, va à la maison et je m'occupe de dételer.

Il mena la bête sous l'appentis, détela puis conduisit la

jument dans l'étable et revint auprès de sa fille qui n'avait pas encore bougé.

—Attends-tu de geler raide là-dedans? Viens à maison.

—Je n'ai pas froid sous cette peau.

—J'ai fait du bon thé chaud, viens.

Il l'aida à descendre. La neige durcie se plaignait sous leurs pas. Marion se raidit l'âme. Il fallait qu'elle reprenne son rôle de mère de famille.

—Comment cette histoire va-t-elle prendre fin? se demanda-t-elle tout haut avant de gravir les trois marches de l'escalier.

—Dieu seul le sait!

Elle avoua ensuite un sentiment de solitude: celui qu'elle avait devant le fait qu'elle ne trouve pas de vrais alliés dans sa lutte pour sauver Donald. Toute l'affaire lui donnait à penser à une de ces tragédies grecques dont on livrait parfois des extraits dans le Star, la Gazette ou dans d'autres journaux.

Ils poursuivirent leur échange sans entrer de suite dans la maison.

—Tous ceux qui l'aident risquent gros, soutint John.

—Ce n'est pas normal qu'il ait tant d'amis. On dirait qu'il est devenu la créature de tous, le monument à sauver, et que plus longtemps on va le soustraire à la justice, plus éclatant sera son martyre. Et lui, on croirait qu'il préfère vivre glorieusement ici qu'obscurément dans l'Ouest.

—Tes paroles sont terriblement compliquées. Tu parles comme... comme l'Écriture sainte.

—C'est justement à penser à la vie de Notre-Seigneur Jésus-Christ que je comprends mieux celle de Donald. Jésus a défié les lois de son époque lui aussi. La foule l'adulait, mais quand la soupe est devenue bouillante, alors la ferveur des gens s'est transformée en haine et en mépris.

—Les Écossais sont pas des Juifs...

–Du monde, c'est du monde.

–La décision de partir n'appartient qu'à lui; et ses amis ne peuvent rien faire de plus que de le conseiller.

–Il ne pense qu'à ne pas décevoir ses amis, à ne pas les compromettre. Mais la foule va bien finir par en demander plus, elle.

–Disons qu'il y a peut-être des gens qui pensent comme tu dis, mais il y en a d'autres qui s'inquiètent sincèrement. Norman MacAuley, par exemple, a laissé son travail dans l'Ouest pour venir aider son ami.

–On veut vraiment l'aider dans un premier mouvement mais ensuite, on dirait que les gens cherchent à se glorifier ou à glorifier la communauté. On sait que tous les journaux suivent l'affaire de près et on se laisse tenter par l'idée de faire de lui une sorte de Louis Riel écossais. Et c'est justement ce qu'il est en train de devenir.

John frissonna.

–Le vent se lève et le froid est pénétrant; entrons.

Il ouvrit; une vapeur blanche s'entortilla autour d'eux; Marion referma la porte. John dit:

–La bataille de Louis Riel était politique tandis que celle de Donald est personnelle. La cause de Riel, c'était de sauver les autres tandis que celle de Donald, c'est de se sauver lui-même...

–C'est légitime.

–Bien sûr!

–Ça montre encore plus qu'il est devenu un symbole.

–En tout cas moi, je ne l'aide pas pour cette raison.

–M'auriez-vous permis que je le rencontre secrètement si vous n'étiez pas vous-même solidaire de la grande cause écossaise?

–Voyons donc, Marion! Tu parles comme un savant. La vie n'est pas si compliquée.

Il se fit un long silence. Chacun ôta son manteau et le

suspendit à un crochet de bois dans la rangée s'allongeant depuis la porte jusqu'à l'escalier.

–Une bonne tasse de thé bouillant, ça va nous replacer les idées, tu vas voir. Viens.

L'homme avait tout le mal du monde à suivre les raisonnements nébuleux de sa fille, d'autant qu'elle venait de lui révéler un aspect d'elle-même qu'il ne connaissait pas. Elle avait parlé exactement comme quelqu'un de très instruit comme un pasteur, un journaliste, un avocat. Pourtant elle avait quitté l'école si jeune et ne savait guère plus que lire et écrire. Chaque jour, elle lisait dans la Bible et c'est cela qui devait lui inspirer des idées aussi profondes, pensa-t-il. Il se rendit à une armoire haute servant de vaisselier et en sortit deux tasses de fer-blanc qu'il mit sur la table aux places coutumières puis servit un thé bruyant, fort et fumant. Il passa sa main sur sa chevelure pour y ramener une grosse mèche qui lui pendait sur le front et contrariait ses regards. Sapant pour refroidir un peu ce liquide avant qu'il ne lui brûle la langue, il dit lentement par mots entrecoupés:

–Le... bon Dieu... qui nous voit... va... arranger... tout ça, tu... vas voir...

–Si quelqu'un sait que le bon Dieu n'arrange pas toujours les choses comme on le voudrait, c'est bien vous, papa, n'est-ce pas?

John entra dans un moment de nostalgie au souvenir de la mère de ses enfants endormie depuis tant d'années déjà mais toujours vivante dans son âme. Marion avait raison. Il se tut.

–Longtemps je me suis dit que si Donald ne m'était pas destiné, il ne serait pas revenu de l'Ouest. Mais c'était pure superstition. La vie n'est pas comme ça. Le bon Dieu ne donne pas de signes sur ses vues de l'avenir. Un être humain n'aurait qu'à tout laisser faire, non, un être humain doit se battre et se battre encore pour son bonheur. Comme Donald le fait d'une manière et à sa manière. L'important, c'est qu'il faut le faire avec discernement. Lui, il prend plaisir à tenter le diable. Imaginez-vous donc qu'il est resté chez lui pour poser un lambris à la maison comme je vous l'ai dit. Ça va se savoir! Un seul mouchard et c'est sa perte.

–Ses poursuivants sont tous partis.

–Reviendront.

–Rien qu'après les Fêtes. Les Canadiens français, de Noël à la fête des Rois, boivent, mangent, dansent, nocent; le tonnerre leur tomberait sur la tête qu'ils ne changeraient pas leurs habitudes. Ce sont des gens qui coupent le foin plus ras, qui creusent les fossés plus creux, qui parlent plus fort ou plus bas... Avant le sept janvier, Donald ne court aucun danger.

–Mais papa, les plus zélés à courir Donald sont pas des Canadiens français... Le sauvage par exemple? Je sens qu'il attend dans l'ombre et j'ai peur chaque fois que je passe devant la maison Langlois. Il me semble que ses yeux pleins de sang me regardent comme le loup regarde sa victime.

Elle fit tournoyer son thé, y plongea son regard, marmonna:

–Je suis peut-être de ceux qui n'ont jamais ce qu'ils désirent de toute leur vie.

–Dans ce cas-là, tu n'es pas toute seule de ta catégorie.

–Je ne veux pas cela.

–Alors vis au jour le jour. Ne sois pas de ces êtres qui rêvent de souffrances glorieuses comme tu dis que Donald en est un. Pense aux deux semaines que tu as devant toi et rien qu'à cela. Va l'aider à lambrisser. Ça va réchauffer la maison des Morrison et ton coeur en même temps. Et le sept janvier, on verra. 1889, considère que c'est encore loin de toi, bien loin puisqu'il reste une semaine...

Le silence s'étendit sur la pièce. Marion pensa qu'il lui fallait voir à la préparation du repas.

ΩΩΩ

Chapitre 18

La boîte à musique

Marion parla à son fiancé ce jour d'après Noël où il se rendit à Mégantic acheter des clous et autres nécessités. Elle guetta son retour. Quand il apparut sous le soleil de midi, son angoisse s'envola. Elle s'habilla en vitesse et l'accompagna chez lui. Ils furent heureux ces heures-là et le jour suivant. Donald clouait, Murdo sciait, Marion mesurait et charroyait du thé ou bien chantonnait d'une voix mariée à celle de son fiancé qui lançait dans l'air doux les notes de toutes ces ballades que son travail solitaire à garder les vaches lui avait permis d'apprendre. L'avenir, la justice, la fuite: tout leur passait bien loin par-dessus les pensées.

L'après-midi du second jour, Norman MacAuley les visita. Sophia l'invita à partager leur repas du soir. On se mit devant une table généreuse. La conversation roula bon ton. Marion questionnait beaucoup sur la vie dans l'Ouest et les jeunes gens se lançaient dans de longs récits embellis sur des personnages et des événements que d'autres avant eux avaient déjà fait entrer dans le légendaire américain de cette fin de siècle. Comment Bob Ford avait assassiné Jesse James et comment lui-même avait fini sa vie. Qui avait eu raison à O.K.Corral. Quelle avait été la vie et la mort de Belle Starr, pourquoi son fils avait obtenu le pardon généreux du président Cleveland.

—Faut dire que tout ça s'est passé aux États-Unis, répétait souvent Norman. Parce qu'en Alberta, c'est bien plus calme.

—Au Canada, les gens sont plus tranquilles, dit Marion.

Il y avait souvent échange entre la jeune fille et Norman. Donald le remarqua mais ne s'en offusqua point. Tous deux lui avaient été d'une absolue fidélité depuis tant d'années!

Norman possédait une cabane à pêche sur le lac Mégantic tout près de chez lui; il proposa une joyeuse excursion là-bas pour le jour suivant. Il viendrait chercher Donald et Marion en bacagnole.

Sa proposition fut accueillie. La vie reprenait ce cours qu'elle aurait toujours dû garder. On se débarrasserait de tout ce qui pouvait faire penser au fait que Donald était un hors-la-loi recherché, sauf des armes.

Ω

Norman vint les prendre sur le coup de midi. Il se présenta tout d'abord chez les McKinnon où il n'eut pas à diriger l'attelage dans la montée puisque Marion qui l'avait vu venir, sortit de la maison et courut jusqu'au chemin, un petit panier à provisions se balançant à son bras. L'autre la regarda courir en lui passant un véritable examen visuel des pieds à la tête, ce qui fit sourire Marion quand elle sauta sur la fonçure de la bacagnole. Il ne l'avait jamais vue habillée en homme.

—J'ai mis des vêtements de papa. Je me perds là-dedans. Ça prend de quoi d'épais si on passe plusieurs heures au grand froid, hein?

—Ah! mais on va se faire du feu dans la cabane!

—Tu veux que je retourne me mettre une robe?

—Mais non voyons! C'est que tu me rappelles une femme que j'ai connue dans l'Ouest. Elle s'habillait toujours en homme et je te jure qu'elle portait un surnom pour ça...

338

–Ah?

–Calamity Jane. Je n'ai jamais su son vrai nom. Mais elle ne te ressemblait pas du tout, hein! Elle buvait comme une éponge et je ne l'ai jamais vue autrement que soûle raide.

On vit venir un attelage depuis le tournant à quelque distance. C'était une sleigh plate tirée par deux chevaux fouettés. Le conducteur se tenait debout, jambes écartées, cordeaux retenus d'une main, extrémités lancées par l'autre sur la croupe des bêtes aux yeux exorbités remplis d'épouvante. L'homme avait la tête enfouie dans un capuchon à rebord de fourrure noire. Il cessa un moment de fouetter les chevaux et se servit de sa main de bourreau enfermée dans une mitaine de grosse laine rouge pour cacher son visage. Il eut beau faire, Marion reconnut son regard sinistre. Naseaux battants, folles, les bêtes entamaient des hennissements de désespoir que leur souffle rendu à bout faisait avorter. Dès que la bacagnole fut doublée, le personnage étrange recommença à martyriser ses chevaux avec les lanières de cuir.

–Ce gars-là arrive de l'enfer ou bien il s'en va au feu, s'exclama Norman en le regardant aller dans un nuage de neige poudreuse.

–C'est le sauvage, dit sur le ton du mépris Marion dont le teint passait du rose au livide.

Il n'en fut pas dit davantage. Chacun voulait oublier au plus vite ce démon qui faisait en sorte de ne jamais se faire oublier. On se rendit chez les Morrison où Norman alla chercher son ami. À les voir venir ensemble, Marion les imagina chevauchant côte à côte dans l'immense prairie, cernant les bêtes, les regroupant, dirigeant leur monture dans l'eau de la rivière à franchir pour y entraîner à leur suite l'entier convoi de vaches mugissantes.

Donald salua sa fiancée d'un grand geste puis il rebroussa chemin vers la maison. Il avait oublié le foie d'orignal qu'il avait mis à dégeler le matin et dont de petits morceaux serviraient d'appât pour les poissons. Norman et Marion reprirent leur bavardage en l'attendant, assis tous deux en travers de la sleigh, les pieds sur la neige tassée du chemin. Ils étaient si engagés dans leurs propos qu'ils l'entendirent à peine qui déposait le nécessaire à pêcher sur la plateforme de la bacagnole. Il les taquina:

—J'espère que je n'interromps pas une trop grande conversation.

—Devine de quoi nous parlions? dit-elle.

—De l'Ouest.

—C'est ça!

—On s'était juré d'oublier l'Ouest, l'Est, tous les points cardinaux tout le temps des Fêtes. Si ça continue, Marion, tu vas en savoir plus que moi sur le sujet.

Le jeune homme longea la voiture et s'arrêta devant eux, regardant l'un et l'autre, il dit:

—Mais c'est que vous feriez un beau couple, tous les deux, oui, ça c'est sûr!

Il avait une expression si singulière dans le visage et la voix que Marion s'interrogea. La blague était-elle moins anodine qu'elle ne le paraissait? La question fut aussitôt rejetée. Elle fit une moue qui marqua ses joues de fossettes légères. Après un moment de silence, Donald sauta sur la plate-forme et ramassa les cordeaux en disant:

—Je vais conduire. Comment il s'appelle, ton cheval?

—Ganache, picouille, le nom que tu voudras, il les comprend tous comme si c'était le sien et n'en comprend aucun s'il a l'esprit ailleurs.

—Pas l'air si mauvais!

—Ce cheval-là est assez vache pour rester les pattes prises dans six pouces de neige follette. Quand le chemin est tapé dur comme là, pas de problème, il pourrait marcher tranquillement jusqu'en Alaska.

Donald clappa. L'animal garda la tête basse.

—Tu vois: c'est un cheval qui n'a aucune fierté. Un vrai porteur d'eau!

Donald fit battre les guides sur le dos jaune. Rien n'y fit. Norman en prit prétexte pour reprendre les cordeaux car il se sentait mal à l'aise d'être avec Marion tandis que son fiancé restait seul à discuter avec une tête de cochon sur le devant de la plate-forme.

—Je vais lui montrer à se grouiller le fessier, moi!

Donald protesta, refusa de céder les guides:

—Retourne t'asseoir, je veux conduire...

—Bon! fit l'autre en haussant les épaules.

Donald clappa à nouveau avec l'intention de faire claquer les guides sur la croupe de l'animal. D'un coup sec, le cheval tira la voiture en avant. Norman perdit son équilibre et tomba auprès de Marion qui le reçut en criant et en riant:

—Tu vas nous faire tuer.

Donald jeta banalement:

—Vous seriez les troisième et quatrième à mourir à cause de moi.

Marion reprit son sérieux; elle interrogea Norman du regard. Il courba la tête et se redressa en position assise sans rien dire. L'événement survenu à Cheyenne huit ans plus tôt constituait un secret éternel que Donald seulement avait le droit de révéler à qui il voulait.

On fit demi-tour. Avant d'arriver à la hauteur de la maison des voisins, il fallut se tasser sur l'accotement pour laisser la place à une gratte lourde et large tirée par une paire de gros chevaux, et qui servait à aplanir le chemin. Le conducteur s'arrêta pour échanger. Il dit en gaélique:

—En vous voyant venir, j'ai cru que vous étiez Donald Morrison.

—Qu'est-ce qui vous a fait dire ça?

—Sais pas. L'allure!

Donald ne connaissait pas cet homme; il plissa un peu la glabelle. L'autre reprit:

—Je suis James McIntyre de Marsden.

–Et moi... Donald Morrison.

L'homme ne parut aucunement surpris et bien au contraire, il se montra content:

–Je savais que je finirais par vous rencontrer un jour ou l'autre. Grand plaisir! Si vous avez besoin d'une cachette, ma maison vous sera ouverte. Ma femme et mes enfants aimeraient bien vous connaître.

–Soyez-en remercié!

Il indiqua le lieu de sa maison et répéta son invitation en insistant sur l'honneur que Donald leur ferait en trouvant refuge chez eux ou simplement en les visitant. Le mot déplut à Marion. Un autre qui voulait partager la notoriété s'attachant au nom de son fiancé. Il lui fallait chasser cette pensée désagréable. Elle le fit. L'homme poursuivit son chemin en saluant Norman et Marion d'un geste vague et d'un signe de la tête seulement.

La pauvre Marion n'eut pas l'esprit tranquille bien longtemps. Voilà que le sauvage revenait de son court voyage. À cent pieds, il entreprit de fouetter ses chevaux comme il l'avait fait auparavant. Toujours planté sur ses deux jambes tel un conquistador suffisant et arrogant, il garda les yeux fixes et froids.

Donald avait semblable position, les pieds bien plaqués sur la fonçure, les cordeaux enroulés autour des poignets et des mitaines. Il reconnut le sauvage par son angora, pantalon de fourrure noire, et par une veste en peau d'ours dont Leroyer ne se départissait jamais l'hiver.

Comme des seigneurs de la guerre ou des élans mâles sur le point d'entrer dans un combat féroce, les deux hommes s'examinèrent, se toisèrent sans même se regarder.

Ω

Il fallut deux heures pour parvenir chez les MacAuley dont la maison était située au bord du lac Mégantic.

–Tiens, je te redonne ta ganache, dit Donald en tendant les guides à Norman. C'est vrai qu'on avait des chevaux un brin plus nerveux là-bas, hein!

Norman détella et conduisit le cheval à la grange, une bâtisse longue à lormiers recourbés tout comme ceux de la maison. Les fiancés restèrent silencieux. Ils regardaient en contre-haut du chemin des enfants qui glissaient sur des cartons dans une pente douce qui débouchait sur la baie. Il n'y avait pas le besoin de se dire quoi que ce soit. Le tableau peignait la même mélancolie dans l'âme de chacun.

–Tu as apporté combien de lignes? s'enquit Norman qui revenait.

–Dix.

–Je vais en prendre la même quantité et on fait un pari.

–D'accord! On parie combien?

–Décide!

–Marion, décide, toi!

Elle fit mine de réfléchir, son index pointant son front, dit:

–Le gagnant m'emmène dans l'Ouest.

–Bonne idée! jugea Donald.

–Ça marche pour moi, dit Norman.

Plusieurs dizaines de cabanes se dressaient sur la baie, chacune pouvant loger plus d'un pêcheur. On s'y protégeait du vent tout en surveillant les mouvements des lignes par les interstices entre les planches des cloisons. Et plusieurs pêchaient par des trous dans leur cabane même. Aux repas, l'on faisait cuire les poissons attrapés sur une petite truie de fortune fabriquée à même un baril de métal à dessus amovible, et dont le côté était percé de quelques ouvertures servant à alimenter le feu d'air, et dont l'arrière, lui, était percé d'un trou gros comme un cou d'où émergeait un tuyau de métal rejetant à l'extérieur la fumée produite.

Comme si toutes ces colonnes blanches et ouatinées s'étaient passé le mot, on sut vite dans toutes les cabanes que le fameux hors-la-loi était arrivé. En fait, la rumeur de sa présence probable à Sandy Bay ce jour-là avait circulé dès la veille à Mégantic. Partout, derrière les vieilles planches gelées, des yeux brillants et curieux se collèrent sur les murs afin de voir les cow-boys et surtout le hors-la-loi en personne, un personnage que les plus jeunes ne l'ayant jamais vu imaginaient de la taille d'un géant.

Certains pensèrent à leur sécurité et se dirent qu'un danger les guettait s'il advenait que des policiers s'amènent et que la bagarre à coups de carabine éclate. D'autres les rassurèrent en leur disant que tous les pourchasseurs avaient quitté la région. Mais tous se promettaient de le voir de près, ce Donald Morrison, et de lui serrer la main si cela était seulement possible.

Le soleil était petit, lointain mais scintillant. Le ciel coupait l'uniformité plate et blanche du lac gelé de son contraste bleu profond. Et sur la droite, Mégantic fumait paisiblement.

Le trio marcha entre les brimbales et se rendit jusqu'à la cabane de Norman. Chacun avait les bras pleins. Marion transportait son panier de provisions, en fait une chaudière contenant des biscuits, du pain, du sirop d'érable et on y avait mis le foie d'orignal. Norman portait une brassée de bûchettes de bouleau et Donald s'était chargé des lignes, d'une lanterne qui servirait à la nuit tombée ainsi que de son éternelle carabine.

Norman ouvrit la porte silencieuse accrochée sur des gonds de cuir. Il arrivait que les gens 'empruntent' les brimbales des autres en leur absence. Mais celles de Norman étaient restées là, sous le banc; il en parla:

—Bon, on s'est pas fait voler nos brimbales au moins.

Il mit son paquet à terre sur la glace près du poêle.

—Moi, je m'occupe du feu, dit Marion.

—Et nous deux, on va aller percer la glace.

Norman fouilla dans les bouts de bois sous le banc sans réussir à trouver ce qu'il cherchait. Il maugréa:

—Ah! maudite affaire, ils n'ont pas touché aux brimbales mais quelqu'un a fichu le camp avec le vilebrequin. Va falloir percer les trous avec nos doigts ou bien en emprunter un à notre tour.

Il se redressa pour demander à Marion où était passé Donald. Elle le voyait par la porte entrebâillée et dit ce qu'il avait dit:

–Il est allé admirer la nature.

Les images se superposaient dans le cerveau du jeune homme. Une chose lui en faisait voir plusieurs autres comme s'il avait été atteint de diplopie. Mariage de couleurs, de formes douces enrobées d'hiver et de liberté. Son regard bleu brillait aux souvenances nostalgiques. Il se revoyait à peu près là tant d'années auparavant, courant sur la glace avec son chien pour tirer sur une ligne au bout de laquelle se trouvait une truite ou une perchaude. Il lui arrivait de travailler tout seul sur vingt lignes à la fois et ces jours-là, il ramenait chez lui des dizaines de poissons que Sophia rendait si bons dans sa poêle habile.

Norman vint le couper de sa réflexion:

–Mon vilebrequin n'est plus là; va falloir en trouver un ou une pince de fer..

–Prends les lignes et va planter les piquets, moi, je m'en occupe.

Donald confia à l'autre ce qu'il tenait dans ses mains excepté son arme et il se rendit à une cabane voisine occupée par deux jeunes Canadiens français qui ne se firent pas prier longtemps pour lui prêter un outil de remplacement à celui qui manquait et dont on ne pouvait se passer pour traverser le pied de glace recouvrant la baie et le lac tout entier. Plus tard, quand les deux amis étaient à percer la glace et à monter les brimbales, un homme dans la cinquantaine, petit, penaud, peureux vint confesser son emprunt du vilebrequin qu'il n'avait pourtant pas avec lui. Et ce, avant qu'on ne le dénonce et qu'il ne soit obligé d'avoir à faire avec Donald Morrison. Sans trop oser poser ses regards sur le hors-la-loi, il s'adressa à Norman:

–Tu comprends, je l'ai emprunté hier. Je savais que tu l'aurais voulu; moi, je connais bien ton père et ton oncle Charlie, hein!...

–Vous ne le rapportez pas? questionna Donald en jetant un oeil vague en direction du lieu où il présuma que se trouvait la cabane de cet individu.

–C'est que... sans le faire exprès, tu comprends, je l'ai emporté à la maison avec moi hier. Il était perdu à travers mes piquets, tu comprends... Il a fallu que j'en emprunte un moi-même pour faire mes trous aujourd'hui.

Le personnage piétinait en tordant sa fragile carcasse minuscule; il combinait grimaces, hochements de tête et haussements des épaules pour exprimer une totale désolation et attirer le pardon.

–Mais je vas te le rapporter demain au plus tard; je ne suis pas un bandit, moi...

Le mot était lâché. Sous ses pieds, la glace du lac se transforma en eau bouillante. Il voulut le rattraper:

–Je veux dire... j'ai pas voulu exprès le voler... Un homme peut passer pour bandit à cause des apparences et ne pas en être un du tout, tu comprends... Une erreur, c'est une erreur, tu comprends...

Norman se montra bienveillant et Donald travaillait, un sourire caché sous sa moustache.

–Vous n'aurez qu'à le remettre sous le banc dans ma cabane!

–Demain sans faute: ça, c'est garanti!

Heureux qu'on lui pardonne aussi simplement, l'homme fit des pas de reculons en saluant:

–Attention à vous, c'est important! lui dit Donald pour s'amuser de sa réaction.

L'autre jeta sur lui un regard plein d'appréhension; il marmotta quelque chose puis se pressa en direction de sa cabane, le derrière de son pantalon d'étoffe comme tiré vers le bas par un poids quelconque.

Il fallut une demi-heure de travail d'installation et toutes les lignes furent en place, hameçons appâtés et jetés dans la nuit froide des poissons. On retourna dans la cabane. Le poêle ronronnait. Marion était assise à côté sur le banc et ne faisait rien.

Elle les regarda tour à tour, émue par le regard profond de l'un, amusée par le nez camus de l'autre. Ainsi revêtus de capots de poil, ils remplissaient un large espace au milieu de la cabane sombre que n'éclairaient, outre les raies de lumière s'infiltrant entre les planches, que de minuscules vitres trouant les murs à hauteur des yeux. Ils ôtèrent leurs mitaines et allèrent se réchauffer les mains au-dessus de la truie sans s'arrêter de discuter de pêche.

–C'est moins bon qu'il y a dix ans sur la baie, se désola Norman.

–Trop de pêcheurs! Si ça continue, en 1900, le lac va être complètement vide.

Marion aperçut une brimbale dont la canne se penchait en avant. Elle avertit:

–Ça mord de ton côté, Donald.

Il sortit et leva sa ligne. Au bout de l'hameçon, une truite arc-en-ciel se débattait de toutes ses forces pour sa liberté et pour sa vie. Le pêcheur la souleva haut pour la montrer à ses amis dans la cabane.

–Elle semble pas mal vigoureuse, dit Marion.

–C'est bon signe: ça veut dire qu'on va faire bonne pêche aujourd'hui.

–Un à zéro, fit Donald en entrant.

Il jeta le poisson sur la glace devant le poêle. La bouche déchirée, ensanglantée s'ouvrait et se refermait désespérément. La queue eut encore quelques convulsions puis l'oeil devint vitreux.

–Elle a bien douze pouces, évalua Norman.

Une brimbale bougea dans son coin aussi. Marion l'avertit. Il sortit à son tour. La truite qu'il leva se montra plus vivante que celle de Donald, mais elle était plus petite. La même chose se répéta plusieurs fois dans l'heure qui suivit. Norman prit une avance de deux poissons. Il s'arrangea alors pour rejeter quelques prises à l'eau en cachant sa manoeuvre de son corps dont la surface était doublée par les effets grossissants du manteau. De plus, en son absence, on s'embrassait parfois dans la cabane.

La faim vint avec l'heure. Norman éviscéra quelques poissons. Marion les roula dans un mélange farineux qu'elle avait préparé à la maison et mis au fond de sa boîte à provisions. Et Donald surveilla la cuisson. On mit les assiettes sur le banc. Les manteaux servirent de coussin sur la glace. On négligea les brimbales tout le temps du repas et des rires.

Donald avait perdu le compte de ses prises. Il se fiait à Norman qui avoua en mangeant qu'il n'en savait trop rien lui non plus. Il mentait. Ses lignes étaient plus chanceuses et il lui était même arrivé, en l'absence des fiancés partis en tournée des cabanes, de transférer des poissons sur le tas de son ami.

À la brunante, on décida que le concours prenait fin et on procéda au décompte final. Afin de mieux perdre, Norman avait triché à trois reprises. Pourtant il gagna, à sa grande surprise.

On le félicita. Donald lui serra la main.

–Tu prendras bien soin de Marion en Alberta... ou ailleurs, fit-il dans un sourire quelque peu narquois. Entre gentilshommes de bonne famille, il faut savoir accepter la défaite.

Chacun rit à tout cela mais sans dire exactement pourquoi il riait. Norman présuma qu'on avait dû faire comme lui à son insu. Des poissons appartenant à Donald s'étaient trouvés de son côté à lui. Qui avait fait le coup? Donald seul? Marion seule? Ou s'étaient-ils faits complices pour leurrer sans méchanceté ni risques de conséquences leur meilleur ami? En tout cas, ce petit match amical semblait avoir pris une signification particulière dans l'esprit de tous les trois.

Ω

Le dimanche suivant Marion et Donald se rendirent à l'église. De tout l'office ils furent le point de mire de l'assemblée. Le pasteur, un homme au visage bariolé de rides fines, parla de Jésus, de son abandon par les siens, de la trahison de Judas, du reniement de Pierre, et il posa souvent son regard sur le hors-la-loi. Ses paroles troublèrent Marion et elles contrarièrent John assis quelques rangées plus loin.

À la sortie de l'église, des dizaines de personnes, surtout des jeunes gens, entourèrent Donald pour lui serrer la main, l'encourager ou simplement le voir de près. Il reçut des promesses d'assistance de la part de chacun et distribua sourires, salutations, signes amicaux tel un vieux routier de la politique. Un étranger l'eût pris pour le premier ministre Mercier en personne.

Deux hommes bien armés, Norman MacAuley et Norman MacRitchie, délégués par le comité de défense du hors-la-loi, étaient postés devant la bâtisse depuis le début de l'office à y faire le guet malgré l'improbable venue d'un parti de policiers.

On se parla de la promenade en traîneau qui aurait lieu dans l'après-midi. Un tour du lac jusqu'à la rivière Arnold et retour à Mégantic.

–Un sleigh-ride de dix-huit milles, annonça Norman MacAuley.

–Marion et Donald, vous viendrez? leur cria Norman MacRitchie.

Le couple s'approcha de lui. Donald sut que ses deux amis n'avaient pas pu assister à l'office à cause de lui. Il s'en désola. On en faisait trop pour lui. Mais aussi, il se sentit flatté par toute cette attention qu'on lui portait.

On leur redemanda s'ils seraient de la randonnée. Les fiancés se sourirent et acceptèrent.

–Il y aura une quinzaine de sleighs en tout, enchérit Norman MacAuley, et jamais de ta vie tu ne seras plus en sécurité qu'avec nous autres.

On leur dit l'heure du départ, le lieu. Les deux amis de Donald invitèrent ensuite Mary et Lucy, les soeurs de Marion, à les accompagner. Marion leur donna sa permission par un signe de tête. La plus jeune irait avec Norman MacAuley qui conduirait une sleigh à deux banquettes et sur laquelle pourraient donc prendre place les fiancés.

Ω

Le départ eut lieu vers les deux heures. Des sleighs tournaient sur place, traînées par des juments nerveuses. Plus loin une ligne se forma. Des participants emmitouflés se parlaient d'une voiture à l'autre. Il y avait des carrioles, des sleighs fines, des sleighs simples et même des bacagnoles. Donald et Marion étaient ravis, assis dans la voiture sur la banquette rouge, se tenant par la mitaine sous la robe de carriole. Devant eux, Lucy et Norman bavardaient.

Un passant guilleret tenant un flacon offrit à boire. Norman accepta, essuya le goulot et se prit une rasade qui le fit grimacer puis il tendit le flacon à Lucy qui le prit dans ses mains sans savoir quoi faire avec.

–Non, non, protesta Marion. Elle est trop jeune pour ça... et puis, et puis c'est une fille...

Embarrassée, Lucy redonna la bouteille à Norman qui la tendit à Donald.

–Non, pas pour moi!

Il fit l'offre à Marion qui lui lança un regard à la joyeuse contrariété. Il haussa les épaules.

–Tant pis!

Et il remit le flasque au passant. On était tout près du champ des cabanes de pêche. Donald remarqua que celle de Norman fumait et le dit.

–C'est mon frère, répondit Norman. Mon jeune frère Willie.

–Il ne vient pas avec nous autres?

–On dirait bien que non!

Peut-être après tout que personne ne lui avait proposé de l'emmener. On décida d'aller le visiter. Norman fit avancer le cheval jusqu'à l'aire de pêche et son frère sortit de la cabane. Il s'approcha en boitant. C'était un infirme qui avait survécu à une attaque de polio. Donald lui indiqua une longue sleigh plate qui prenait la tête du convoi et il dit au garçon:

–Regarde, Willie, il y a de la place en masse dans la voiture de Pete McIver. Demande-lui de t'emmener avec nous autres.

L'adolescent avait une casquette dont les rabats étaient attachés sous son menton, ce qui arrondissait son visage et le faisait rosir. Il regarda Lucy un moment. Une lueur triste passa dans ses yeux. Il ne se sentait pas le goût d'aller avec les autres

–J'aime mieux pêcher, moi. Mes lignes sont déjà toutes étendues.

–Ah! tiens, ça mord justement, signala Norman.

Willie se rendit à la brimbale qui avait bougé. L'attelage se remit en marche en décrivant un grand cercle pour rejoindre les autres 'riders'. Norman dit:

–Celui-là, il ne veut jamais se mêler aux autres. Pourtant il est fort malgré sa jambe et il n'est pas laid, mais on croirait qu'il aime pas le monde.

–Il doit se sentir prisonnier de sa jambe, dit Donald, l'oeil absent.

Lucy tourna plusieurs fois la tête vers le champ de pêche dans l'espoir de voir Willie mais l'infirme ne regarda pas une seule fois dans cette direction. Il s'occupait de ses lignes qu'il faisait bouger l'une après l'autre afin d'attirer l'attention des poissons là-dessous dans leur royaume secret et silencieux.

Les collines boisées se succédaient depuis une demi-heure. Donald pensa à l'harmonica qui, depuis le commencement de sa fuite avait remplacé sa guitare trop voyante et encombrante, et qu'il gardait toujours sur lui. Il proposa à sa fiancée de lui faire entendre une nouvelle pièce qu'il avait apprise récemment.

–C'est que tu vas te geler les doigts.

–Ah, ah, c'est que j'ai des gants dans mes mitaines et que je vais les garder pour jouer, d'abord que c'est la bouche qui fait tout le travail musical.

Les notes s'égrenèrent comme des litanies, longues, douces, justes, et Marion les emprisonnait toutes au fond d'elle-même. Les chants joyeux des occupants d'autres voitures venaient mêler leurs accents aux plaintes de l'instrument de Donald et l'ensemble donnait une sensation d'intemporel, de lointain, d'immatériel.

Norman MacAuley réfléchissait à son avenir. Plus il restait dans l'Est, plus il désirait s'y établir à demeure. Il mûrissait et l'Ouest ayant perdu beaucoup de ses mystères avait aussi perdu la plupart de ses attraits excepté l'argent vite gagné.

Éblouie par la réflexion du soleil sur la surface glacée, Lucy avait les yeux qui cillaient. Elle tournait encore la tête mais par l'imagination seulement et apercevait Willie aux yeux bleus comme le ciel qui courait d'une sleigh à l'autre pour rattraper la leur.

À l'extrémité du lac, à l'embouchure de la rivière, la voiture de tête, une grande plate-forme finalement remplie d'une jeunesse bruyante et mobile, s'arrêta et les suivantes l'entourèrent. Une voix cria:

–On danse la bastringue.

Il y eut un mélange de cris d'approbation. Les passagers quittèrent tous la plate-forme excepté le conducteur qui obtint le silence grâce à de larges signes à mains hautes et ouvertes. Il essuya la roupie qui pointait depuis les narines de son nez vermeil et il dit d'une voix gigantesque à ébranler les solitudes américaines qui, à cet endroit, commencent au bout du regard par une ligne montagneuse:

–Les amis, les amis... j'ai quelqu'un à vous présenter, quelqu'un que vous ne connaissez pas sous tous ses angles. Il est aussi connu que le premier ministre mais dix fois plus courageux. Il connaît tout aussi bien les prairies de l'Ouest canadien que les grandes forêts de nos cantons. Il peut se battre tout seul contre douze hommes armés et les faire danser à coups de revolver. J'ai pas besoin de le nommer parce que vous l'avez reconnu. Et il va nous faire danser... Pas avec un pistolet mais avec un brise-gueule. Oui, les amis, il joue de la ruine-babines mieux que personne dans le pays. Je lui demande de venir s'asseoir sur ma chaise, ici, pour accompagner les danseurs de bastringue. Il est avec nous, les amis, notre frère des cantons, Donald... Outlaw... Morrison...Heyyyyy....

Les assistants ne pouvaient applaudir bruyamment à cause de leurs mitaines et cela fit se décupler leurs cris, les rires et les bravos. Donald se mit debout dans la voiture et il tint son harmonica à bout de bras. Les cris alors redoublèrent. McIver prit plusieurs secondes pour faire taire un peu le groupe tapageur.

–Donald, fais-nous d'abord un discours! demanda-t-il.

Une rumeur d'approbation se mélangea aux sonneries des grelots des harnais et des menoires. Donald plissa le front, ayant l'air de réfléchir tout en jetant un regard panoramique sur la solitude glacée des montagnes américaines. Puis il dit avec une ostentation composée et voulue:

–Les amis, je suis fort content de me trouver parmi vous tous...

L'expression turbulente de la joie collective l'obligea à s'interrompre. Après une pause, il continua:

–Sachez que même quand je suis seul dans la forêt, je ne suis jamais seul. J'ai votre image à tous dans ma tête, celle de mes amis, celle de ma fiancée...

Une rumeur plus douce remplit sa pause.

–Mais aussi et il ne faut pas les oublier, j'ai toujours avec moi, jour et nuit, deux belles compagnes...

De longs oh se firent entendre.

–Oui, une est toujours dans ma poche et c'est ma ruine-babines...

On rit de partout.

–Et l'autre, c'est ma Winchester.

Et il montra le canon pointé vers le ciel de sa carabine qu'il avait à ses pieds dans la voiture, prête à tout.

Des onomatopées fusèrent çà et là. Des rêves d'aventure frôlèrent en frissonnant les jeunes gens pourtant habillés d'étoffe sécurisante.

–À vous autres, je vais jouer une toune d'harmonica. Et le moment venu, je vais jouer aux policiers et au juge Dugas... une toune de Winchester.

Ce fut l'éclatement. La fierté de tout un peuple triomphait par un seul homme comme celle des Canadiens français par Laurier ou Mercier. Le hors-la-loi descendit de sa voiture puis monta sur l'autre où il s'assit sur la chaise carrée.

Marion avait souri en même temps que lui mais parfois avec des lueurs mélancoliques dans les yeux. McIver redemanda la parole:

–Marion, cria-t-il, Marion McKinnon, tu es la seule encore assise dans une sleigh. Qu'est-ce que tu attends là? Viens avec Donald, c'est ici qu'est ta place, viens...

On ovationna la jeune femme qui obéissait. Il se fit une haie d'honneur sur son passage et malgré son long manteau gris et sa cape noire, on fit d'elle la reine brillante du sleigh-ride. Elle s'assit sur la fonçure aux pieds de son fiancé.

–Maintenant, deux danseurs, ordonna alors McIver. Parce que la bastringue va commencer, hey, hey, heyyyy...

Il terminait tout juste sa phrase que l'air se remplissait de notes endiablées que Donald mesurait de ses pieds battant sur la plate-forme. Un couple y sauta et se mit aussitôt à pivoter sur la musique folle. Les mitaines disparurent dans les poches et les mains se mirent à battre la cadence.

Ω

Le surlendemain, c'était jour de l'An. Donald déjeuna chez Marion. On s'échangea des cadeaux. Elle lui offrit des bas de laine tricotés de sa main. Il lui tendit un paquet enveloppé de papier fin blanc, enrubanné d'une bande de satin bleu. Excitée, curieuse, émue, elle le déballa et trouva un joli coffret blanc incrusté de pierres rouges et de fioritures métalliques argentées.

–Ouvre! dit-il plus impatient qu'elle.

Elle obéit, la main fragile. Des notes cristallines, douces au coeur, envahirent la pièce Elle s'écria en riant comme une enfant devant la boîte à musique:

–Quelle beauté!

Il reprit en douceur:

–Ce n'est rien à comparer avec tes yeux...

ΩΩΩ

Chapitre 19

Une sauvage attaque

Dès les premiers jours de janvier, Donald dut retourner à la clandestinité. Les détectives s'étaient remis à rôder dans Mégantic et les chasseurs de prime, comme des loups affamés, hantaient à nouveau les endroits publics, les routes, l'avenue Maple. Quelque chose au fond de lui disait à Donald que cette chasse à l'homme prendrait fin bientôt mais il ne parvenait pas à imaginer de quelle manière.

Accaparé par l'exercice de ses fonctions, retenu à Montréal, le juge Dugas délégua son pouvoir à Carpenter qui resta lui-même là-bas sur ordre de l'administration municipale, les Montréalais exerçant des pressions de plus en plus fortes sur leur maire et les conseillers afin que cesse une chasse aussi coûteuse que stérile. Renseignés par la presse, les citoyens contrariés se demandaient avec une insistance grandissante pourquoi ils avaient à faire les frais d'une histoire qui ne les concernait aucunement. Pourtant McMahon fut dépêché une seconde fois à Mégantic aux frais des Montréalais et à leur insu. Le maire ne voulait pas risquer que certains octrois à la ville soient coupés faute d'avoir répondu aux demandes du premier ministre. On savait, et le maire Grenier le premier, que Mercier en avait plein les bras et ne pouvait s'occuper de la déplaisante affaire Morrison. Toute l'attention du premier ministre allait d'ailleurs à un jugement rendu quand à la contestation électorale du comté de Laprairie. Semblait-il que les juges ont formellement constaté le vote des morts. Ils ont annulé l'élection du député et condamné son organisateur en chef à quatre cents dollars d'amende.

Ce ne sont pas les seuls soucis qui harcèlent le chef. De gros noms, de Boucherville et le juge Routhier démissionnent du Conseil de l'Instruction publique et doivent être remplacés. De plus, il faut préparer la session qui s'ouvrira le neuf. Il verra à y faire affirmer sa doctrine consistant en deux phrases. «La source des pouvoirs ne va pas du Canada aux provinces, mais bien des provinces au Canada. Elles sont constituantes; il est constitué.»

Puis la question des frontières septentrionales préoccupera le premier ministre comme jamais. Il va écrire lettre sur lettre à ce sujet. Le provincial cherche à discuter avec le fédéral des frontières devant séparer le Québec nordique de l'Ontario et du Labrador. Sir John A. MacDonald, premier ministre du Canada, traite l'affaire à la légère, prend des voies pour éviter de la régler, la noie dans des questions plus importantes et surtout dans ses flasques d'alcool.

Ω

Il devint notoire que Leroyer et McMahon travaillaient de concert sur l'affaire Morrison. On les avait souvent aperçus ensemble sur la route en patrouille ou bien attablés à l'American Hotel. Le sauvage avait dû montrer à tous son vrai visage. On crachait devant lui. Le mépris s'allumait dans les yeux de ceux qu'il rencontrait. En même temps, il était craint à cause de son étrangeté et on n'allait pas plus loin dans les manifestations de haine à son égard. Et lui se disait qu'après avoir empoché sa part de la prime, il quitterait la région pour toujours.

McMahon, un homme séduisant, put recueillir maints renseignements sur les agissements récents du hors-la-loi. Et Leroyer y ajouta les siens qu'il avait glanés en gardant les oreilles à l'affût autant dans les lieux publics que chez les

Langlois.

Les deux hommes se redirent dix fois que la meilleure stratégie pour attraper le fugitif consistait à frapper vite, sans sommation, jamais au même endroit et dans des circonstances propres à décourager les autres chasseurs de prime. C'est la forêt qui livrerait le criminel, pas la route ou les habitations.

Des buveurs, de ceux-là même qui avaient provoqué Jack Warren et lui avaient mis la carotide dans la trajectoire d'une balle mortelle, s'amusaient à tourner les policiers en dérision. Ils exagéraient tous les gestes du hors-la-loi, affirmaient qu'il se promenait en ville trois fois par semaine, toujours déguisé d'une manière nouvelle. McMahon et Leroyer en vinrent à suspecter tout homme qu'ils ne voyaient pas de face.

Un soir, un badaud accoudé au bar et qui cherchait à se faire valoir confia à McMahon:

–Les amis, j'ai vu Morrison au village pas plus tard qu'aujourd'hui. Il est venu au magasin s'acheter des choses pour la pêche sur la glace. Il faisait semblant de boiter. Il a frôlé trois policiers pas moins.

McMahon ridiculisa son interlocuteur:

–Et à la même heure, il se trouvait aussi à North Hill, à Stornoway, à Lingwick et à Whitton.

Puis il confia au sauvage à voix basse:

–Cette piste-là est peut-être bonne. On dit que Morrison est allé pêcher plusieurs fois sur le lac durant les Fêtes. C'est le major McAulay qui me l'a appris.

–Trop de monde là-bas, objecta Leroyer.

–Facile pour un homme de se cacher quand c'est plein de monde autour de lui. Tu devrais venir vivre à Montréal une semaine ou deux et tu verrais.

Ω

Le lendemain, McMahon chercha à en savoir plus. Il apprit que Morrison s'était bel et bien rendu à Sandy Bay avec sa fiancée pour pêcher à la cabane de Norman MacAuley. Il retourna à l'hôtel pour s'y adjoindre le sauvage qui n'habitait plus chez les Langlois car ces braves gens l'avaient chassé le jour même où ils avaient appris que Leroyer cherchait à perdre Donald Morrison.

Afin d'abuser les gens les deux hommes prirent la direction opposée à celle menant à Sandy Bay et longèrent donc le lac du côté est dans leur habituelle wagon-sleigh tirée par deux chevaux. Deux milles plus loin, ils traversèrent carrément le lac et revinrent vers le nord par le chemin de l'ouest pour parvenir finalement à l'aire de pêche qu'ils observèrent longuement, cachés derrière un monticule boisé. Il leur fut donné d'apercevoir deux individus à une cabane dont l'un avait la démarche d'un infirme. On ne put l'identifier car il portait une canadienne avec capuchon. Portait-il moustache? On crut que oui. On voulait en voir une. L'homme était leur homme.

–Qui est avec lui? demanda McMahon.

–Probablement Norman MacAuley. Je les ai aperçus ensemble à Noël...

–Faire face à ces deux cow-boys-là pourrait s'avérer pas mal dangereux, réfléchit tout haut McMahon.

–Faudra attendre que l'oiseau soit tout seul.

–Ça prendra peut-être du temps, mais c'est ce que nous allons faire. Chaque jour, on va venir ici surveiller. On finira bien par le surprendre.

–On pourrait aller chercher du renfort.

–Et séparer la prime? Pas question! Pire, qu'elle soit versée à la ville de Montréal? Non pas! Mille cinq cents dollars nous parlent et nous disent de bien préparer notre capture et nous allons le faire.

Ω

Le lendemain, ils revinrent au même endroit après avoir pris les mêmes précautions. Les pêcheurs parurent peu nombreux. Et il n'y avait personne à la cabane de Norman

MacAuley. Le jour suivant était un samedi, le vingt-six janvier 1889. Leur patience fut récompensée. Le pêcheur boiteux était visiblement seul à la cabane. Il ne se trouvait pas plus d'une douzaine de personnes dans l'aire de pêche. On établit un plan d'attaque. Quand le hors-la-loi commencerait à ramasser ses lignes, ce serait le moment de frapper. On attacherait une sorte de bélier à la sleigh et on pousserait les chevaux à leur maximum en dirigeant l'attelage droit sur la cabane du pêcheur quand il se trouverait à l'intérieur occupé à ranger les piquets. À cinquante pas de l'objectif, on se jetterait hors de la voiture dans la neige, chacun de son côté et chacun pointant sa carabine vers la cabane en attendant que le cow-boy en sorte.

Celui-là qu'on prenait pour Donald surveillait ses lignes. Une fois de plus il pensait à cette jeune fille si belle qu'il pouvait voir parfois à l'église ou au magasin et qu'il savait être la soeur de Marion McKinnon, elle-même connue maintenant à Mégantic malgré la distance de Marsden, à cause de sa relation avec le hors-la-loi et du journal le Star qui avait publié sa photo. Une photo que Willie avait découpée et qu'il gardait religieusement dans sa chambre. Il avait cru défaillir quand il l'avait vue à la promenade en traîneau et il avait souffert de la voir avec Norman.

Ce jour-là, Norman avait perçu l'intérêt de Lucy pour Willie et à son retour lui avait dit que la jeune fille ne s'était guère amusée et que ça l'avait embarrassée de se trouver avec un gars beaucoup trop âgé pour elle et qu'elle avait déclaré qu'elle aurait préféré rester à la pêche... «Elle reluquait tout le temps de ton côté,» avait-il confié au jeune infirme.

Alors des rêves insensés étaient venus remplir le coeur et l'imagination de Willie. Comme il faisait partie d'un réseau de patrouilleurs organisé pour la protection du hors-la-loi, il s'arrangeait pour être dépêché du côté de Marsden. Et Norman, muet complice, lui donnait des messages à livrer à Marion. Il se rendait chez les McKinnon, refusait de s'asseoir et repartait sans avoir osé lever les yeux sur Lucy. Comment donc pourrait-elle s'intéresser à un infirme? Lucy avait dix-sept ans et donc l'âge de se marier. Quelqu'un, bientôt, l'approcherait, la fréquenterait, l'épouserait...

Qu'aurait-il pu lui offrir? Maintenant que Norman était revenu de l'Ouest, c'est lui peut-être qui reprendrait la ferme paternelle. Même sans ça, confierait-on une ferme à quelqu'un qui n'était même pas capable de grimper à une échelle ou de marcher sur du foin mou ou encore attraper une bête nerveuse? Et puis Norman avait beau dire qu'il repartirait quand Donald se serait décidé, il se disait autour de lui qu'il avait de plus en plus l'intention de rester...

Le sauvage et McMahon finirent de fixer leur drôle d'appareil à la voiture. C'était un long madrier de la fonçure que l'on avait attaché à un bonhomme et barré dans l'autre à l'aide de la corde apportée pour ficeler le prisonnier. La partie excédant la largeur de la sleigh frapperait la cabane de plein fouet, la jetterait par terre et la démolirait peut-être entièrement. Avec la moindre chance, son occupant serait assommé et il ne resterait plus qu'à le cueillir comme un fruit mûr tombé d'un arbre.

La pêche fut bonne, pensait Willie en ajoutant un nouveau poisson sur le tas près du poêle qui s'éteignait doucement. Il regarda dehors par la porte à demi ouverte, vit l'horizon qui montait à la rencontre de la brunante. Le moment de s'en aller était venu.

Et pour McMahon, le moment était aussi arrivé. Il calcula le temps. Avec des chevaux lancés à vive allure, il faudrait cinq minutes pour atteindre la cabane. On monta sur la plate-forme basse. Leroyer prit les guides et l'autre les carabines, de vieilles mais efficaces Henry .44 à levier d'armement dont le magasin pouvait contenir douze cartouches. Chacun portait des gaines à bretelles dissimulant deux pistolets et comptait même sur une ceinture conventionnelle avec Colts. Leur arsenal était à la mesure de la réputation qu'ils allaient maintenant affronter.

On s'était donné la consigne du silence c'est-à-dire un minimum de bruit afin de n'attirer l'attention que du moins grand nombre de personnes possible. Leroyer se contenta de simples coups de guides retenus sur les croupes des chevaux, une bête lourde et plutôt lente, et l'autre plus fringante. Il retint ce cri hideux qui le caractérisait quand il lançait un attelage en avant. Quatre pouces de neige récente assourdissaient le bruit des sabots.

La lance improvisée pointait, branlante, menaçante. Elle risquait de se rompre au premier choc, mais un seul coup suffirait à dérouter et probablement assommer l'adversaire. L'attelage s'engagea à fine épouvante sur l'aire de pêche. L'on s'était tracé un chemin mentalement depuis la colline afin d'éviter les autres cabanes et c'est là que Leroyer dirigea les bêtes qu'il conduisait adroitement entre les brimbales. Fauchées par la gaule, quelques-unes volèrent en éclats. Quelques pêcheurs hébétés regardèrent passer cet étrange véhicule destructeur sans avoir le temps de comprendre ce qu'il faisait là. D'autres brimbales sautèrent dans des bruits secs et qui ne portaient pas loin.

Dans la cabane visée et de laquelle les chasseurs de prime approchaient avec au coeur une certitude de plus en plus grande de victoire, Willie achevait de compter ses truites. Il en ramènerait chez les McKinnon le lendemain. Son coeur vibra plaisamment à cette idée. En même temps, il entendit des craquements bizarres, des hennissements retenus...

Le sauvage fouettait maintenant les chevaux avec rage. Emporté par l'instinct primitif de son animalité à fleur de peau, il jeta son cri, en fait son cri se jeta de lui-même hors de sa bouche. C'était une sorte de hurlement rauque, de vocifération caverneuse qu'il lui arrivait parfois sous le couvert de la forêt d'expulser de sa poitrine après qu'il eut avalé quelques rasades de whisky.

Agenouillé derrière sur une lisse de la sleigh, McMahon se laissa glisser sur la glace et la neige modéra sa vitesse. Aussitôt arrêté, il tira un coup de carabine en l'air afin d'ajouter à la pagaille générale. À vingt pas du but, Leroyer se défit des cordeaux, il attrapa sa carabine qui sautillait sur la plate-forme et il se jeta du côté opposé à la gaule.

Willie redressait l'échine quand soudain l'univers se mit à tournoyer. Un souffle géant s'abattait sur lui et le transportait en le bousculant tandis qu'un bruit mat se répercutait dans sa tête comme en écho... Les chevaux venaient de frôler la cabane que le madrier avait ensuite frappée et projetée plusieurs pieds plus loin.

Le sauvage se releva et courut vers son compagnon. Soudain son pied s'enfonça dans un trou que le gel n'avait pas refermé et entraîna son corps au sol en même temps qu'un choc bizarre lui parvenait depuis sa jambe. Quand il voulut se relever, il comprit qu'elle s'était brisée.

Le heurt fit se tordre la voiture. Il se répercuta dans les attelles, créa un contrecoup dans les harnais et, s'ajoutant aux bruits insolites et à la terreur créée par les coups de fouet de la dernière partie de la course, rendit folles les bêtes qui, lorsque le madrier fut dégagé du poids de la cabane, décrivirent un arc de cercle et firent ainsi demi-tour.

Leroyer se traînait misérablement sur la glace. Un danger mortel courait maintenant vers lui. Il le sentit, se retourna. Les chevaux l'évitèrent et lui chercha à éviter la gaule en essayant de sauter plus loin mais la glace le piégea une seconde fois. La jambe brisée ne suivit pas assez vite et fut frappée encore et brisée une seconde fois. Il bascula en arrière, tomba à la renverse et sa tête heurta la glace. Toute blancheur devint noirceur.

McMahon évita la voiture. Il laissa tomber sa carabine et accourut...

Willie sentit une douleur atroce à sa main gauche. Un tison sorti du poêle renversé le brûlait cruellement. De la fumée remplissait sa gorge et ses poumons. Il toussait. La cabane avait pivoté trois fois sur elle-même en position debout, entraînée par le madrier, s'était tordue pour ensuite s'immobiliser, cassée en avant, appuyée sur sa porte écrasée.

La maigre ouverture sous le mur arrière aussi bien que celle de la porte étaient trop étroites pour laisser passer un homme, même rampant. Willie était prisonnier. L'asphyxie frappait déjà durement à la porte de ses poumons. Il empoigna alors le morceau de soutien d'un mur et, les forces décuplées par son instinct de survie, aidé par les puissants muscles de son dos, il souleva la cabane et la renversa sur son autre face. Il s'y appuya et se remit sur ses jambes en cherchant à comprendre ce qui s'était passé et que dans un moment d'irréflexion spontanée il avait pris pour un effondrement de la glace.

Les chevaux poursuivaient leur course effrénée, saccageant tout sur leur passage. Ce sombre attelage semblait sorti tout droit de l'enfer et on eût dit qu'il était dirigé dans le désordre par quelque démon en révolte contre Lucifer.

L'adolescent vit les deux hommes sur la glace; il crut à un accident. Les chevaux avaient dû prendre le mors aux dents. Un homme était visiblement blessé. Il marcha dans leur direction.

McMahon le vit. Il jeta un oeil vers sa carabine. Peine perdue, pensa-t-il. Le hors-la-loi pourrait le tuer vingt fois avant même qu'il ne puisse la toucher. Prendre un pistolet sous ses vêtements était aussi hors de question. Restait la fuite. Morrison ne tirait pas dans le dos de ses adversaires. Il fallait trouver au plus vite un refuge dans une cabane et que le diable emporte le sauvage au fin fond de son enfer! Il courut jusqu'auprès d'un vieil homme tout étourdi par ce qu'il venait de voir.

–C'est Morrison... c'est Donald Morrison, fit le détective en état de panique, désignant Willie.

–Qui l'a abattu? demande l'homme qui prenait Leroyer pour le hors-la-loi.

–L'homme tombé, c'est Pete Leroyer, Morrison, c'est l'autre, le boiteux.

–Vous êtes malade ou quoi? Le boiteux, c'est Willie MacAuley, ce n'est pas Donald Morrison. À qui sont ces chevaux fous? Qu'est-ce qui s'est passé?

À la dernière cabane frappée, le madrier se brisa. L'attelage quitta l'aire de pêche. Sans vacarme derrière eux, sans contrecoups sur les harnais, fatigués, devant l'étendue immuable du lac blanc, il s'immobilisa à quelques centaines de pas.

L'énormité de la bourde qui venait d'être commise par lui-même et son associé sauta à l'esprit de McMahon en même temps que son regard ramassait les images du saccage. Il fallait essayer de se rattraper...

–C'est que... nous étions à la poursuite de Morrison et nos chevaux se sont emballés. C'est un accident, rien qu'un accident...

Il retourna auprès de son compagnon en répétant à ceux qui accouraient qu'il s'agissait d'un malencontreux accident. Il le dit aussi à Willie qui était penché sur le sauvage pour lui porter secours:

–Maudite belle affaire, hein! On a échappé nos chevaux.

–Il n'est pas mort, mais faudrait faire quelque chose sinon il va mourir gelé, dit Willie qui tendit la main à McMahon afin de pouvoir se redresser.

–Je m'en vais rattraper les chevaux et le transporter à Mégantic, dit McMahon.

Il obtint l'aide d'un jeune pêcheur et ramena l'attelage. À son retour, un attroupement s'était formé autour de Leroyer qui n'avait pas encore repris conscience. Willie avait recouvert le blessé de sa canadienne. On le mit sur la plate-forme. McMahon fit ressortir l'urgence de la situation. Il fallait aller voir le docteur au plus vite. Et il s'empressa de partir, mécontent d'un côté mais heureux de l'autre de se sortir à si bon compte d'un tel merdier.

À la nuit tombée, quelqu'un réunit les pêcheurs. En plusieurs déjà, passé la surprise, la lumière s'était faite. La vérité leur éclatait au visage avec un peu de retard. Un policier et un chasseur de prime à la poursuite de Morrison avaient tout simplement mis à sac leur petit monde et ces gens-là avaient filé sans payer les pots cassés. Qui le ferait?

En réalité les dommages étaient minimes par rapport à l'injure. Chacun pourrait réparer en quelques heures. Mais on résolut de donner une leçon aux forces policières, et le soir même, deux porte-parole furent envoyés à l'American Hotel pour déposer une réclamation aux coupables au nom de tous. On exigeait cent dollars par cabane endommagée. À défaut de réparation dans les dix jours, action en justice serait prise contre les responsables. On évoqua même la possibilité d'une plainte au criminel.

Le mardi suivant, sous la plume de Spanjaardt, le Star titrait: Saccage à Mégantic. Les élus de l'administration de Montréal s'approchaient dangereusement d'un marais tout rempli d'une flore visqueuse.

Ω

Pendant l'action idiote menée par McMahon et son associé, le hors-la-loi, lui, se trouvait à vingt milles de là chez un cousin de Marion qui le cachait pour quelques jours.

Après ce gâteau du bonheur du temps des Fêtes, dont les fruits avaient été amour, liberté et tendresse, Donald se sentait maintenant la proie d'une bien profonde solitude. Seul, il l'était encore cet après-midi-là dans son étroit réduit sombre, assis au bord d'un lit bas et dur, se remémorant l'exquisité des heures passées dernièrement en compagnie de Marion.

Sur une table bancale faite de bois équarri par une hache malhabile, se trouvait un grand verre contenant du lait de beurre. Il en avala une gorgée, grimaça. Il avait en horreur ce petit lait ribot et ne le buvait que pour ne pas déplaire à ses hôtes. Ensuite il posa un long regard chagrin sur la brunante extérieure, ce moment de la journée où la nostalgie s'emparait de lui le plus fort. Il remit le verre sur la table, prit son harmonica et se mit à jouer une mélodie aux interminables mélancolies.

ΩΩΩ

Chapitre 20

La voix politique

Debout près d'une immense table en U brillamment éclairée, couverte de vaisselle étincelante, de rutilante verrerie et d'argenterie, une cantatrice levait son verre en égrenant de sa voix de cristal les notes de Libiamo de La Traviata.

À sa gauche, animé d'une totale satisfaction, le premier ministre Mercier souriait de son plus large sourire, tel celui qu'il avait deux ans auparavant presque date pour date, alors qu'après la démission de Taillon défait à une récente élection mais accroché au pouvoir, le lieutenant-gouverneur l'avait chargé, lui, le chef libéral, de former un cabinet.

Cette même table réunissait tout le gratin de l'élite québécoise: des ministres, le curé Labelle, un jeune avocat brillant nommé Thomas Chapais et, culture oblige, un poète reconnu, Louis Fréchette.

Mercier recevait à dîner.

Amoureux du faste, mégalomane, le premier ministre aurait bien sacrifié dix mille votes pour associer son nom à celui d'une si brillante étoile du domaine des arts et qui était admirée dans le monde entier, sans compter que l'illustre prima donna était une amie intime de la reine Victoria qui la comblait d'honneurs et de faveurs.

Artiste canadienne-française de renommée internationale, vivant à Londres depuis sept ans, Albani avait connu un immense succès au Québec avant son départ pour l'Europe en 1882. Venue au pays pour donner trois concerts, elle avait triomphé dans une salle montréalaise les vingt-six et vingt-neuf. Cédulée à Québec en soirée du trente et un, elle avait voyagé d'une ville à l'autre dans un wagon spécial mis à sa disposition par les autorités du Pacifique. Mercier lui-même flanqué du maire Langelier de Québec s'était rendu à la gare pour l'accueillir et la conduire au plus somptueux hôtel de la vieille capitale.

En fin d'après-midi, elle avait assisté dans un fauteuil spécial près du fauteuil du président, à une partie de la séance de la Chambre. Il y avait été question, mais très brièvement, de l'affaire Morrison. Le procureur général avait promis à l'opposition de faire le point sur le sujet le jour suivant. Cela avait aiguisé la curiosité du premier ministre, peu au fait du dossier ces derniers temps. Il n'avait pas eu l'occasion de demander au procureur la raison qui lui avait fait repousser la question au lendemain. Car madame Albani avait requis toute son attention jusqu'à leur arrivée dans cette pièce où un vin d'honneur avait été servi. Tandis que la cantatrice et Fréchette devisaient en se flattant mutuellement, Mercier tourna la tête, fit signe à Turcotte de s'approcher, le questionna à l'oreille:

–Quoi de nouveau dans l'affaire Morrison?

–Petit problème au pays des Écossais...

–C'est-à-dire?

–Un saccage...

–Je sais, j'ai lu dans le Star. Si on ôte le jaunisme, il reste quoi?

–Quatre ou cinq cabanes de pêcheurs tournées à l'envers. Quelques planches cassées...

–Où est donc le problème?

–Ils sont une douzaine à réclamer cent dollars chacun.

–Et après?

–Ils veulent prendre des procédures contre la ville de Montréal et contre le gouvernement. Le maire Grenier est furieux; il veut rappeler tous ses hommes définitivement.

Mercier serra les mâchoires et jura entre ses dents:

–Christ!

Puis il lissa sa moustache, plissa les yeux, marmotta:

–Faut absolument régler ça en dehors la cour, Arthur, pour éviter le bruit. Que la province paye pour ces maudites cabanes! Qu'on évite de se frotter aux Écossais et surtout aux maudits journaux anglophones!

Le procureur fit un signe de tête affirmatif.

–Hors... cour... vous avez compris? répéta Mercier.

Lorsque le banquet fut commencé, la diva dit à son voisin, la voix digne et officielle:

–Cher monsieur Mercier, vous ne buvez guère.

–Ça m'est défendu, répondit-il avec un regard oblique sur la coupe que la femme portait à ses lèvres rouges.

–Ah? fit-elle juste avant de boire.

–Diabète... Oh! rien de bien grave! Rien d'avancé et donc de dangereux. Mais on m'a dit qu'il vaut mieux se montrer prudent...

–Dites-moi, qui donc est ce Donald Morrison dont on parle sans en parler? Secret de gouvernement?

–Un fou dangereux qui a la tête pleine de vif-argent en attendant d'avoir les ailes pleines de plomb.

–Mais encore?

–C'est un hors-la-loi... un bandit écossais qui défie nos forces de l'ordre.

Elle fit tournoyer le blond liquide devant ses yeux qui brillaient de jeunesse et de satisfaction.

–Étonnant!

–C'est que l'homme est protégé par un groupe de ses

concitoyens qui se moquent de la justice et...

–Et ce Riel dont on a tant parlé dans les journaux de Londres il y a quelques années, qui était-il vraiment?

–Riel? Mais madame, un martyr! Victime des Orangistes. Oh! madame, que je pourrais vous en dire long sur cette histoire! Un coup de poing en plein plexus solaire de notre race!...

Le ton montait. La voix devenait politique, électorale...

ΩΩΩ

Honoré Mercier

Premier ministre du Québec de 1887 à 1891. Ardent défenseur de Riel contre le système judiciaire, il sera pourtant en faveur du système contre Donald Morrison. Deux poids, deux mesures!

Chapitre 21

Mort ou vif

La vie errante pesait de plus en plus lourd sur les épaules et le coeur du hors-la-loi. La solitude l'accablait, l'inquiétude pour ses amis le démoralisait et les images qu'il se faisait de Marion l'attristaient au plus haut point. Et cette sauvage attaque contre le pauvre Willie MacAuley l'avait choqué, bouleversé.

En février et en mars, une insondable et inavouable motivation le poussa à s'enhardir. Plusieurs fois, il frôla le danger comme à dessein. À deux reprises il donna rendez-vous à John Leonard en des lieux peu sûrs et sans même alerter son comité de défense. Une première fois, la rencontre eut lieu dans l'entrepôt d'un magasin de Mégantic et la seconde se passa en plein bar dans un hôtel de Scotstown. Quelques amis veillaient sur lui cependant, et malgré lui.

Ces rencontres rebâtirent un peu l'image qu'il se faisait de la justice. Leonard lui avait inspiré une grande confiance malgré leurs différences de points de vue. L'avocat l'avait incité à se rendre mais il l'avait fait dans la sincérité et le respect.

Au lendemain d'une tempête qui avait barré les chemins un peu partout de grosses lames de neige durcie, par un après-midi de grande froidure, Norman MacRitchie reconduisait le fugitif à un village voisin lorsqu'il vit venir une voiture aux airs suspects.

—On dirait un détachement de policiers, dit-il à son passager. Prends ma place et les guides et mets ton capuchon.

MacRitchie resta debout. Il se rendit compte qu'il s'agissait bel et bien de policiers. Il le dit à Donald puis sauta sur le chemin et marcha vers les arrivants en leur faisant de grands signes des bras. Et il criait:

—Je vais vous aider pour la rencontre. Je vais guider votre cheval.

Les lames aux arêtes pointues ne supportaient pas toujours les sabots de l'animal et la voiture risquait de se renverser si elle ne zigzaguait pas afin de franchir en travers les bancs de neige. Il prit leur cheval par la bride et le guida. Et à quelques pas de Donald, il lui cria:

—Bouge pas de là, John!

—O.K.!

Et quand ils passèrent, Donald leur dit sans trop les envisager:

—Le damné chemin est impraticable. Faudrait plusieurs bons roulages et la gratte du père McIntyre.

Ces hommes étaient des anglophones. Ils comprirent, acquiescèrent sans se poser de questions sur ce voyageur qui, du reste, n'en suscitait pas. Puis ils remercièrent MacRitchie de sa courtoisie.

Ω

Quelques jours plus tard, une fouille eut lieu là même où se cachait le hors-la-loi. Il ne put échapper à la vigilance des limiers qu'en se dissimulant bien derrière une lambourde dans l'entre-toit.

Une fois encore il fallait trouver un nouveau refuge et s'éloigner de Mégantic le plus possible. Il se rendit à Scotstown où une famille MacLeod lui donna abri.

Un après-midi, il accompagna le fils de la maison au

magasin général. S'y trouvait un voyageur de commerce fraîchement arrivé de Montréal et qui se réchauffait près du poêle au milieu de la pièce en jacassant sur l'inépuisable sujet de l'affaire Morrison. Des habitués de l'endroit écoutaient paternellement les opinions vaniteuses de l'homme dont les paupières ne cessaient de clignoter comme si chaque exagération eût été accompagnée d'un tic nerveux.

–Dans un pays civilisé comme le nôtre, c'est impensable qu'un homme puisse défier la loi pendant des mois. Ils ont sa description, son portrait et plusieurs l'ont même vu et ils sont incapables de le reconnaître. Des bons à rien, ces policiers! Et dire qu'on paye pour ça!

Un vieil homme sec à barbiche blanche demanda:

–Tu pourrais le reconnaître et l'arrêter, toi, mon jeune?

–Pas besoin d'un génie! On voit la face du hors-la-loi dans tous les journaux depuis six mois.

Il arriva à Donald de venir se placer juste à côté de l'étranger pour se réchauffer les mains. Il garda le silence, écouta les palabres de l'autre. Puis il vida les lieux avec son compagnon et sans dire un seul mot.

Le vieil homme adressa au marchand un clin d'oeil malicieux et demanda:

–Tu les connais, toi, ces gars-là qui viennent de sortir?

–Sûr! L'un est Angus MacLeod de North Hill et l'autre, c'est le hors-la-loi de Mégantic, Donald Morrison lui-même.

Le visage du voyageur se vida de toute sa couleur. Jusque ses mains qui devinrent exsangues et se mirent à trembloter. À la fois incrédule et terrorisé, il réussit à bredouiller quelques paroles d'une voix glapissante:

–Fait froid comme c'est terrible! Je pense que je vais retourner à mon hôtel, moi.

Il salua à peine, sortit, rasa les murs jusqu'à l'endroit où il logeait. Il y prit aussitôt connaissance de l'horaire des trains de la semaine.

Ω

Enhardi, Donald l'était, certes, mais pas au point de prendre le risque d'une rencontre avec sa fiancée. On l'aurait coffré sur l'heure. L'absence de Marion, cette séparation insupportable firent de lui un ardent épistolier, ce qui, hélas, n'assouvissait ni sa chair ni son coeur.

Norman MacAuley agissait comme courrier. Donald le préférait à tout autre pour remplir cette tâche. Norman était fiable, fidèle, toujours armé et capable comme pas un de semer un poursuivant. Et puis il y avait une autre raison, encore indéfinissable, mais qui incitait le hors-la-loi à demander ce service à Norman.

La Marion ressentait une grande émotion chaque fois que Norman se présentait chez elle. Il lui apportait toujours un mot, une lettre douloureuse mais combien belle, de la part de son fiancé.

Une la fit pleurer pendant des heures. Dix fois elle s'enferma dans sa chambre pour la relire. On entendait des sanglots depuis la cuisine. John alors s'effaçait, sortait de la maison pour respecter ce chagrin si lourd. Lucy se renfermait dans sa propre chambre pour y boire en silence à une grande coupe de tristesse remplie de souvenirs de sa mère, de son sentiment naissant pour l'infirme de Mégantic et de toute cette affliction qui noyait littéralement se seconde mère, Marion. Et Mary soupirait, désolée, impuissante. Toutes ces affaires de coeur lui apparaissaient inutilement compliquées.

Quant à Norman MacAuley, c'est de plus en plus ému qu'il se rendait chez Marion. Il partageait son désarroi, cherchait des moyens pour le faire s'amenuiser. La seule et la meilleure façon était, bien entendu, de lui faire rencontrer son fiancé et c'est pourquoi, le troisième samedi de février, il organisa une soirée chez John Hammond, un fermier de Spring Hill qui hébergeait le hors-la-loi pour quelques jours.

Norman y conduirait Marion. Sauf elle, personne ne saurait d'avance que Donald serait de la fête. Norman jugea que les policiers pourraient toujours intercepter les voitures se rendant à la ferme mais qu'ils n'oseraient pas venir troubler la veillée. Et les fiancés pourraient passer ensemble plusieurs heures agréables.

Pour tenir les chasseurs de prime à distance, eux qui ne respectaient rien et voyaient leur proie partout, Norman avait voulu que deux gardes armés dont lui-même restent en sentinelles à la porte toute la soirée. Donald avait refusé carrément. Tous s'amuseraient ou bien il ne serait pas de la fête.

Ω

Norman ne se prêtait guère aux danses. Il s'inquiétait. Pas une seule voiture n'avait été interceptée et aucune patrouille n'avait été aperçue. C'était mauvais signe.

Mis au courant de la tenue de cette soirée, désireux de donner le change, suspicieux, McMahon avait chargé deux hommes de s'y rendre afin de perquisitionner sans en avoir l'air. Juste pour savoir car ces deux-là ne risquaient pas d'attraper le hors-la-loi d'autant qu'il se réservait ce privilège pour quand Leroyer serait sur pieds, et Leroyer en avait pour trois autres semaines à porter une attelle de bois sur son membre brisé.

Il avait compté sans le zèle de ces hommes. Ils laissèrent leur voiture chez le voisin des Hammond et firent le reste à pied à la faveur du seul éclairage de la lune, gardant éteintes leurs lanternes pour ne pas donner l'alerte.

Le hors-la-loi faisait partie des danseurs d'un quadrille lorsque Norman entra précipitamment dans la pièce et vint lui dire que des policiers frappaient à la porte. Interdit un moment, Donald cherchait une réaction. Il ne pouvait prendre ses armes et risquer la vie de quelqu'un en raison d'une fusillade. Se cacher dans cette maison était entreprise vaine car on finirait par le trouver. Marion regardait dans toutes les directions à la recherche d'une solution. Elle aperçut le long d'un mur le long banc sur lequel les jeunes prenaient place entre les danses. Le désignant, elle tira Donald par le bras et lui dit:

–Couche-toi sous le banc, là, vite...

Et elle le poussa sans ménagement. Il obéit. Elle, sans perdre de temps, fit un signe au violoneux pour qu'il s'arrête puis elle entraîna deux jeunes filles à sa suite et avec tant de fermeté qu'aucune n'hésita à s'asseoir avec elle sur le banc et donc sur Donald. Leurs longues robes cachèrent parfaitement le fugitif.

Quelques secondes à peine s'écoulèrent et les policiers firent leur apparition dans la pièce, l'arme au poing et la certitude dans l'âme. Ils émergèrent de l'obscurité dans la lumière violente de six grosses lampes à l'huile et deux lanternes. Tous les danseurs s'étaient assis. Ils accueillirent les policiers avec des railleries allant des onomatopées méprisantes aux phrases d'étonnement.

–Alors quoi, on vient nous arrêter parce que nous avons dansé, s'écria Norman.

Intimidés par ces feux, ces gens, ces voix, les policiers s'arrêtèrent et procédèrent à une inspection visuelle. L'un s'approcha du violoneux et lui demanda s'il connaissait Donald Morrison. L'autre, rouquin à la crinière malicieuse, répondit en gaélique.

Le second policier se rendit questionner les jeunes femmes qui cachaient le hors-la-loi. Elles répondirent aussi en gaélique puis se parlèrent entre elles en ayant l'air de se moquer. Il demanda alors qu'on fasse venir le propriétaire, John Hammond.

–Parti à Mégantic, dit MacAuley. Va revenir très tard.

–Madame Hammond?

–Elle est avec lui.

L'homme leva la main pour s'emparer d'une lampe.

–On va fouiller toutes les chambres de cette maison.

–Tut, tut, tut, non, non, non, fit Norman en souriant. Vous pouvez fouiller la maison sans la mettre tout à l'envers, mais vous ne pouvez pas utiliser cette lampe qui ne vous appartient pas. Vous n'en avez pas le droit.

Le policier hésita un moment. Puis il éloigna sa main

et rengaina l'arme qu'il tenait dans l'autre. Il commanda à son compagnon d'aller quérir une de leurs lanternes restées dehors et lui, en attendant, resta debout sous un silence écrasant que commandait Norman par des gestes à son insu de son doigt sur sa bouche.

Au retour de l'autre, il fallut soulever le globe afin d'allumer la mèche. Le policier sortit de sa poche un bout d'allumette avec laquelle il voulut prendre du feu dans une lanterne de la maison mais Norman le lui interdit et le personnage dut trouver dans ses poches une allumette neuve qu'il voulut frotter par terre...

–Pas le droit, dit Norman.

Alors le policier la frotta sur sa cuisse et elle s'alluma. Tous les assistants se mirent alors à souffler ensemble de tous leurs poumons. Quand enfin la lanterne eut une flamme, le chef ordonna à l'autre d'aller fouiller les chambres. Terriblement mal à l'aise de se voir tourné en dérision par les jeunes, timoré, et maintenant terrorisé à l'idée que le hors-la-loi pouvait se cacher dans une des chambres, le petit homme dit un seul petit mot:

–Seul?

–Quoi donc, tu as peur?

–N... non...

Les assistants se mirent alors à chanter en choeur une phrase répétitive et lancinante:

–Y va pas y aller, é... y va pas y aller é

Le policier jeta un regard désespéré à son chef et il se rendit à l'escalier abrupt qui conduisait en haut. Durant son absence, dirigés par un boute-en-train, les assistants chantèrent en gaélique une chanson à répondre endiablée qui s'accompagna d'applaudissements nourris au retour rapide du policier.

Entre-temps, Norman s'était promené par toute la pièce en distribuant des secrets aux assistants qui se payaient la gueule de l'homme resté là. Puis il demanda un certain silence et dit:

–Non, mais nous croyez-vous assez fous pour cacher Donald Morrison ici?

–Pourquoi pas?

–Vous ne pensez pas que nous aurions fait surveiller les environs?

Le petit policier en convint par un signe de la tête et des épaules.

MacAuley reprit:

–Si vous voulez vous asseoir, la danse va bientôt recommencer.

L'autre le toisa d'un oeil incrédule. Il regarda ensuite les assistants comme pour les bien mesurer, s'arrêtant sur Marion et ses voisines.

–On s'en va, jeta-t-il sans plus.

Son compagnon le suivit vers la sortie. Des mains voulurent applaudir mais Norman fit comprendre par gestes qu'il ne fallait plus les provoquer puisqu'ils s'en allaient. Il se mit à une fenêtre dans le noir de la pièce voisine et suivit l'éloignement de leur lanterne dans la nuit profonde.

Tout en sueur, Donald se libéra de sa singulière prison et retrouva sa fiancée sur le banc.

–Les amoureux doivent s'embrasser, cria une voix.

Des oui fusèrent de partout. On cria jusqu'à obtenir satisfaction:

–Doivent...s'em...brasser... Doivent... s'em...brasser... S'em...brassent... S'em...brassent... S'em...brassent...

Encore prisonniers du desideratum de la majorité, ils s'enlaçaient toujours quand Norman revint. Il sourit un peu. C'était bien et bon de les voir ainsi réunis pour un peu de temps.

Le danger était passé pour ce soir-là. Il ne faisait aucun doute que l'histoire s'ébruiterait. Trop d'yeux en avaient été témoins. Le plaisir de raconter le fait surpasserait les volontés de se taire. Donald devait quitter cette ferme au plus tôt. Le lendemain même, il se rendait à une maison du voisinage où une vieille dame seule lui offrit l'hospitalité.

Ω

Comme tout Mégantic, McMahon apprit la vérité quant à la soirée chez les Hammond. Au début de la semaine il envoya un détachement dans le secteur. On avait ordre de fouiller les maisons voisines de sorte que -et c'était le dessein de McMahon- par cette action, le hors-la-loi soit mis en alerte et puisse s'enfuir. Il n'aurait jamais donné un ordre semblable s'il avait seulement douté que le hors-la-loi puisse se trouver chez la veuve Campbell.

Les policiers arrivaient dans sa cour lorsque la courageuse vieille dame les aperçut. En vitesse, elle fit cacher son invité sous le lit d'une pièce non fermée attenant à la cuisine. C'était la seule chance qui restait à Donald et elle était bien mince. Elle ouvrait aux policiers quand elle vit, stupéfaite, les pieds du hors-la-loi qui dépassaient du bout du lit. Il lui fallut alors boucher la vue des policiers avec sa personne. Elle chantonna à haute voix:

–Cache tes pieds, cache tes pieds ô fugitif dessous le lit, sinon on va te trouver.

Non seulement c'était en gaélique mais en plus, elle avait jargonné. L'officier demanda:

–Vous ne parlez pas anglais, madame?

–Retire tes pieds... lentement... bien lentement, dit-elle en souriant largement aux hommes de loi.

–Madame, je ne comprends pas ce charabia, fit l'officier impatient.

Il entra, promena son regard inquisiteur aux quatre coins de la pièce puis s'approcha du lit. Il passa le canon de son fusil dessous mais pas assez profondément pour toucher le fugitif. Puis il quitta. Dehors, il dit à son monde:

–Y a rien qu'une vieille toupie là-dedans, et elle ne parle pas un traître mot d'anglais.

Ω

La tristesse et l'angoisse qui se lisaient avec plus d'évidence chaque semaine dans les traits du visage de Marion et une diminution de l'enthousiasme général à soutenir la cause du hors-la-loi poussaient Norman à faire davantage pression sur son ami pour qu'il se décide à partir avec lui. Il organisa une promenade à dos de cheval pour lui remettre au coeur et en tête le souvenir des belles chevauchées de jadis.

Ils allaient dans un chemin étroit traversant les collines, s'entretenant des convois qu'ils avaient accompagnés, des bars qu'ils avaient fréquentés, des moments difficiles partagés. Il leur arriva de croiser une voiture occupée par deux personnages dont l'un fut aussitôt reconnu par le hors-la-loi.

–C'est le major McAulay, l'homme qui a volé mon bien.

On s'entendit pour lui montrer ce que deux cow-boys pouvaient accomplir, même sur une route enneigée.

–Je les rattrape. Je me fais aconnaître et on leur fait une de ces peurs...

Donald fit faire demi-tour à sa monture et la dirigea au galop vers la voiture qu'il dépassa. Puis il fit arrêter son cheval de façon à barrer la route. Et quand l'attelage dut s'arrêter, il cria:

–Quoi, major, on ne reconnaît pas son monde?

L'homme reconnut aussitôt le cavalier et se mit à pleurnicher:

–Mais je ne suis pas McAulay...

–Ah, non? fit Donald menaçant.

Quand il vit l'autre mettre une main sous sa canadienne, le major en déduisit qu'il s'apprêtait à tirer son arme. Son cerveau courut à la recherche d'une idée. Désespérément. N'importe quoi qui ait les apparences du bon sens. Comme une manière de négocier. Lui, le négociant, l'homme d'affaires devait trouver vite. Surtout pas une absurdité pour fâcher le hors-la-loi mais quelque chose de plausible...

–Je... je suis le frère du major, bredouilla-t-il.

Donald éclata d'un long rire sonore que le vent emporta vers la montagne de Chesham, froid témoin de ce duel entre le désir de sauver sa peau de l'un et la soif de vengeance et de justice de l'autre. Norman s'approcha à son tour. Chez les deux occupants de la voiture, la nervosité augmenta encore d'un gros cran.

–Tu as entendu cela, Norman? Le major n'est pas le major, il est son frère.

Et il s'esclaffa une autre fois avant de poursuivre:

–Et moi, je ne suis pas Donald Morrison le bon garçon, je suis Donald Morrison... le tueur de bonnes gens...

S'accrochant envers et contre tout à sa bouée percée, le major insista en braquant ses yeux dans ceux de son agresseur:

–C'est mon frère qui vous a ôté votre terre, pas moi. Demandez à James, dit-il en désignant le conducteur, un homme au visage émacié, malheureux comme les pierres de se voir mêlé à une histoire qui ne le regardait en aucune manière.

Donald se pencha en avant sur sa selle pour dire:

–Et bien sûr, vous n'êtes pas le gardien de votre frère!

–Comme vous le dites, fit le major.

–Bien moi, je dis que si vous êtes votre frère, vous êtes aussi coupable que lui.

Puis le hors-la-loi sourit et fit bouger sa monture afin de laisser passer la voiture.

–Je vous donne une avance... Jusqu'à la prochaine côte, là... Quand vous serez dessus, vous ferez une cible extraordinaire, parfaite. Mais je pourrais vous rater, on sait pas... le froid... les doigts gourds...

Le conducteur ne se fit pas tordre les bras. Il fouetta son cheval sans arrêt jusqu'à la colline. Pour éviter les balles, le major se cala tout au fond de la carriole. Quand ils furent à mi-côte, Donald tira en l'air. Emporté par la panique, le conducteur sauta sur le chemin et se mit à courir en se servant du cheval comme écran. Le major lui cria, l'invectiva tant qu'on ne fut pas hors de danger.

–J'aurais peut-être dû le descendre, maugréa Donald quand les deux amis eurent repris leur route.

–Tu ne seras jamais un tueur, commenta Norman.

–Ce major, c'est du crottin pire que Jack Warren.

Ce coup du sort convainquit Norman que leur chevauchée n'inciterait pas Donald à partir. La promenade se termina par une discussion au cours de laquelle Norman fit comprendre à son ami que la chaleur des Écossais pour sa cause risquait de tiédir ou pire, et qu'un jour prochain, l'un d'eux se laisserait tenter par la prime.

Ω

Honoré Mercier, pour sa part, apprenait d'une manière encore plus brutale que sa popularité diminuait. On parlait de plus en plus, bien qu'à mots couverts, de scandales dans lesquels des amis du premier ministre seraient compromis. Puis les accusations vinrent au grand jour.

Un propriétaire de mines avait obtenu une indemnité du gouvernement grâce à un avocat tout-puissant auprès de Mercier et de ses ministres. Voilà que de grands journaux s'indignaient. Thomas Chapais, un prestigieux libéral, se fâcha noir.

Ce fut ensuite l'affaire du Table Rock. On dit que le gouvernement aurait vendu à des amis politiques pour trois mille dollars, une propriété évaluée dix fois plus cher. Dans cette histoire, on mit en cause un ami et associé de Mercier, Cléophas Beausoleil qui aurait profité de l'influence du premier ministre.

À la prorogation de la session, le vingt et un mars, l'atmosphère politique vira carrément à l'orage. Le Courrier du Canada publia une liste d'honoraires versés par le gouvernement à des avocats-politiciens pour services juridiques. Mgr Fabre songea -et en parla à ses proches- à rappeler le curé Labelle à sa cure pour ainsi couper ses attaches politiques.

«Étourdi par l'encens, Mercier devint impérieux, auto-

ritaire. Des courtisans se chargeaient d'entretenir cet état d'esprit. Il y avait les amis politiques, les chefs d'élection, les agents de presse, les entrepreneurs, les courtiers, les purs, les vaniteux, les obséquieux, les collants. Tireurs de ficelle, mouches du coche, combinards s'agglutinèrent, se tassèrent par des ragots et des tripotages»

Au début d'avril, une lettre écrite par un rouge, président du Club National, courut sous le manteau. Elle contenait de graves reproches adressés au gouvernement. Elle aboutit au bureau du premier ministre qui en prit connaissance tout juste après avoir lu un article de La Presse sur l'affaire Morrison, et qui adressait un sévère blâme à l'État pour son incapacité chronique.

Mercier convoqua ses ministres un à un pour les sermonner. Il ne put rencontrer son procureur général qu'en troisième lieu. Il fulminait de plus belle quand Turcotte fit son apparition.

Le ministre s'assit et fut mis au courant de l'existence de la lettre que Mercier tenait à bout de bras en lissant rageusement sa moustache comme pour en arracher les extrémités.

–Arthur, je ne te lirai que quelques-uns des passages de cette cochonnerie puante. Tu verras ce qu'on s'apprête à publier dans les journaux...

«Ici, on accuse le gouvernement Mercier d'être composé d'incapables, d'ignorants et de têtes de linottes; tout le monde s'accorde là-dessus: unanimité unanime! Et l'on ajoute qu'il n'y a pas de gouvernement mais qu'il n'y a que Mercier. L'on trouve que Mercier et toi menez une vie de faste scandaleux; on trouve que Mercier qui était pauvre, est devenu trop vite riche et que son salaire ne lui permettait pas de s'enrichir aussi vite que cela; on en dit à peu près autant de toi et de ceux qui entourent Mercier; et ce sont vos meilleurs amis personnels et politiques qui parlent ainsi, et tout haut; tu serais surpris si je te disais les noms.

On dit tout haut que cette administration est la plus corrompue qui ait souillé les lambris du palais législatif: que tout s'y vend; qu'il n'y a pas de principes, pas d'honnêteté, pas de parole, pas d'honneur.

Vous entourez seuls le premier ministre, et tant et si fort que vous l'étouffez. Vous le conseillez mal; vous lui faites dire des bêtises, vous le compromettez et vous le rendez odieux.

Il faut que monsieur Mercier se débarrasse de l'étreinte de boa des castors et qu'il se montre plus libéral. Le jour où il nous plaira de le faire descendre de son piédestal, il en descendra plus rapidement qu'il n'y est monté.

Au besoin, nous irons jusqu'à faire des alliances qui seraient moins monstrueuses que celle qui a produit ce joli groupe de ministres.

Si les honneurs et les richesses ne t'ont pas rendu sourd, écoute les grondements d'indignation et de colère qui vont toujours grossissant autour de toi et de Mercier, et tâche de réfléchir et de devenir sage.»

—Je te fais grâce du reste, Arthur. Et c'est signé, cette ordure, Calixte Leboeuf, président du Club National.

—Vous avez de bons appuis au Club; faites-le taire ou bien faites-le... jeter dehors.

—Et accréditer ce qu'il soutient? Non.

—Quoi d'autre?

—En premier lieu, il ne faudrait pas prêter le flanc à la critique.

—L'opposition critique: c'est son lot et... son devoir.

Mercier se leva, tonna:

—Je ne parle pas de l'opposition mais des journaux. Et pas même des journaux qui soutiennent l'opposition encore mais de ceux qui se prétendent neutres.

Il prit un exemplaire de La Presse et le jeta sur son

bureau devant le procureur.

–Vois, Arthur. Chaque jour on nous fait des reproches. Aujourd'hui par exemple, c'est d'avoir voulu acheter les Écossais dans cette histoire des cabanes de Mégantic...

–Ce règlement hors cour, je vous ferai remarquer que c'était votre décision, monsieur le premier ministre.

–Et après? Et après? Il faut bien quelqu'un pour décider quelque chose dans cette affaire qui a l'air de vouloir durer l'éternité. Bande d'incapables! Des soldats, des détectives, des policiers... Deux cents hommes pour en traquer un seul. Et il leur passe à la barbe trois fois par semaine: quelle honte!

–Il y avait pourtant là-bas des gens qui ont fait leurs preuves. Je pense au juge Dugas, au chef Silas Carpenter de Montré...

Mercier coupa d'une voix encore plus coléreuse:

–Arthur, je veux voir ce Morrison en prison avant la fin du mois. Sinon des têtes vont tomber. Entendu? Passe le mot à tous les échelons jusqu'au moindre policier en poste à Mégantic. Je ne veux plus entendre parler des jérémiades de ce hors-la-loi du diable avant qu'il ne soit écroué.

Quelques années et même quelques mois auparavant, Turcotte aurait rajouté quelque chose à la décharge de ceux qui menaient les recherches. Ce n'était plus possible. Sa propre tête aurait pu sauter. Son chef était devenu trop exigeant et trop sûr de lui pour accepter qu'on prolonge une discussion que, par le ton et le geste, il venait de clore tout net.

À une fenêtre, le premier ministre regardait quelque part dans son passé de journaliste, plongé dans une fureur muette.

Avant de quitter, le procureur redit à mi-voix cette phrase usée à la corde:

–On va la régler, l'affaire Morrison, on va la régler.

ΩΩΩ

Chapitre 22

Un baiser frileux

Le jour suivant, l'ordre de Mercier devenu ordre du gouvernement, fut acheminé à Montréal au connétable Bissonnette qui, une fois de plus, réunit le juge Dugas et le chef Carpenter. Des décisions furent prises. On les tiendrait secrètes à tout jamais. Le soir même, les trois personnages prirent le train pour Mégantic. Trente policiers les accompagnaient.

Et en bout de ligne, les ordres demeureront formels et stricts. Il faudrait fouiller systématiquement les cantons, bousculer tout le monde, intimider, créer un tel climat de tension qu'on en vienne à se dire que le jeu n'en valait plus la chandelle et que les problèmes posés par la protection du hors-la-loi sont devenus trop lourds à porter maintenant.

Une fois encore Dugas choisit d'établir ses quartiers hors de Mégantic, à une vingtaine de milles vers l'ouest, dans le village de Gould, sur le chemin vicinal. Il y créa un tribunal devant lequel comparaîtront les supporteurs du hors-la-loi. Et il fit arrêter ceux qu'on soupçonnait d'être les principaux complices du cow-boy en fuite. On faisait de la détention préventive et les accusations pleuvaient.

En même temps, l'on organisait des battues. Toutes les pistes quelles qu'elles soient étaient explorées. On passa au peigne fin bois et futaies proches des chemins. Dans les grange et les cabanes, on fouina jusque sous les combles et pour atteindre les endroits éloignés, on utilisait skis et raquettes. Les détachements de police s'érigèrent en petits tribunaux d'inquisition devant lesquels furent traduits les personnes les plus compromises.

Le lendemain de son arrivée, le juge Dugas entra en contact avec la Société Calédonienne. On en vint à une entente. La Société incitera Morrison à se rendre. Si elle y parvient, la prime de trois mille dollars lui sera versée et pourra être utilisée à la défense du hors-la-loi.

Donald fut contacté une fois de plus et une fois encore il opposa un refus. Il se rendrait, déclara-t-il, si l'on rendait sa ferme à son père après quoi il accepterait toute décision de cour à son sujet.

Informé de tout ce remue-ménage qui agitait les cantons, Spanjaardt descendit à Mégantic le dimanche sept avril. Et aux aurores du jour suivant, accompagné de son ami Higgins du journal local, il se mit en route pour Gould.

Le chemin est dans les pires conditions: le cheval s'enfonce jusqu'aux jarrets. D'énormes flaques d'eau boueuse se disputent la voie avec des lames de neige en sel. En maints endroits, des rigoles ont été creusées par l'eau courante. Les deux hommes sentent et se disent que l'affaire Morrison approche de son dénouement. Ils craignent pour Donald. S'entendent pour que l'un ou l'autre reste toujours le plus près possible du centre des opérations. Chacun prendra donc la relève à Gould tandis que l'autre remplira ses obligations à Mégantic.

Ce même jour, à l'American Hotel, deux autres individus s'inquiétaient aussi de l'allure que prenaient les événements, mais à leur façon. Attablés, McMahon et Leroyer s'entretenaient à voix basse.

Ils craignent de se faire damer le pion. Depuis deux semaines, alors que le sauvage a retrouvé l'usage de sa jambe, ils ont recommencé à travailler de concert. L'arrivée de Dugas et compagnie, la détermination qui anime le quartier général ont convaincu les partenaires que leurs chances de capturer Morrison fondent comme la neige du printemps. Il faut trouver quelque chose. Et vite!

Les événements se précipitent, se bousculent, et s'entremêlent. Malentendus. Morrison est à Birchton. Non, il est à Lambton. Imbroglios. Un groupe de policiers est envoyé dans une direction, un autre dans l'autre. Ils courent, reviennent, se croisent, s'essoufflent. La course au gros gibier fait surgir les projets les plus farfelus. La chasse à l'homme a perdu sa franchise. Des rumeurs circulent, transportées le plus souvent par la fièvre de la prime. On ne sait plus qui croire. Une odeur de trahison flotte au-dessus des cantons.

Un article du Star souligne le nationalisme de Morrison qui refuse de franchir la frontière pourtant toute proche parce qu'il est trop attaché à son pays natal et préfère mourir plutôt que de s'expatrier une fois encore et, celle-là, à tout jamais.

Mal chaussés pour courir les bois par des chemins aussi mauvais, policiers et détectives se sont plaints. Le mardi, neuf avril, un chargement de bottes arrive à Mégantic. Dix caisses dans un wagon spécial.

Dans les jours précédents, Dugas a réussi un coup de maître: il a convaincu certains Écossais de participer aux recherches. La nouvelle s'est répandue partout dans la région; elle en a estomaqué plus d'un et rendu sceptiques plusieurs autres.

On a téléphoné à La Patrie et à La Presse. Deux jours plus tard, ces journaux titraient: MORRISON SE REND. Dans les articles, on soutient que des Écossais et même des proches du hors-la-loi se sont carrément retournés contre lui et qu'ainsi abandonné, il a dû lui-même abandonner.

Le mercredi, McMahon rend visite au juge. Il sort souriant. Puis il rencontre un journaliste de La Presse fraîchement arrivé à Gould ainsi que Spanjaardt à qui il déclare qu'une trêve sera décrétée. Elle prendra effet le jour de Pâques, vingt et un avril, et elle permettra une rencontre avec le hors-la-loi. «Car, soutient le détective, le gouvernement est prêt à se rendre aux conditions de Morrison.»

Pressentant quelque manoeuvre douteuse, Spanjaardt insiste pour obtenir une entrevue avec le juge. Peine perdue. On ne veut pas le recevoir. Même résultat avec Carpenter et Bissonnette.

Ω

Donald est caché dans une cabane de Marsden à moins de deux milles de celle des McKinnon. Il espère pouvoir rencontrer Marion. Une dernière fois, pense-t-il, sans trop savoir pourquoi ce serait la dernière. Mais il y en aura plus qu'une seule. C'est la saison des sucres. Les érablières sont envahies par les cueilleurs de sève. Le hors-la-loi peut mélanger ses pistes aux leurs et ainsi circuler plus librement.

Marion est sidérée, désespérée par la nouvelle de la défection de certains Écossais; elle l'avait pourtant prévue et prédite. Mais ce fait nouveau décuple le danger couru par son fiancé.

Donald, lui, est ébranlé, abasourdi, frappé au coeur. Ses amis refusent de croire que des gens de sa race aient pu l'abandonner, le renier. Lui encore davantage. Mais la certitude de Marion jette une douloureuse confusion dans son esprit.

La nouvelle de l'annonce d'une trêve parvient au hors-la-loi via le réseau des intermédiaires. Marion et Norman n'en démordent pas. Cela sent mauvais et plus que jamais ils conseillent à Donald de partir. Ils finissent par le convaincre. Nonobstant, il veut mettre toutes les chances de son côté; il partira seulement après les pourparlers et s'ils ont achoppé. Il fait parvenir un message au juge. Il accepte de le rencontrer en un lieu situé près de la rivière au Saumon, à mi-chemin entre Marsden et Gould.

Dugas reçoit la lettre le mardi seize avril. Il ne l'ouvre pas, la donne à McMahon et scelle ainsi à la manière de Ponce-Pilate le sort du fugitif.

Le samedi soir, Donald s'en va à la cabane des McKinnon pour y passer la nuit. Il s'entretient avec le père de Marion, lui confie deux lettres. La première, pour Marion, ne contient que trois lignes: «Je t'aime. Irai rencontrer le juge lundi. Viens demain si tu veux. Serai ici jusqu'à midi. Ensuite, irai voir mes parents.»

Il avait tracé les grandes lignes des événements à venir. Après avoir vu sa fiancée et ses parents, il se mettrait en route pour le lieu du rendez-vous. La route étant impraticable, il emprunterait la voie ferrée à pied.

L'autre lettre était adressée aux MacRitchie. Il leur demandait qu'on mette une dernière fois son réseau de défenseurs en alerte. Sans avoir besoin de le spécifier, il savait qu'une dizaine d'hommes prendraient le train pour Scotstown le lundi matin et qu'ils iraient se poster au voisinage du lieu de la rencontre.

Ω

Marion se mit à la fenêtre pour regarder les étoiles par-delà les collines sombres en direction de l'érablière. Les yeux démesurément grands, constellés de lueurs implorantes, elle adressa au Seigneur une prière fervente.

Puis elle se coucha et tomba dans un sommeil insupportable. Une vision d'horreur harcela son inconscient jusqu'au matin. La maison de Murdo Morrison était entourée de policiers parmi lesquels se trouvait la démoniaque face du sauvage. Une tempête d'épouvante, de pluie battante, de tonnerre à fêler les rochers, étendait sa rage à tout le canton. Les visages hideux apparaissaient aux fenêtres. À toutes les fenêtres. Mais son esprit parvenait à s'échapper et à se transporter au-dessus de la cabane. La porte s'ouvrait, Donald sortait. Elle cherchait à l'avertir du danger mais sans y parvenir. Ses cris se perdaient dans le vent déchaîné. Elle se désâmait toujours lorsque les policiers commencèrent à tirer sur son fiancé. Elle le voyait se tordre dans l'agonie tandis que le sauvage dansait autour du corps brisé...

Le réveil ne fut pas moins pénible. Aux premières lueurs

du jour, elle partit pour la cabane par un froid soleil sans promesses. Le coeur bourré d'angoisse, les yeux entourés de cernes, boursouflés, elle marchait comme par automatisme. Dans son lointain fumeux, la montagne aussi paraissait tuméfiée.

En ce moment même, Donald achevait une nuit fort agitée. Au seuil de l'éveil, son esprit cherchait lentement à s'échapper d'une scène angoissante.

Au milieu d'une prairie verdoyante, dans une jolie maison blanche entourée de fleurs, bat la vie. Marion jette un regard tendre à un enfant blond qui est en train de découvrir son enfance dans des jeux purs. Derrière la montagne lointaine, près du ruisseau qui a vu mourir Custer, des cavaliers multicolores chevauchent vers le Canada. La magie du rêve les transporte sur des ailes d'or et d'argent.

Lorsque les chevaux se posent sur le sol de la prairie, le ciel s'assombrit, rougit, prend couleur de sang. Une traînée de feu suit leur course infernale. Soldats blancs déguisés en Indiens pour cacher leurs forfaits, ils viennent ravager.

Vision dantesque.

La maison se transforme en brasier. Marion court à l'intérieur avec le petit. Un faux Indien hurlant se rue dans les flammes, couteau entre les dents, prêt à lacérer, à tuer. Il rattrape Marion, lui taillade le cuir chevelu puis arrache par lambeaux ses cheveux aux boucles souillées de sang noir.

Lorsque la force du destin qui a empêché Donald de bouger jusque là lui permet d'intervenir, il est déjà trop tard. Marion et leur enfant ont disparu à tout jamais dans un effroyable jardin de cendres. Alors les montures ailées s'envolent à nouveau vers les montagnes et vers le champ des morts du général Custer.

On frappe à la porte. Donald émerge en sursaut de sa nuit cauchemardesque. Il prend un revolver. Puis il trouve ses esprits en même temps que sa montre dans sa veste laissée sur une petite chaise égrianchée. Sept heures seulement. La trêve ne commence qu'à dix. C'est sûrement Marion. Mais peut-être pas... On crie. C'est une voix féminine. C'est elle. Il répond qu'il vient. S'habille, va ouvrir.

Elle se jette dans ses bras. Il exhale une odeur de nuit, de lit qu'elle aime. Il referme, barricade la porte avec un solide morceau de bois. On marche sans rien se dire sur des planches terreuses entre les pannes où l'eau d'érable encore chaude sommeille dans son sucre en attendant l'attisée qui remuera à nouveau son essence. On va s'asseoir sur le lit. Elle s'abandonne à l'effusion sur sa poitrine nue, chaude. Longtemps. Il fait silence, à part les hiements du mur extérieur et les craquements du lit.

Lorsque ce rêve, plus doux que les plus doux, est terminé, que vient le temps de s'inquiéter des embûches du quotidien, de prendre les moins mauvaises décisions pour solutionner des problèmes complexes, elle dit:

—Ne va pas à ce rendez-vous, Donald.

—Pourquoi donc?

Soupir. Silence. Il reprend:

—Je n'ai rien à perdre.

—S'ils te prennent...

—Mes amis seront sur la route. Et j'ai leur parole.

—Leur parole...

—Ils l'ont respectée une fois. Ils seraient haïs par tous et à tout jamais s'ils ne la tenaient pas.

—Personne n'est jamais haï ou aimé bien longtemps par tous.

—Toi et moi, on s'aime depuis dix ans, non?

Long silence. Puis question de Marion:

—Crois-tu que les rêves d'hier puissent devenir réalité aujourd'hui?

—Les rêves? Les vrais rêves de la nuit?

—Ceux-là, oui.

—Bah! plus ou moins. Les rêves n'ont ni queue ni tête. Tiens, écoute le mien de cette nuit.

Et il lui raconta comment elle s'était fait scalper par un faux Indien dans ce rêve tardif que Marion, bien vivante et diablement loin de l'Ouest et des Sioux de Sitting Bull, avait interrompu. Il dit encore:

–Moi, je pense que c'est la peur qui nous fait rêver. Tout comme c'est elle aussi qui nous fait agir en plein jour. Tout ce qu'on fait, c'est comme des réponses à notre insécurité intérieure. Quand chacun contrôlera la peur en soi-même, plus de crimes, plus de guerre... C'est une vérité qui m'a été enseignée par ma fuite solitaire...

–Moi, la nuit dernière, je t'ai vu te faire abattre par le sauvage.

–C'est ce que je disais... Tu as peur du sauvage... et sans raison parce qu'il est éclopé.

–Il ne l'est plus.

Donald se mit à rire.

–S'il se présente devant moi, il va se faire estropier pour deux autres mois.

Elle grimaça.

–Si tu avais vu comme c'était terrible. Je sens qu'il va arriver quelque chose. C'est un avertissement que nous avons eu tous les deux. Ils vont essayer de tricher. Ils vont se masquer pour te tuer.

–Mais non, voyons! La seule chose que je crains, c'est qu'ils posent des conditions que je ne pourrais remplir.

–Et s'ils le font?

–Alors je partirai pour l'Ouest comme je te l'ai promis.

Rien ne parvenait à effacer la tristesse profonde inscrite dans les traits du visage de Marion. Elle voulut graver dans sa mémoire et dans son amour le moindre de ses gestes quand il se rasa le visage, qu'il finit de s'habiller et prépara ses affaires.

John McKinnon arriva. Il eut un entretien avec le hors-la-loi, approuva ses décisions. Il fallait en finir et c'était la meilleure manière. Le jeune homme se sentit plus sûr de lui. Il regarda sa montre pour la seconde fois seulement depuis le matin. Son visage s'éclaira. La trêve était en vigueur depuis plus d'une heure maintenant.

Avant de quitter les lieux, il respira à pleines narines les vapeurs sucrées s'échappant par gros bouillons blancs depuis les pannes de l'évaporateur. Il salua John, lui serra la main. Marion le suivit dehors.

De la terre mouillée, brune, couverte d'humus en décomposition s'exhalait une odeur de crème sure. Çà et là, de longues langues de neige en sel, sales et scintillantes, couraient en se croisant dans une fantasmagorie éphémère.

Marion sentait la fin presque venue. Il se tourna vers elle, la prit par l'arrondi des épaules, dit laconiquement:

–À bientôt!

Un coup de vent frais agita le faîte des érables, tomba doucement dans la chevelure de Marion. Torturés, implorants, ses yeux se posèrent sur le visage aimé avec une insistance que n'eut pourtant pas sa voix qui n'en était qu'une moitié d'une. Elle savait qu'elle parlerait en vain.

–N'y va pas; ils vont te tuer.

Il lui secoua les épaules.

–Ma pauvre Marion, ma douce petite amie, aie confiance et prends courage car la fin est proche.

Il l'embrassa. D'un baiser frileux par Marion. Quand il eut fait cent pas, elle lui cria en gaélique:

–À bientôt!

Les mots glissèrent et se perdirent dans une rigole d'eau noirâtre. Il avait entendu sans comprendre. Il salua de la main. Un geste esquissé, indécis...

Elle resta debout, immobile, perdue. Entre ses yeux et l'image adorée, les érables se croisèrent, se multiplièrent. Il ne fut plus bientôt qu'un point sombre... ou bien n'était-ce qu'une tache de terre nue se déformant dans ses pupilles?

À l'orée du bois, il se retourna. N'étaient plus visibles que deux ou trois lignes de la forme de la cabane, entre-coupées par des corps d'arbres et souvent noyées dans un nuage de vapeur blanche.

Ω

Dans toutes les églises des cantons et chez toutes les dénominations religieuses, on parla de la trêve en ce jour de Résurrection qui sonnait à toute volée son renouveau au-des-sus des hameaux par monts et collines, lacs et boisés. Des pasteurs firent prier leurs fidèles pour qu'on en arrive à une entente. Au sortir des offices, le sujet de conversation géné-ral était ce moratoire qui laissait entrevoir, en même temps que le dénouement de l'affaire, la fin des malheurs du pau-vre fils de Murdo Morrison.

ΩΩΩ

Chapitre 23

Haut les mains !

Chemin faisant, Donald doit souvent faire des détours à plusieurs pieds de la route afin d'éviter les fondrières et de larges flaques inondant les dépressions. Cela ne lui déplaît pas car si d'aventure quelque chasseur de prime voulait passer outre aux directives des autorités, il serait forcé de le pourchasser sur une route impossible qui ne deviendrait carrossable que dans plusieurs jours lorsque le gros des neiges se serait écoulé et que les ruisseaux de circonstance s'assécheraient.

Au loin, des nuages lourds s'amoncellent, roulent sur les montagnes. Le hors-la-loi ferme le pan d'un long manteau gris pour bloquer le passage à une petite bise de printemps qui mord désagréablement.

Lui qui, contrairement à Norman MacAuley, n'a jamais été un adepte du poker, sent qu'il va jouer la partie la plus importante de sa vie dans les jours qui viennent. Il détient de bonnes cartes d'atout et le sait: sa réputation, l'appui de plusieurs journalistes, le soutien général des Écossais et par-dessus tout l'amour de Marion, cette force incommensurable.

Et il pense également aux prières de sa mère quand il aperçoit au détour du chemin l'humble cabane de billes autour de laquelle l'essouchage n'a même pas été complété. Il enjambe une clôture, contourne une souche énorme noircie par le temps, arrive à la maison. Sophia l'accueille, oscillant depuis la douleur pathétique jusqu'à la joie enfantine que personne ne trouve puérile.

Dugas est parti pour Montréal deux jours auparavant. Il va célébrer Pâques dans sa famille. Bissonnette visite des amis à Sherbrooke. Carpenter prend le repas du midi chez des connaissances de Winslow. Spanjaardt s'ennuie à Mégantic à l'hôtel Graham. Et le premier ministre festoie parmi les siens dans sa résidence cossue de Montréal.

Ω

Tôt le matin, McMahon et Leroyer, tous deux catholiques, sont allés à la messe. Et ont communié. Leroyer va rarement à l'église mais cela tient à son métier et à sa race, et un prêtre lui a donné sa bénédiction là-dessus moyennant des services gratuits et une fesse d'orignal à l'occasion. McMahon est un fervent chrétien; il a prié pour que la chasse à l'homme soit bonne.

Après la messe, les deux hommes se sont rendus chez le major McAulay. Depuis le jour où le cow-boy l'a attaqué, l'homme met gratuitement à la disposition des chasseurs de prime tout ce qu'il possède de chevaux et de voitures.

Le sauvage a choisi une voiture massive à grosses roues cerclées de fer, à fonçure en étroits madriers, et à laquelle on peut atteler en double. Deux juments percheronnes noires, pairées devant, ont fait dire au major avant que les associés ne se mettent en route:

–Faudrait surtout pas casser une patte à l'une d'elles. Pas facile à trouver, deux belles bêtes aussi pareilles.

–C'est le cow-boy qui va se faire casser une patte, dit Leroyer le visage impassible.

La route est passable sur les six premiers milles. Mais sur les suivants, elle est épouvantable. Les chevaux se barbouillent les jarrets jusqu'au ventre. Les roues calent parfois jusqu'aux essieux.

Chez les McKinnon, on n'a pas vu passer les pourchasseurs. Tous sont à la cabane à sucre. Même chose chez les Langlois. On a compté sans leur présence et c'est pourquoi on est parti à midi seulement.

Cachés par la grange, les deux hommes ont pris le risque de s'approcher le plus possible des bâtisses de Murdo. Puis on a caché l'attelage dans une entrée de sucrerie, celle-là même du lot des Morrison. On ne l'utilise pas car les érables sont entaillés par les Langlois.

Tout s'enclenche, baigne dans l'huile: tout adonne contre Donald. Fussent-ils arrivés une demi-heure avant qu'il les aurait aperçus puisqu'il se trouvait alors lui-même dehors. Et il aurait pu disparaître comme il en avait l'habitude. Et même s'ils avaient attaqué à vue, il est certain qu'il aurait eu le dessus sur eux.

Pour venir à bout d'un homme d'aussi bonne trempe, il était nécessaire que s'unissent un sort défavorable et la trahison, l'ignominieuse machination proposée par McMahon, cautionnée par le silence du juge et de ses adjoints, provoquée de loin par les calculs politiques d'un premier ministre intransigeant.

Pour mener à bien leur expédition, les complices ont pensé à tout. Les harnais ont été dépouillés de leurs clochettes et on a recouvert de boue les morceaux de métal brillant. On a apporté du foin et de l'avoine pour nourrir les chevaux ainsi que des couvertures pour les protéger de la fraîcheur du temps, car les bêtes devront rester plusieurs heures immobiles, attachées à un arbre. Sur la fonçure, voisinent les carabines, un sac à victuailles, des bouts de corde, deux cruches de scotch et deux lanternes.

Vers deux heures, on a fait un grand détour à pied par la forêt pour arriver à quelques centaines de pas de la maison. On ne sait même pas si Donald s'y trouve. On l'a déduit à cause de la trêve. On s'embusque entre les arbres à l'abri d'un tronc couché.

Donald a jasé avec ses parents. Il s'est lavé, changé de vêtements. Il a mis son bel habit d'été que sa mère a pressé dix fois depuis l'automne, juste pour lui ôter les plis du cintre de bois. Il mettra son manteau d'hiver par dessus pour marcher jusqu'à Scotstown sur la voie ferrée. Et s'il sera chaussé de bottines pour faire le chemin, il apportera des souliers fins dans un baluchon pour paraître à son mieux devant les autorités, ce qui augmentera sûrement leur respect.

Sophia lui donne à manger: des patates, des oeufs, des tireliches.

—Au souper, je te ferai un bon gros steak d'orignal, lui dit-elle alors qu'il sort de table l'estomac à moitié vide.

Selon son habitude, quand son fils est là, Murdo se tient près d'une fenêtre pour surveiller la route dans les deux directions.

—Il reste encore de la viande d'orignal!? questionne Donald, surpris de l'apprendre.

—S'il en reste! J'en ai donné à Marion, aux Langlois. On en a même vendu un peu à monsieur Graham de l'hôtel à Mégantic.

—Et aussi à monsieur Higgins du journal, ajoute Murdo.

—C'était une bien belle bête, dit Donald qui se rappelait toutes les difficultés qu'il avait eues à trimbaler la carcasse après qu'il eut abattu l'animal durant l'automne.

En milieu d'après-midi, deux jeunes gens à cheval apparaissent sur la route. Murdo les reconnaît alors qu'ils se trouvent encore à bonne distance.

—Norman MacRitchie et Norman MacAuley s'en viennent par ici, crie-t-il à son fils.

Réflexe de prudence, le hors-la-loi saute sur ses jambes et dégaine un de ses revolvers. Son père n'a plus le coup d'oeil d'antan; il pourrait se tromper. Donald se rend à la fenêtre pour vérifier. À son tour, il reconnaît ses deux amis.

Il sort pour aller à leur rencontre, marche jusqu'au chemin en leur adressant des signes de la main.

En apercevant les cavaliers, McMahon et Leroyer se sont félicités d'avoir aussi bien caché leur attelage et le silence de leurs bêtes leur plaît encore davantage. Un hennissement malencontreux et ç'aurait pu en être fait de leur expédition. Leur joie décuple quand le hors-la-loi entre dans leur champ de vision entre la maison et la grange. Ils ont misé juste: l'affaire Morrison est dans le sac. Ou presque.

–Il est là! dit joyeusement McMahon en claquant respectueusement son compagnon dans le dos.

–Ça vaut un bon coup! dit Leroyer en portant à sa bouche le goulot gris d'une cruche de scotch qu'il tenait d'un doigt crasseux par l'anse.

–Pas trop, fit McMahon que cet homme dégoûtait. Faudra bon oeil tout à l'heure.

–C'est justement pour ça!

Sophia sert du vin aux jeunes gens qui discutent, attablés. On expose à Donald le plan établi pour le protéger. MacAuley parle souvent de l'Ouest afin de tisonner la décision de son ami en cas d'échec des négociations. Murdo brasse les braises puis jette trois bûchettes dans le poêle. Le tuyau gémissant lui fit dire:

–Le vent se lève; on va avoir du mauvais temps.

Donald s'en réjouit pour les sucriers, commente:

–Les érables vont recommencer à couler comme des folles. J'ai fait plusieurs cabanes ces jours-ci et c'était pas mal sec dans les chaudières.

McMahon s'inquiète:

–S'il faut que ces deux-là restent avec lui! Faudrait rentrer à Mégantic avec notre petit bonheur encore une fois.

–Si on les prend par surprise?...

McMahon hausse les épaules.

–On n'a pas le droit de tirer sans essayer de les arrêter

d'abord donc sans les avertir. Et si, à ce moment-là, la bagarre éclatait, toi et moi contre deux cow-boys, un troisième homme et le père Morrison par surcroît, on est faits comme des lapins.

–Quoi faire? grogna le sauvage.

–Profitons-en pour aller manger et soigner nos chevaux.

Une heure plus tard, ils sont de retour. Les amis de Morrison sont toujours avec lui dans la maison comme l'indiquent les bêtes attachées à une perche près de la grange. Une autre heure passe. Ils finissent pas s'en aller. Une neige drue poussée par un vent glacial les a chassés et les accompagne en tourbillonnant.

Le jour commence à décliner. Donald s'est assis à cheval sur une chaise près de la table. Il buvote du lait. Sa mère dessert. L'angoisse de la femme fait place à un certain contentement d'avoir pu bien remplir l'estomac de son fils avec la viande promise.

Murdo fume.

–Faudrait s'approcher et le tirer par la fenêtre, d'abord qu'on peut le prendre mort ou vif, propose le sauvage.

–On ne bouge pas avant de voir une lampe allumée dans la maison. Alors, ils ne pourront pas nous voir et nous pourrons les voir nettement.

Sophia charge une pipe qu'elle apporte à Donald. Elle frotte une allumette, la colle au tabac. Il aspire les bouffées, la regarde. Leurs yeux se rencontrent. Elle est heureuse, a peur, souffre; mixture sentimentale que seule une mère peut concocter. Et ses pupilles le disent avec une grande intensité. Tant, que Donald sent le besoin de la rassurer.

–Cette nuit, je vais aller dormir chez les MacLeod à Scotstown. Je serai en parfaite sécurité là-bas. Et demain, quand j'irai rencontrer le juge, mes amis seront au poste pour ma protection.

Rien ne saurait convaincre la vieille dame dont le front parcheminé comme du papyrus porte tant de signes de douleur retenue. Comme la mère des frères Jesse et Frank James, elle se ferait couper un bras et même les deux pour défendre son fils. Mais un sentiment d'impuissance totale rejette sa volonté dans les remous de l'inutile.

Quand la flamme de l'allumette s'éteint, elle se rend compte qu'il fait bien sombre dans cette maison. Alors elle fait du feu dans une lampe qu'elle dépose sur la table devant son fils.

Pour McMahon, c'est le signal attendu. Les deux hommes marchent jusqu'au moment où la grange les cache et alors, ils quittent la forêt et courent lentement, à pas retenus et penchés en avant, comme des fauves humains qu'ils sont. L'un s'assure que la plus haute perche d'une clôture est solide; il y pose la main, se lance, saute. Le sauvage lui refile les carabines et saute à son tour. Et bientôt, on s'adosse au mur de la grange, les pieds dans une lame de neige. Et on attend, histoire de se reprendre les nerfs en mains. Puis on contourne la petite bâtisse pour aller s'embusquer de l'autre côté, celui du chemin.

Et on attend, tapis dans une fébrilité angoissante. Les ombres disparaissent, noircissent. La nuit efface la brunante. La neige tournoie toujours. Par intermittence.

–Il est temps pour moi de partir, déclare Donald.

–Couche ici! propose Murdo. Tu n'auras qu'à partir à la barre du jour.

–Certain! renchérit Sophia.

–Non, il ne faut pas que je prenne de risques inutiles.

–Mais avec la neige, le vent, le froid... Tu vas prendre ton coup de mort dehors.

–Sept milles, pour moi, c'est pas grand-chose, je suis habitué et puis je suis chaudement habillé.

–Mais tu ne verras pas à quinze pieds devant toi.

–En suivant la voie ferrée avec un fanal allumé, il n'y aura aucun problème.

On n'insiste plus. Depuis son retour de l'Ouest, c'est toujours lui qui a pris les décisions. Sa volonté domine. Il sait ce qu'il veut. Parfois même les conseils ne réussissent qu'à le faire se buter.

Il boit une dernière gorgée de lait, se lève, ajuste la ceinture de ses revolvers sous les yeux mélancoliques de ses parents. Puis il s'en va à la porte. Il décroche son manteau, l'enfile. La lanterne se trouve dans la première marche de l'escalier. Murdo l'a remplie de pétrole lampant et le verre fut décrassé avec une guenille.

–Si je ne peux pas revenir demain ou mardi, je vous enverrai un message par Norman MacAuley.

Sophia lui dit sur le ton d'un tendre reproche:

–Sois d'arrangement avec le juge!

–Et n'oublie pas que la justice est orgueilleuse, c'est bien connu de tous, ajoute Murdo.

–D'une façon ou de l'autre, demain soir, il y aura eu de grands changements.

Donald ouvre la porte, reste un moment sur le seuil, moment d'hésitation injustifiée qu'il tranche par un dernier mot:

–Bon, à bientôt!

Sophia ne se retient pas, elle court jusqu'à lui, le serre dans ses bras comme à son retour de l'Ouest. Donald pense à Marion.

McMahon prononce tout bas:

–C'est lui. Il sort.

La neige n'est pas assez dense pour brouiller la vue surtout quand au bout du regard, il y a une embrasure de porte d'où jaillit une lumière jaune.

Donald referme, fait une dizaine de pas, s'arrête, flaire quelque chose...

–Haut les mains! crie McMahon.

Donald doit prendre une décision. Il a une fraction de seconde pour le faire. Plus d'échappatoire. À quoi bon s'enfuir puisqu'il y a trêve? Et il lève les bras. Mais une balle siffle à ses oreilles. Il laisse tomber sa lanterne et détale, craignant pour sa vie. Suivent d'autres coups de feu. C'est Leroyer qui tire sans arrêt comme un déchaîné. La carabine de McMahon s'est enrayée. Il la rejette, sort son Colt, tire au hasard. Sa deuxième balle atteint Donald à la hanche alors même qu'il enjambe une clôture basse. Il tombe, se relève, franchit quelques pieds, tombe encore une fois, se remet tant bien que mal sur ses jambes. Après une dizaine de pas, il s'écroule près d'une grosse souche, face contre terre.

Les chasseurs courent en zigzaguant jusqu'à la clôture. Ils attendent. Écoutent. Murdo et Sophia sont sortis; ils n'aperçoivent devant eux qu'une nuit profonde, désespérante, cruelle de silence. Une petite flamme, celle de la lanterne tombée, brille encore. C'est une lueur de désespoir. Pourtant c'est vers elle qu'ils se mettent en marche.

Sans qu'il n'en soit de sa faute, sans le savoir, Sophia vient aider le destin contre son fils une fois de plus. Elle prend la lanterne, avance... Donald se retourne, cherche à prendre son revolver. Il voit ses parents éclairés par le fanal, décide de ne pas se défendre. Il se met sur le côté pour tâcher d'atténuer l'insupportable douleur que lui fait subir son os iliaque gauche.

Les Morrison arrivent près des chasseurs. McMahon les regarde, les met en joue avec son Colt. Mollement. Ils ne sont pas dangereux mais il veut qu'ils se soumettent et obéissent. Mieux encore, ils pourront servir si le hors-la-loi est resté à l'affût dans les environs.

–Restez à l'écart, leur dit-il, suis représentant de la loi.

Puis il crie à la nuit:

–Morrison, rends-toi!

Il écoute. Silence.

–Tu es cerné, bluffe-t-il.

Murdo ramasse la lanterne et la soulève à hauteur des yeux en disant:

–Donald, rends-toi!

Mais l'homme n'est pas sincère; il espère de toutes ses forces que son fils soit déjà loin.

Une voix paradoxalement lointaine et rapprochée leur parvient:

–Oui... Par ici...

–Approche mains en l'air et ne tire pas, crie McMahon.

–Je ne.. peux pas, je suis blessé.

–Un piège, ça?

–Non.

McMahon recharge son Colt. Il prend la lanterne, la tient à bout de bras, passe la clôture en tâchant de percer l'obscurité de son regard à sourcils froncés. Mi-courbé, il marche au pas de course en ligne brisée jusqu'à se heurter à la souche derrière laquelle gît le blessé.

–Morrison, crie-t-il.

–Par ici, fait Donald.

McMahon est sidéré. La voix a beau être faible, elle est dangereusement proche. Il pose la lanterne sur la souche en se disant que si le hors-la-loi a l'intention de tirer, il le fera maintenant.

C'est alors qu'il aperçoit le corps étendu. Dos et derrière de tête sont visibles. Il lève son Colt, vise, l'abaisse. Morrison n'est pas assez fou pour s'être ainsi couché à découvert; ce n'est pas un piège, il est vraiment blessé.

Le policier s'approche, appuie le canon de son arme sur la tempe de sa victime. Leurs regards se croisent et se comprennent. Chacun sait maintenant qu'il y a un vainqueur et un vaincu, et qui est qui...

–Je l'ai, crie McMahon.

Leroyer pousse son hurlement effroyable et court vers la lanterne presqu'en dansant.

Sophia est effondrée. Murdo la prend par un bras, la conduit à la maison, la rassure:

–Reste à la maison, maman. Attise le feu. Je vais chercher Donald. Je vais le ramener ici...

La vieille femme sanglote, se laisse guider comme une enfant. Son châle pend d'elle comme une guenille. Elle rentre, tombe dans l'escalier. Murdo pense que son fils a plus besoin de lui qu'elle; il retourne.

McMahon a soulevé un pan du manteau du blessé. Sa main cherche les pistolets. Elle touche une région mouillée, se retire. Leroyer arrive.

–Prends le fanal et viens ici, lui ordonne McMahon.

De la lumière tombe sur la main ensanglantée. Le détective grimace, s'essuie sur sa culotte comme il peut, rageusement, maugréant. L'oeil du sauvage brille. Le sang l'excite...

–Aide-moi: on l'emmène.

Chacun prend le prisonnier par un bras. On le remet sur ses jambes. Il s'y tient mal. On l'entraîne jusqu'à la clôture où on le fait asseoir par terre. Le blessé reste muet même s'il souffre le martyre. Il se couche de tout son long pour atténuer le mal, puis se replie en foetus sans plus de succès.

Murdo arrive. McMahon passe la clôture, le repousse, lui ordonne de retourner dans la maison. Le vieil homme s'entête.

–Pas question! tranche McMahon.

–C'est mon fils... Il va peut-être mourir, supplie Murdo.

–Pas question! répète le détective. Retournez. Je ne vous laisserai pas vous approcher.

Murdo recule un peu, dit doucement, l'air effaré:

–Je ne suis qu'un vieillard, en quoi puis-je nuire?

McMahon ne l'écoute pas et lance à son associé:

–Attache-le... les mains derrière le dos. Attache aussi les jambes... et serré...

Puis il menace Murdo du doigt levé et de la voix:

–Vous feriez mieux de retourner chez vous, monsieur Morrison, bien mieux.

Le vieil homme penche la tête. Anéanti, il fait demi-tour, espace des pas hésitants vers cette cabane qui sert de maison.

McMahon rejoint Leroyer qui a ficelé le prisonnier à l'aide de bouts de corde qu'il avait à sa ceinture.

–Attache-le à la clôture et va chercher la voiture...

Le fier hors-la-loi est devenu en quelques minutes à peine un cow-boy abattu, souffrant, mais stoïque à l'idée de mourir. Il n'a rien à dire. À personne. Il a froid. Ses muscles peauciers frémissent. Sa seule pensée: être réchauffé. Il n'est plus qu'une bête blessée qui se laisse manipuler et n'attend rien de ses maîtres. Puis un désir bizarre lui apparaît dans la tête: il voudrait jouer quelque chose sur son harmonica. Ses liens l'empêchent de prendre l'instrument dans sa poche.

Chez les Langlois, on est de retour de la cabane. On a entendu les bruits de la fusillade et on a su. Le père accourt chez les Morrison tandis qu'une adolescente se rend chez les McKinnon. D'autres voisins se pressent, arrivent chez Murdo en même temps que le sauvage qui ramène la voiture. On entoure Donald. Des lanternes l'éclairent. Il regarde tous ces gens qu'il aime, leur sourit faiblement. Des phrases sont tirées comme des projectiles; le ton monte.

"Pourquoi l'attacher ainsi comme une bête sauvage?"

"Cet homme est blessé, il faut le soigner."

"Qui a tiré sur lui?"

"Qui a rompu la trêve?"

McMahon veut calmer les esprits, se justifier, sauver sa réputation, préparer sa gloire. Il élève la voix à son tour:

–Cet homme a tiré sur nous...

–Sales chasseurs de prime, crie un jeune homme.

–Je suis policier, s'insurge McMahon. J'ai voulu arrêter cet homme au nom de la loi, mais il nous a tiré dessus.

Donald retrouve un peu de ses forces pour s'élever contre ce mensonge éhonté:

–Qu'on me tue sur l'heure si j'ai tiré une seule balle! J'aurais pu mais je ne l'ai pas fait. J'ai mes revolvers. Ils sont chargés. Que l'on vérifie!

Ses dernières paroles n'ont pas été entendues. Le détective les a noyées. Puis il joue d'astuce comme il l'a fait lors du saccage de Sandy Bay.

–Cet homme a besoin d'un docteur. Qu'on nous aide à le mettre dans la voiture! On va le reconduire à Mégantic. Il perd son sang. Il pourrait mourir.

Touchés par ces paroles, mis devant l'évidence, les assistants obéissent. À plusieurs, on soulève le blessé qui grogne quand la souffrance est trop grande, et on le dépose sur la fonçure du chariot. McMahon semble animé d'un mouvement de pitié et il recouvre soigneusement le blessé avec les couvertures à chevaux. Le geste est calculé. Il remue les bonnes âmes. Au moment où la voiture s'ébranle, il dit aux gens, trémolo dans la voix:

–Croyez que je n'ai fait que mon devoir de policier. Et sachez que nous allons prendre soin de lui.

Et, devant tous ces êtres déçus qui sentent qu'ils viennent de perdre une partie d'eux-mêmes, il s'en va devant l'attelage pour le guider dans la nuit.

Ω

À Lucy McKinnon, la fille Langlois parle de la fusillade entendue et de ce qu'en a dit son père avant de partir. Lucy hésite un moment. Elle veut courir à la cabane à sucre pour avertir Marion et les autres. Mais rien n'est encore sûr. Il faut savoir au plus vite. Elle enfile ses bottes, un manteau, sort avec Alma Langlois.

Les voisines se connaissent de vue mais ne sont pas des amies. Leur langue les sépare. En des moments de pareille angoisse, elles ne peuvent que se comprendre.

Quand elles arrivent près de la maison des Langlois, la voiture transportant le hors-la-loi passe en cahotant. On savait venir un attelage par les lanternes se rapprochant. Les adolescentes sont restées collées au chemin pour voir, pour savoir. Le sauvage reconnaît Alma que son fanal éclaire. Soutenu et poussé par ses nombreuses rasades de scotch, il ne peut s'empêcher de hurler sa joie:

–On l'a eu, Morrison, on l'a eu, ne cesse-t-il de répéter en piétinant.

Sous l'éclairage de la lanterne que tient McMahon, la forme du corps se devine sous les couvertures. Lucy est clouée sur place. Alma demande en anglais:

–Is he dead?

–Pas mort mais pas fort, répond Leroyer en français.

Alma qui n'a jamais eu froid aux yeux et a toujours eu cet homme en horreur vocifère:

–Salaud de sauvage! Le diable t'emporte au fond des enfers!

Mais le sauvage éclate d'un rire immense à secouer la terre entière, à plonger dans le coeur de Marion comme une lame pointue, à faire éructer le premier ministre qui a trop mangé au souper, à faire se retourner dans leur sépulture les cadavres de Custer et de Riel.

La voiture s'efface dans la nuit derrière les tourbillons de neige. Le père d'Alma revient. On reconduit Lucy chez elle et on y attend le retour des McKinnon de la cabane.

Quand elle entre, Marion devine qu'il a dû se passer quelque chose de grave pour que le voisin canadien-français leur rende visite, et surtout pour que Lucy affiche cette mine décomposée.

La nouvelle ne semble pas l'atteindre pourtant. Son visage reste impassible. Elle ne dit mot. Chacun sait qu'elle peut craquer d'un moment à l'autre. L'homme la rassure. Donald n'est blessé que superficiellement, ce qu'il ignore toutefois. Il va s'en tirer. On fera un procès et dans deux ans, il retrouvera sa liberté et son avenir.

Marion s'en va dans sa chambre, se couche dans le noir. Lucy la suit avec une lampe, la déchausse...

Ω

La route est affreuse pour Donald. Son corps se heurte sans cesse à la fonçure que secouent sans arrêt les contrecoups imprimés aux roues par les ornières nombreuses. Le sauvage ne veut pas perdre une minute. Il faut aller vite, livrer le hors-la-loi au plus tôt. McMahon aussi est pressé d'arriver à Mégantic. Il sait la gloire, tribut des courageux, qui les attend et ça l'émeut.

Avant d'atteindre le village, il fait arrêter la voiture. Une pensée lui a soudain traversé l'esprit. Il avait bien entendu Morrison parler de ses armes, mais l'urgence de la situation avait alors attiré son attention sur autre chose. Ce n'est pas le danger qui le tracasse car le prisonnier a pieds et poings liés. Il soulève les couvertures, fouille le blessé en évitant les souillures de sang, prend les pistolets qu'il met à l'écart après avoir enlevé deux cartouches du barillet de l'un d'eux.

Le blessé est soulagé. Les armes ajoutaient à ses souffrances. Et puis la route est meilleure maintenant.

Au même endroit où, dix mois plus tôt, un coup de feu a retenti et a mis fin aux jours d'un policier de fortune mu par l'appât du gain, à mi-chemin en biais entre l'American Hotel et l'hôtel Graham, un coup de carabine réveille ceux qui dorment déjà et fait sursauter les autres en ce coeur de village partagé depuis le début de l'affaire entre divers sentiments de peur et de tristesse mais jamais envahi par la haine.

C'est Leroyer qui a tiré. Il l'a déjà fait au retour d'une chasse particulièrement fructueuse alors qu'il avait servi de guide à un politicien dont le nom dans ses souvenirs sonnait comme 'chapeau'.

Spanjaardt arrive l'un des premiers sur les lieux. Il aperçoit aussitôt le visage de Donald resté découvert. Le hors-la-loi le reconnaît, parle le premier car le journaliste semble à court de mots:

–Monsieur Spanjaardt, vous aurez un bel article à écrire demain... ou ce soir...

Le journaliste est sur le coup de l'émotion. Il se rappelle du fier gaillard qu'il a rencontré deux saisons plus tôt. De le revoir ainsi brisé, cloué dans une voiture, les yeux tristes comme ceux d'un enfant malade, remue en lui tous les bons sentiments humains. Et d'autres aussi. Il ignore encore que Donald est gravement blessé et ne l'apprendra que plus tard. Il sort de sa torpeur et demande ce qui s'est passé.

–Oh, rien de particulier, dit Donald, ils ont seulement trahi leur parole!

–Pourquoi n'avez-vous pas respecté la trêve? demande le journaliste à McMahon.

–Quelle trêve?

–Quelle trêve? Mais la trêve! s'écrie Spanjaardt.

–Nous n'avons pas entendu parler de trêve. Qui a entendu parler de trêve? Toi, le sauvage?

Leroyer hausse les épaules.

Les gens affluent. On veut savoir. McMahon raconte à certains en anglais. Leroyer à d'autres en français. C'est alors que Spanjaardt apprend que le prisonnier est blessé et pas seulement attaché sous les couvertures.

–Une éraflure, soutient Donald qui refuse de laisser voir sa blessure.

McMahon donne ses ordres. On va se rendre à la gare pour téléphoner. Il est maintenant onze heures du soir. Le prisonnier reste dehors sous la garde de Leroyer qui a le sentiment d'exhiber son plus grand trophée de chasse.

–Pourquoi l'amener ici? demande le journaliste.

–Un train va venir de Sherbrooke le prendre, répond

McMahon qui se dirige vers la gare toute proche.

-Comment ça? En pleine période de Pâques? questionne Spanjaardt suspicieux.

–Monsieur, la justice n'a pas d'heure; elle est un peu comme les journalistes. Et comme le bon Dieu, s'exclame le détective.

Et il pénètre dans la gare suivi de Spanjaardt qui veut aussi envoyer des télégrammes.

Le prisonnier tremble. Le sang perdu le rend plus sensible au froid. La douleur le mord jusqu'au coeur. Il sent qu'il a un os brisé dans la hanche, égrené. Le moindre mouvement frotte les uns contre les autres des fragments d'os.

Un quart d'heure passe. McMahon reçoit une dépêche. On lui annonce qu'un train spécial se met en voie et partira pour Mégantic dans les minutes qui suivent. Il montre la nouvelle à Spanjaardt avec un air de dire: vous voyez, je vous l'avais bien dit. Ce à quoi pense le journaliste, et aucun doute à ce sujet ne subsiste dans sa tête, c'est que l'arrestation du hors-la-loi résulte d'un coup monté basé entièrement sur une ignoble trahison.

Quand les deux hommes sortent, il y a un attroupement important autour de la voiture. Le détective s'indigne:

–Que personne ne s'approche du prisonnier!

Les gens reculent.

Le journaliste va quand même parler à Morrison. Il le trouve grelottant, claquant des dents.

–Tu veux que je fasse venir le docteur?

L'idée fait sursauter McMahon. Et risquer de laisser s'échapper l'oiseau? Non. Il faut le livrer la nuit même.

–Monsieur Spanjaardt, fait-il autoritaire, vous n'êtes pas autorisé non plus à vous approcher du prisonnier.

–Vous le laissez mourir de froid; au moins, faites-le entrer dans la gare.

–Pas question qu'il bouge de là! Et veuillez prendre vos

distances sinon je vous arrête!

–Minute! fait le journaliste qui refuse d'obtempérer malgré l'insistance de l'autre qui le tire par un bras. Laissez-moi au moins lui mettre mon manteau.

–Il a déjà sur lui une épaisse couverte à cheval.

–Ça ne suffit pas.

Et Spanjaardt ôte son manteau de bison qu'il va mettre sur la couverture. Donald semble figé, endormi ou sans conscience. Il tressaute. Spanjaardt l'a touché à la hanche. Le blessé tente de murmurer une parole de reconnaissance mais déjà son bienfaiteur doit reculer, entraîné fermement par le policier.

Le télégraphe ne dérougit pas. La Presse, La Patrie, Le Monde, Le Star, Le Whitness, tous les journaux du pays et plusieurs autres des États-Unis apprennent la nouvelle qui arrive à point pour l'édition du mardi. On va titrer en substance: le plus fameux hors-la-loi du Canada est coffré.

À une heure et demie du matin, le train entre en gare. Spanjaardt se voit refuser l'autorisation de monter avec le prisonnier. Au moment de reprendre son manteau, alors que McMahon et Leroyer ainsi qu'un policier du train transportent le prisonnier, il se rend compte de la gravité de la blessure car Donald est inerte, signe qu'il a perdu conscience. Il proteste avec véhémence, menace, exige la venue d'un médecin. On lui jette son manteau au visage.

À quatre heures, le train s'arrête à Sherbrooke. On conduit le blessé directement à la prison. Il faudra l'intervention menaçante de John Leonard, alerté par un télégramme de Spanjaardt, pour qu'au matin, un docteur soit enfin appelé au chevet du prisonnier.

ΩΩΩ

John Leonard

avocat de Donald Morrison.

Chapitre 24

L'Amérique observe

Un journal américain affirmait le lendemain que venait de prendre fin la plus grande chasse à l'homme de l'histoire judiciaire de l'Amérique. "Ni Jesse James pas plus que Billy le Kid, ni Clay Allison pas plus que Bill Longley, ni John Wesley Hardin pas plus que Cole Younger, n'ont fait l'objet de recherches plus intensives, plus systématiquement organisées, plus longues que celles qui ont précédé l'arrestation de Donald Morrison, un homme qui a appris à tuer quelque part dans notre Ouest, dans les bars de Cheyenne, de Dodge et de Dieu sait où encore..."

Malgré une certaine sympathie envers le prisonnier, La Presse et La Patrie accusaient Le Monde d'avoir fait de lui un héros.

Dans le Star, Spanjaardt qualifia les autorités de traîtres. Il dénonça McMahon et Leroyer comme sanguinaires et insista sur l'inhumanité qu'ils avaient montrée en laissant le blessé sans soins.

Dugas, Bissonnette et Carpenter nièrent avoir jamais annoncé une trêve. Cela n'avait été rien de plus qu'un canular. Et ils enjoignirent quiconque de prouver autre chose.

Alors que tout le pays ne parlait que de l'arrestation, qu'on se questionnait sur McMahon et Leroyer devenus les héros du jour, plusieurs personnes des cantons arrivaient à Sherbrooke par un même train: Marion et John McKinnon, Murdo Morrison, Norman MacAuley, les fils MacRitchie, Higgins le journaliste...

Aucun d'eux, pas même Murdo, ne reçut l'autorisation de voir le prisonnier. Il fallait d'abord qu'on le soigne, qu'il reprenne des forces, qu'il se désigne officiellement un avocat pour le défendre.

John Leonard fut demandé. En l'attendant, les proches de Donald se réunirent dans la salle d'attente du Palais de Justice. Quelques-uns se firent menaçants. Emporté un moment, Norman MacAuley lança:

–On va lever une petite armée dans les cantons et on va venir leur jeter à terre, leur prison de malheur.

Des actions semblables étaient courantes dans l'Ouest. En ces jours d'indignation, il fallait des têtes froides pour ramener le calme dans l'esprit surchauffé des Écossais que la brutalité de l'arrestation avait choqués et révoltés. Leonard fut de ces hommes-là. Il prit les choses en mains, garantit aux amis de Donald qu'ils pourraient le voir dans moins de trois jours si son état de santé le permettait et, via Higgins, il prit contact avec la Société Calédonienne.

Un comité de défense, mais officiel cette fois, fut mis sur pied avec l'appui entier de la Société. Grâce à son journal, Higgins contribua à la cueillette de fonds et une somme de deux mille dollars fut mise à la disposition de Leonard pour l'organisation de la défense du hors-la-loi. Gagné par l'humanité de cette cause, l'avocat promit que ses propres honoraires ne seraient que symboliques. Et il retint les services, au nom de Donald, de deux autres hommes de loi, J.N. Greenshields et François-Xavier Lemieux qui avaient défendu Louis Riel quatre ans auparavant.

Pour la Couronne, face à ses anciens associés dans l'affaire Riel se retrouvera un autre défenseur du métis: Charles Fitzpatrick. Une telle envergure nationale des avocats de la défense et de la Couronne contribua à décupler la passion du grand public pour un procès à venir et qui aurait lieu vraisemblablement à l'automne.

Ω

Quand il a appris la nouvelle de l'arrestation, le premier ministre a convoqué son procureur général. Il l'a félicité, s'est enquis de l'identité de ceux qui ont réussi ce nécessaire et tant espéré coup de filet.

Il s'est exclamé à la blague:

"Peut-être faudrait-il faire frapper une médaille à l'effigie de ce McMahon."

Mais l'attribution de la prime devait exiger une réflexion plus approfondie. Car combinards et charognards se disputent entre eux les trois mille dollars.

Dugas qui veut par là démontrer qu'il n'a jamais déclaré une trêve ni trahi sa parole, demande que la récompense soit partagée entre tous ceux qui ont participé aux recherches au cours du mois d'avril et qui auraient tous plus ou moins contribué à débusquer le gibier.

L'administration municipale de Montréal soutient que McMahon étant payé par les deniers des Montréalais, il n'est que juste que la prime soit versée dans les coffres de la ville.

Mais le sauvage réclame l'argent pour lui tout seul. Il est fort des annonces de journaux concernant la promesse de la prime et surtout d'un document assermenté par McMahon voulant qu'il ait tout accompli tout seul soit l'arrestation et le 'ficelage' du hors-la-loi.

"Comment régler la question?" avait alors demandé le ministre.

Turcotte savait bien que l'avis du premier ministre serait la formule adoptée.

"La meilleure façon de faire, c'est de répondre à chaque lettre reçue par des phrases assez claires pour que chacun espère mais assez vagues pour n'engager le gouvernement envers personne..."

"Des réponses de Normand quoi!"

"De politicien... ce qui revient au même. Quant à la prime, elle sera versée dans six mois, pas avant."

"Et à qui?"

"Ça, avait répondu le premier ministre avec un sourire de satisfaction, seul Mercier le sait..."

Ω

Quelques jours après l'arrestation, grâce aux bons offices de Leonard, il fut possible à Marion de voir son fiancé. Elle se rendit donc à Sherbrooke en compagnie de Norman MacAuley.

Donald ne pouvait se déplacer par lui-même et les visiteurs obtinrent la permission exceptionnelle d'aller jusqu'auprès de lui dans sa cellule ainsi que l'avaient fait les Morrison la veille.

La jeune femme fut horrifiée par l'aspect de l'intérieur d'une prison. Ces murs de ciment gris, froids comme la mort, les barrières métalliques claquant lourdement, les couloirs recourbés où l'on ne voyait ni commencement ni fin, ces petites fenêtres grillagées laissant passer de maigres rayons pâlots: chaque image s'imprimait pour l'éternité dans l'âme torturée de la jeune femme.

Elle marchait quand même avec assurance. Il lui appartenait d'être courageuse pour communiquer sa force à son fiancé. Et s'il fallait qu'elle doive venir à la prison chaque semaine pendant deux, trois, dix ans, elle le ferait... Elle serait lumière au bout de son exil en prison.

Norman avait été fouillé, désarmé. Deux gardes accompagnaient les visiteurs. L'un devant et l'autre derrière eux: des moustachus à visage de glace. On arriva enfin à la cellule du prisonnier: pièce carrée, exiguë, à murs de ciment, dépouillée. Deux chaises avaient été adossées la veille au mur de l'autre côté du couloir. C'est là que les visiteurs devaient prendre place et c'est depuis ces places qu'ils devraient s'adresser au prisonnier, pas plus près.

–Quinze minutes, leur jeta un garde.

–Morrison... Morrison, réveille... tu as de la visite, dit l'autre gardien au prisonnier qui dormait sur un grabat au fond de sa cellule.

Les deux hommes s'éloignèrent. Ils se mirent à l'écart dans le couloir de façon à pouvoir garder l'oeil sur les visiteurs comme l'exigeait leur tâche.

Donald tourna la tête. Lentement. Il avait les yeux entourés de bistre comme la mère de Marion au plus creux de sa consomption. Il ne sourit pas et se contenta d'un geste de la main. En fait, il n'était pas content d'en montrer si peu mais il n'avait pas l'énergie requise pour plus.

–Comment ça va, vieux cow-boy? demanda MacAuley.

–Faiblement! J'ai perdu trop de sang. C'est ce que le docteur m'a dit.

Marion sentit un flot de larmes se ruer à l'assaut de son regard. Elle ferma les paupières et serra afin de les retenir, et après une longue inspiration, elle dit en posant ses yeux tout autour:

–Tu es bien traité ici au moins?

–Bah! c'est mieux que de coucher à la belle étoile.

Le prisonnier bougea. Il laissa retomber doucement son bassin afin que son corps soit étendu de toute sa longueur sur le dos. Il grimaça un peu et esquissa un sourire pour masquer sa douleur.

–Vous allez m'excuser si je ne me lève pas, mais paraît qu'il ne le faut pas.

Pâle, le visage défait, Donald fut pris d'un frisson sauvage. Il remonta sur lui jusqu'à ses épaules une couverture de laine vert foncé qui paraissait bien mince et qui fit dire à Marion:

–Ils ne vous en laissent pas beaucoup sur le dos? Est-ce que c'est la même chose pour tous les prisonniers?

Prisonnier: le mot tournoya dans l'esprit du jeune homme, s'enroula comme un fil de fer barbelé sur son coeur, pressa, lacéra. Il réalisait que cette affreuse condition était désormais la sienne. Mais il répondit calmement aux observations de sa fiancée:

—Je n'ai pas trop à me plaindre; les gardiens ne sont pas méchants envers moi.

—Tant mieux! dit Norman qui adressa aux gardes un regard chargé.

Ils se parlaient et ne regardaient pas souvent vers les visiteurs.

—Et les autres prisonniers? s'enquit Marion.

—Pas vu un. On m'apporte mes repas et c'est tout. On dirait que je suis seul ici.

Sa voix recelait de la résignation et comme une espèce d'habitude déjà. Il ajouta:

—C'est peut-être le meilleur endroit pour reprendre des forces après tout.

On parla de Murdo et Sophia. Donald se désola pour eux:

—Ils sont plus prisonniers que moi. Prisonniers de leur passé... et de cette cabane de bois rond qu'on a lambrissée comme on a pu...

Marion saisit l'occasion pour l'aiguillonner:

—Ils seraient prêts à souffrir mille morts pour te voir sortir d'ici et pour que tu sois libre.

En l'écoutant, Donald scrutait le regard de sa fiancée. Il eut l'air de réfléchir et tourna les yeux vers le plafond avant de répondre.

—Depuis deux ans, les pauvres, ils les ont endurées, leurs mille morts.

Le ton, par-delà la faiblesse physique du prisonnier, montrait son abattement moral. Marion chercha une idée pour le motiver et ne trouva qu'une phrase banale, de celles qui ajoutent un poids au poids de l'angoisse:

—Ce n'est pas le temps de te blâmer toi-même, c'est celui de continuer à te battre.

–Comme un vrai cow-boy, renchérit MacAuley.

Donald se composa un autre sourire. Il ne put empêcher un sentiment de futilité et de désabusement de s'y inscrire. Il voulut changer le propos. S'aidant de ses avant-bras, il s'arc-bouta sur sa couche, glissa ses jambes hors du lit et mit ses pieds au sol, puis il se releva sur son séant. Il lui fallut alors s'arrêter afin de retrouver un peu d'énergie et pour chasser l'étourdissement avant de poursuivre ses efforts pour se mettre debout.

Marion s'inquiéta. Elle l'interrogea du regard puis d'une question contenant du reproche:

–Mais... qu'est-ce que tu es en train de faire?

Il ne répondit pas. Le corps rejeté sur une seule jambe, s'accrochant tant bien que mal aux aspérités du mur, le front en sueur et à grande misère, il progressa jusqu'à la porte.

Incapable de se retenir davantage, Marion se précipita en avant jusqu'au grillage. Elle passa sa main entre les barreaux afin de lui prêter assistance, pour qu'il s'y appuie... Il le fit brièvement.

Les gardiens se retournèrent afin de ne rien voir et ils continuèrent à se parler à voix basse. Pour eux, Donald n'était pas un bandit dangereux mais simplement un prisonnier aimable et docile.

Marion se raidit. Elle concentra toutes ses énergies dans les muscles de son bras, mais déjà, il ne le touchait plus. Il s'agrippa aux barreaux. Elle dut faire pareil.

Elle ne connaissait pas cette chemise grise dans laquelle il se perdait, non plus qu'un pantalon d'étoffe noire, effiloché au bas des jambes sur des chaussettes de laine sans couleur. C'était donc cela l'accoutrement d'un prisonnier. Elle se sentait la gorge noueuse. Être si proche de lui et plus loin que s'il se trouvait dans l'Ouest, bien plus loin! Sous l'empire d'une profonde angoisse, elle eut un mouvement vers lui, pour le serrer dans ses bras malgré cet acier brutal qui s'érigeait en maître entre eux.

Malgré ces désirs réprimés, refoulés, les propos échangés par la suite furent banals et portèrent sur les nécessités du moment: les avocats à connaître, les représentants du comité de défense à recevoir, le repos imposé par le médecin, et qu'il fallait prendre.

Ce fut vite l'heure du départ. Un gardien en donna le signal en claquant les doigts. Il se fit condescendant pour annoncer l'écoulement du temps. Donald tourna la tête et se remit à sa pénible marche vers son lit. Marion resta la main ouverte, tendue vers lui. Quand il fut rassis, il demanda à Norman:

–C'est pour quand le grand retour dans l'Ouest? Les grands convois doivent te manquer?

Son ami regarda alternativement les deux fiancés en même temps qu'il répondait.

–Je suis venu pour te chercher et je ne repartirai qu'avec toi, mon vieux.

Ces mots réconfortants ajoutèrent à une conviction rassurante secrète qu'il gardait au profond de lui-même. Il les regarda tour à tour lui aussi et dit:

–Allez maintenant! Votre vieil ami va devoir obéir à son docteur s'il veut marcher un peu droit à son procès.

Il jeta un dernier regard à sa fiancée. De la tendresse en jaillit qu'il rattrapa et musela. Silencieux, il entreprit péniblement de se recoucher. Sa blessure le dardait en plein cerveau; la cellule tanguait. Il perdit conscience comme cela s'était produit à maintes reprises depuis le soir de sa capture.

Ses visiteurs le saluèrent et, sans réponse, durent s'en aller. Ils s'éloignèrent en silence, un silence parfois brisé par le lourd écho d'une porte se refermant ou par des éclats de voix venus de nulle part comme les murmures caverneux de fantômes.

Ω

La convalescence traîna. À chacune de ses visites, le plus souvent le dimanche et accompagnée de Norman

MacAuley, Marion cherchait en vain des signes de progrès dans la santé et l'âme de son fiancé. Il ne montrait pas qu'il voulait guérir.

C'est que ses forces lui revenaient avec une extrême lenteur. La blessure restait douloureuse et l'homme apprivoisait la souffrance. Pas une seule fois il ne se plaignit de ses gardiens qui lui avaient témoigné beaucoup de respect et dont il avait même suscité l'admiration à cause de sa notoriété.

Pendant cinq mois, il attendit que s'ouvre son procès. Plus que jamais l'affaire passionnait le public et remplissait les pages autrement ennuyeuses des journaux.

–Des avocats qui n'ont pas réussi à sauver la tête de Riel ne réussiront pas mieux avec celle de Morrison, soutenaient les uns.

–Ce sont les meilleurs avocats du pays, rétorquaient les autres. Et les charges retenues contre Morrison ont bien moins de poids judiciaire et politique.

Les pour et les contre étaient comptés, pesés dans toutes les discussions animant quelque groupe de citoyens aux quatre coins de la province et du pays. C'est les jurés et le juge Brooks qui auraient pour tâche de trancher la question. Tout n'était que spéculation.

Ω

Les soirs d'été, le prisonnier rêvait en écoutant le bruit d'une cascade proche formée par les eaux de la rivière Magog. Et il remuait ses souvenirs en égrenant sur son harmonica les notes d'une complainte ou d'une autre. C'est grâce à John Leonard, lui-même musicien, que son instrument lui avait été remis; et à travers lui, le prisonnier solitaire revivait les grands moments de bonheur de sa vie, une vie tragique en comptant bien peu.

Parfois son imagination voyageait jusqu'auprès du bruyant ruisseau qui avait vu mourir Custer, et près duquel il avait dormi deux fois déjà en rêvant aux fantômes qui hantaient ces lieux depuis 1876. D'autres fois, il se transportait au rocher de la gelée en essayant de se représenter la souf-france de Régina Graham ainsi que l'immense bien-être qu'elle avait dû ressentir à l'approche de la grande délivrance.

Il arrivait aussi, mais de moins en moins souvent, que son esprit rejoigne Marion dans leur réduit de la cabane à sucre, et alors la musique s'arrêtait. Et Donald Morrison fermait les yeux...

ΩΩΩ

Chapitre 25

Dura lex...

Au matin du premier octobre 1889, cinq mois après l'arrestation du hors-la-loi, avocats, témoins assignés à comparaître et jurés se présentèrent au palais de justice de Sherbrooke.

Jamais pareille affluence n'avait été signalée dans cette ville pour assister à un procès. Venus de partout par centaines, ils attendaient au voisinage de la bâtisse dans l'espoir de jeter un coup d'oeil sur cet homme plus fort que deux cents policiers et que seule la traîtrise avait permis d'arrêter.

En très grand nombre, les Écossais étaient là pour manifester leur appui à leur compatriote. Des journaux locaux avaient exprimé des craintes pour la paix dans le district. Car s'il y avait les partisans farouches de Morrison, s'y trouvaient également bien des personnes qui, influencées par certains journaux, pensaient que l'homme était un bandit dangereux responsable d'incendiat et de meurtre.

Le juge Brooks était assisté par le juge Wurtele.

Dans l'assistance se trouvaient Marion McKinnon et Norman MacAuley de même que les frères de Donald, Murdoch et Norman. Quant à Sophia et Murdo, ils avaient dû rester à Marsden. Ils n'avaient pas l'argent nécessaire pour un séjour prolongé à Sherbrooke mais surtout, d'assister à un long procès eût été une épreuve trop lourde à faire subir à des gens de cet âge; Donald, par son avocat et des messages véhiculés par Marion, les avait donc suppliés de rester à la maison.

Ω

À dix heures et quart, le prisonnier fit son apparition dans le prétoire, conduit par le directeur de la prison lui-même et encadré par deux constables armés. C'était l'usage car l'on ne craignait pas une évasion puisque Donald était un homme docile, vidé de ses énergies et handicapé de surcroît. Par contre, il pouvait se trouver dans l'assistance quelque tête brûlée pour tenter quelque chose. Ces consignes de prudence n'avaient pourtant qu'un faible poids comparativement au côté spectaculaire de l'événement: il fallait entourer d'un certain décorum le prisonnier le plus célèbre d'Amérique.

Ceux qui n'avaient pas vu Donald après sa capture furent atterrés par sa mine; il paraissait dix ans de plus que son âge. Ajoutait à ce vieillissement apparent une démarche hésitante, boitillante et cette canne de grand-père dont il devait s'aider pour avancer péniblement.

Marion chercha son regard. Inutilement. Tant que dura sa progression vers le banc des accusés, il garda la tête penchée en avant comme pour mieux assurer ses pas. Rendu et assis, il planta son regard dans le mur de planchettes vernies, étroites, luisantes et dont l'uniformité semblable à celle des grandes plaines donna plein d'espace et de liberté à ses pensées vagabondes.

Les grands jurés furent assermentés. Ils venaient des quatre coins des cantons. Le juge Brooks leur rappela leur devoir et l'impartialité qu'ils auraient à montrer et sans laquelle, soutint-il, aucune justice au monde ne saurait exister.

"Quand une assignation en justice est émise par la Reine, alors il faut appliquer la loi jusqu'au bout, coûte que coûte, autrement, ce serait la fin de toute sécurité publique, de la loi et de l'ordre." déclara-t-il de sa voix pointue, le regard souvent projeté par-dessus ses lunettes à demi-foyer et visant

432

les pairs de l'accusé qui tiendraient son sort entre leurs mains.

La première accusation portée reprochait à Donald Morrison la mort de Lucius Warren tué à Mégantic le vingt-deux juin 1888. Demeuré assis avec la permission du juge, l'accusé plaida non coupable, la voix blanche et peu audible.

Après délibération entre les avocats, l'audience fut aussitôt ajournée jusqu'au lendemain matin. Les assistants quittèrent en maugréant et en clamant qu'ils en avaient eu bien peu pour leur argent.

Le deuxième jour, deux autres chefs d'accusation pesèrent sur Donald. Pour l'un, incendiat de la maison d'Auguste Duquette et pour l'autre, incendiat de la grange du même individu: méfaits commis le même jour soit le trente mai 1887.

"Non coupable!" déclara encore l'accusé mais avec un sourire amer cette fois.

Le procès ne commença que le troisième jour des audiences. Maître Greenshields obtint que tous les témoins des deux parties soient exclus de la cour et enfermés dans une salle attenante. Le juge leur recommanda de ne confier à personne les évidences au sujet desquelles il leur faudrait témoigner.

Aucun d'entre eux ne devait incriminer l'accusé dans les jours qui suivirent. Tous les témoignages firent se dégager la même conclusion: Morrison avait tiré sur Warren parce qu'il s'était senti et vu menacé de mort par un apprenti-shérif sans crédibilité à leurs yeux.

Pope, propriétaire d'un hôtel devant lequel eut lieu l'affrontement, a entendu Warren menacer Morrison.

Mayo, un douanier, premier à s'approcher du cadavre après le duel témoigna du fait que Warren avait bel et bien son pistolet dans sa main au moment de sa mort.

Joseph Morin, juge de paix, déposa à l'effet qu'il avait émis un mandat d'arrêt contre Donald Morrison parce qu'on le soupçonnait d'incendiat. Il l'avait confié au constable

Edwards pour exécution puis à Jack Warren. Il dit qu'il était généralement connu que Warren détenait un tel mandat et que l'Américain avait prêté serment d'allégeance à la Couronne britannique de la même manière qu'un constable ordinaire. Le visage et le ton du témoin laissaient paraître son regret de devoir dire ces choses et montrait son évidente sympathie envers l'accusé auquel, parfois, il adressait des moues désolées.

Joseph Thibaudeau, notaire de Mégantic, confirma la prestation de ce serment alors qu'il avait agi comme greffier du juge de paix.

Georges Rodrigue, fermier, dit qu'il se trouvait assis à une véranda près de l'avenue Maple ce jour-là. Après avoir enjoint trois fois Warren de le laisser passer, Morrison sauta de l'autre côté du fossé, sortit un revolver et tira. Et il confirma le fait que Morrison avait crié à Warren de ne pas tirer s'il ne voulait pas se faire tirer aussi.

Antoine Roy, forgeron de Mégantic, confirma en substance les dires de Rodrigue. Il soutint que Warren avait pointé son arme en direction de Morrison, que l'accusé avait le premier levé la sienne et à trois reprises en direction de son opposant et qu'il l'avait rabaissée.

Nelson F. Leet, propriétaire de l'American Hotel dit qu'il a vu Morrison, que feu Warren lui demanda s'il s'agissait bien du hors-la-loi, qu'il répondit par l'affirmative, qu'alors Warren se porta à sa rencontre, sortit son revolver puis fut abattu par celui qu'il voulait arrêter. En contre-interrogatoire, maître Fitzpatrick chercha à le confondre en le confrontant avec une déposition qu'il avait faite en août précédent. Le témoin renia une partie de cette déposition, ce qui fit ressortir clairement qu'il croyait que Warren avait sorti son arme et visé le premier.

À la stupéfaction générale, le vendredi après-midi, quatre octobre, la Couronne annonça que l'exposé de sa preuve était terminé. Plusieurs témoins qu'elle-même avait fait assigner à comparaître ne seraient même pas questionnés. Du moins pas par elle. Les plus surpris de tous furent les avocats de la défense qui s'attendaient à une lutte bien plus vive. Fitzpatrick voulait-il ainsi réparer le mal fait par l'acharnement des avocats de la Couronne contre Louis Riel, son célèbre client de quelques années auparavant? Plusieurs affirmèrent qu'il avait cherché de la sorte à faire contrepoids à l'évidente hostilité du juge Brooks à l'endroit de l'accusé.

À l'annonce de la Couronne, Donald se leva et il sourit pour la première fois. Il échangea avec ses avocats, avec Spanjaardt et surtout avec Marion, des regards empreints de la plus haute satisfaction. L'espoir qui l'avait fui pendant de si longs mois se rallumait enfin dans son âme.

Le jour suivant, la défense commença. Il fut tout d'abord question de l'habileté de Warren à porter une arme. Joseph Morin fut appelé à la barre. Il fit savoir qu'il avait dit clairement à Warren qu'il pouvait porter un revolver puisqu'il était représentant de la loi, mais ne devrait l'utiliser qu'en état de légitime défense.

La poursuite demanda ce qui avait été fait par Edwards pour arrêter Morrison avant l'assermentation de Warren. Le témoin affirma que le constable Edwards, en tant qu'ex- voisin, et ami de la famille Morrison, avait les mains liées et n'avait donc pas pu agir.

L'on s'attarda ensuite à démontrer que l'accusé avait la réputation d'un homme paisible.

"Dans tout le voisinage, il jouissait d'une haute estime et du respect de ses concitoyens," affirma sans hésiter Malcolm Matheson.

"Je connais l'accusé depuis qu'il avait dix ans, vint dire John MacLeod de Whitton, et il m'est toujours apparu comme un jeune homme modèle."

Le témoin suivant, un dénommé Paton, fermier, avait entendu dire à Warren qu'il 'arrangerait' Morrison quand il le rencontrerait. On lui demanda la signification de ce mot. Il dit qu'il avait pensé que cela voulait dire tirer à vue.

Donald Stewart, fermier de Marsden, témoigna d'une conversation qu'il avait entendue et au cours de laquelle Warren avait déclaré qu'il prendrait le hors-la-loi mort ou vif.

Lors d'un court ajournement, Donald se pencha au-dessus de la rampe et put dire à l'adresse de Spanjaardt:

–Les choses vont rondement. Je me sens bien de première classe.

Deux jeunes filles jolies comme des coeurs endimanchés entrèrent et restèrent debout derrière le banc des accusés, une de chaque bout comme si elles avaient désiré faire office d'anges gardiens. Elles voulaient voir de près une grande vedette des journaux comme l'était le hors-la-loi.

Donald les regarda, répondit à leur sourire. Puis il posa sur Marion des yeux remplis de lueurs autrement plus vives.

D'autres dépositions vinrent faire ressortir la réputation exécrable de Jack Warren: boit-sans-soif, vantard et particulièrement violent...

Puis les travaux de la cour furent suspendus jusqu'au lundi suivant.

Ω

Ce sept octobre, les audiences reprirent à dix heures comme à l'accoutumée. L'avocat Lemieux fit tout d'abord ressortir cinq points relativement à l'autorité de Jack Warren lors de son décès. Premièrement il n'était pas sujet britannique et ne pouvait donc assumer la charge de shérif spécial dans la province de Québec. Deuxièmement sa nomination étant nulle, il ne pouvait procéder à l'arrestation de l'accusé. Troisièmement il ne pouvait pas être considéré comme assistant du constable Edwards. Quatrièmement le mandat qu'il détenait ne pouvait donc qu'être nul. Cinquièmement il était raisonnable de penser, en pareilles circonstances, que Morrison, connaissant l'origine américaine de Warren et effrayé par sa réputation, soit justifié de craindre pour sa vie et de vouloir la défendre.

Lemieux soutint ensuite que selon les statuts de la province de Québec, Warren aurait dû être non seulement assermenté, mais dûment mandaté par deux juges de paix. De plus, le juge de paix Joseph Morin avait le devoir de transmettre au secrétaire de la province une note, ce qui n'avait pas été fait.

Enfin, les statuts du Canada requéraient qu'un mandat d'amener soit adressé à un représentant de la loi. Cela avait été fait envers le constable Edwards, mais celui-ci ne donna pas sa collaboration à son prétendu assistant. Quant au mandat, il n'alléguait pas que Morrison avait commis un crime mais uniquement qu'il était suspecté.

Maître Fitzpatrick s'objectait parfois sur des points mineurs pour montrer le sérieux de la Couronne, et cette fois-ci, il ne s'agissait que d'une porte ouverte à une réponse retournant la situation et rendant l'objection favorable à l'accusé. Il rétorqua en substance que toute personne, qu'elle soit étrangère ou pas, avait le droit de procéder à l'arrestation d'un criminel. "Est-il seulement possible d'imaginer qu'un étranger puisse garder les bras croisés devant un acte criminel simplement parce qu'il est un étranger?"

Maître Lemieux répliqua que Jack Warren n'avait jamais été le témoin d'un acte criminel commis par l'accusé.

Les avocats de la défense avaient eu à subir de nombreuses rebuffades au cours du procès. Le juge avait souvent fait montre d'une hostilité brutale envers l'accusé et il avait mis tous les obstacles possibles dans le cheminement de la défense.

C'était la seule ombre au tableau bien qu'elle fût de taille. Public, journalistes, témoins, gens de la Couronne eux-mêmes considéraient l'accusé comme une malheureuse victime des circonstances bien plus que comme un criminel dangereux.

Ω

Le jury délibéra pendant vingt-trois heures. Une foule compacte attendait le retour des jurés dans la salle des audiences. Plusieurs femmes et jeunes filles s'y trouvaient et bien des personnes du beau sexe attendaient dehors, malgré la fraîcheur du jour, qu'on leur communique le prononcé du verdict.

Quand le juge et le jury eurent repris leur place, un silence religieux se fit de lui-même dans la pièce. Le président du jury, un homme ridé aux yeux profondément bleus, se leva et prononça le verdict:

–Nous déclarons l'accusé coupable d'homicide involontaire ('manslaughter') et nous recommandons vivement la clémence de la cour de sorte qu'une sentence minimale lui soit imposée.

Une rumeur de satisfaction parcourut l'assistance. Ceux qui ne comprenaient pas le poids d'un tel verdict se le firent expliquer. Sans avoir été tout à fait blanchi, disait-on, l'accusé pouvait s'attendre à quelques mois voire un an ou deux de prison tout au plus. Le juge avait maintenant toute latitude à ce sujet et il pouvait tout aussi bien imposer la prison à vie qu'un seul mois de réclusion.

Pourtant deux hommes ne partageaient pas le sentiment général. John Leonard qui avait préparé ce procès avec minutie, qui s'était fait seconder par les avocats les plus capables et les plus prestigieux, qui avait travaillé des nuits entières sur la cause, qui avait aidé à la cueillette des fonds, qui avait traité Donald comme un ami et un frère et non comme un client, eut une désagréable prémonition lorsque son regard croisa celui, dur, du juge Brooks.

Et le juge lui-même était ce deuxième homme à ne pas penser comme les autres à ce moment-là. Un verdict de culpabilité de meurtre ou bien un acquittement pur et simple auraient ôté toute puissance à sa voix, celle de la justice, de la loi et de l'ordre. Il espérait un verdict intermédiaire, celui de manslaughter, et l'avait presque provoqué. Et comme il avait prévu cette réaction, ce choix du jury, la sentence était déjà présente depuis une bon moment dans son esprit, en fait depuis le jour même où il avait appris que ce serait lui qui officierait au procès de Morrison.

Le reste de la journée et le lendemain, les spéculations allèrent bon train. Chacun pensait que la sentence ne dépasserait pas deux ans. En entrevue, le détective McMahon déclara qu'il s'attendait, eu égard aux témoignages entendus, que l'accusé écope d'au plus trois ans. Il était le plus sévère des observateurs. Dans maints cas comparables, des accusés avaient eu un an, et pour des charges plus lourdes encore.

Ω

Le onze octobre, un vendredi venteux et gris, la cour se réunit pour le prononcé de la sentence.

Dès son arrivée au banc, Donald repéra Marion et lui sourit puis il salua l'assistance de son espérance. Encore soutenu par une canne, il paraissait néanmoins bien plus solide qu'à la première journée de son procès et son pas était moins lourd.

Alors la voix du juge Brooks tomba comme le couperet de la guillotine, elle trancha dans l'âme de Donald, taillada son coeur, lui entoura le cou de ses doigts noueux et hideux pour l'étouffer plus sûrement que ne l'aurait fait une corde de gibet:

–La sentence que cette cour prononce contre vous, Donald Morrison, est que vous serez confiné au pénitencier de Saint-Vincent-de-Paul où vous serez astreint à des travaux forcés pour une période de... DIX-HUIT ANS.

Donald avait tué un homme pour défendre sa vie. Le juge Brooks venait d'en tuer un à son tour, mais c'était pour défendre un système, le système judiciaire dont il se sentait lui-même un rouage important. Il devait déclarer plus tard que cette sentence exemplaire lui avait été dictée par l'acharnement qu'avait mis l'accusé à défier la loi.

Morrison tout comme Riel s'était attaqué à un système établi; il le paierait de sa vie. Car dans l'esprit de Donald, dix-huit ans frappaient bien plus durement que ne l'aurait fait une condamnation à la pendaison.

Le président du jury ne put s'empêcher de dire, estomaqué:

439

–Jamais on n'aurait cru cela possible!

John Leonard se dit que dans les prochains jours, il entreprendrait les procédures afin de porter la cause en appel.

Marion darda le juge de ses yeux remplis d'amertume. Pour la première fois de son existence, elle ne retint pas ses sentiments derrière des voiles féminins. Brooks croisa son regard. Lui qui en avait vu d'autres dans son existence, des cris et des larmes, des menaces et des évanouissements, lui qui avait supporté des invectives et des supplications, ne put soutenir la force écrasante que dégageaient alors ces prunelles couleur d'acier et qui le vouaient à tous les enfers.

La jeune femme le maudit de toute son âme tant qu'elle le vit, jusqu'au moment où il disparut derrière la porte des magistrats.

Ω

Marion, Norman MacAuley et John Leonard obtinrent une permission spéciale pour visiter le prisonnier qui partirait pour Montréal dès le lendemain matin.

Cette fois, contrairement aux précédentes, grâce à l'intervention de Leonard, le directeur de la prison permit une visite à cellule ouverte. Il était entendu que MacAuley devrait subir une fouille en règle. Et les gardiens ne seraient pas loin.

Assis, adossé au mur de pierre, un pied relevé et le talon accroché au rebord de son lit, Donald jouait de l'harmonica. Un air qu'il avait baptisé «La Complainte de Custer». Il s'arrêta quand il entendit l'écho des pas dans le couloir, et que lui parvint la résonance des portes grillagées. Ce bruit pourtant coutumier et qu'il devrait subir pendant très longtemps, dix ans minimum, car il avait alors l'intention de chercher à obtenir une réduction de peine, lui écorchait l'âme.

Les arrivants n'entendirent pas les dernières notes de musique. Ils avaient le pas décidé de gens qui espèrent encore. John Leonard entretenait la flamme, soutenant qu'en appel, avec d'autres juges, la sentence serait bien différente.

Mais il craignait au plus haut point l'entêtement de Donald à refuser d'aller en appel.

On ouvrit la porte de la cellule. Les salutations furent brèves. Des chaises furent apportées. Les gardiens se mirent en retrait. Marion s'assit entre Norman et Leonard face à Donald qui ne bougea pas.

L'avocat parla, alla droit au but, dit ce qu'il entendait faire dès le lundi. Son enthousiasme fut désarçonné par l'attitude du prisonnier qui, après une moue de résignation, déclara:

–Comment payer pour aller en appel? Faire une deuxième collecte dans les cantons? Pendant des mois, on m'a hébergé, nourri partout et on ne m'a rien demandé en retour. Mes amis ont souscrit deux mille dollars pour ma défense, comment leur en demander encore?

Le visage de Marion s'assombrit. La détermination de ses pensées devant le juge Brooks lui avait requis une grande énergie et voilà que la présence de trois hommes conduirait à la solution la meilleure. Elle musela sa simple voix de femme qui n'aurait pas servi à grand-chose, pensait-elle.

Leonard insista:

–Le pire est fait. Les journaux t'appuient. Les Écossais, même ceux qui ont hésité quand tu fuyais, te supportent à cent pour cent maintenant. Et bon nombre de Canadiens français aussi. Un nouveau procès et tu gagneras dix ans, quinze ans de liberté, de vie...

–La justice des hommes de loi ne peut pas toujours aller à l'encontre de la vraie justice, dit MacAuley.

–Ça, c'est vrai! Ce n'est pas la vraie justice qui t'a condamné à dix-huit ans, c'est le système judiciaire. Mais le système a eu satisfaction avec cette sentence et maintenant il voudra se montrer magnanime. Nous devons nous retrousser les manches et demander un nouveau procès...

–Pas sur le dos de mes amis.

–Ils seront les premiers à vouloir que tu continues à

lutter; tu leur dois ça.

–Non, je ne veux pas! Il n'en est pas question! Je ne veux pas imposer...

Norman MacAuley l'interrompit:

–J'aurais un mot à te dire, moi...

Puis il s'adressa à Marion et Leonard:

–Laissez-moi seul à seul avec lui pendant quelques minutes, voulez-vous?

Ils se rendirent dans le couloir. Norman s'approcha du lit avec sa chaise. Il parla à son ami à voix basse, lui rappelant des souvenirs de l'Ouest, les meilleurs, et défiant son orgueil. L'autre écouta. Il sourit un peu parfois. Mélancoliquement. Quand il sut que Norman avait fini son plaidoyer, il soupira en fixant le mur:

–C'est pour Marion que je n'irai pas en appel. Sept ans qu'elle m'a attendu quand j'étais en Alberta. Deux ans de plus depuis mon retour. Aller en appel et récolter au mieux quatre, cinq ans? Additionne tout ça et tu obtiendras quinze ans de patience, de chagrin et d'attente. Non, c'est trop pour elle. J'irai peut-être en appel, mais pas maintenant... plus tard, quand Marion aura appris à faire sa vie sans moi, un homme de tragédies.

–Tu cherches à te débarrasser d'elle, on dirait.

Donald haussa les épaules.

–Ce que je veux, c'est la débarrasser, elle, de moi.

–Tu pourrais au moins lui demander son avis.

–Je n'ai pas à le faire et je ne dois pas le faire non plus.

Il se fit un long silence. Puis Donald espaça d'une voix neutre des mots définitifs:

–Ma décision est finale. Et jamais tu ne devras en donner la vraie raison à Marion. Sa peine serait double et elle ne me ferait pas changer d'avis de toute façon. Je te demande de prendre bien soin d'elle. C'est tout, mon ami, c'est tout.

C'est fini pour moi. Et maintenant, tu vas me laisser avec eux car je dois parler à chacun.

Il se leva dans un effort marqué que lui imposait encore sa blessure, tendit la main en disant:

–Sois heureux, vieux cow-boy! Moi, je n'ai pas tiré le bon numéro, mais toi... J'aurais dû faire comme toi dans le temps et apprendre à jouer au poker. Et n'oublie pas pour Marion... Je te la confie...

Norman ouvrit la bouche, entama un mot mais il le coupa en deux à la vue des hochements de tête de Donald. Il avait la certitude qu'il ne restait rien à ajouter. Il se leva, serra la main tendue. Chacun comprit que c'était la signature d'un contrat moral.

–Merci, vieux frère! dit Donald.

Norman se retira vivement. Au passage, il dit simplement à Leonard mais sans regarder personne:

–Je serai en bas dans la salle d'attente.

L'attitude de Norman inquiéta Marion au plus haut point. Elle voulut le retenir, lui parler. Elle cria son nom, lui dit d'attendre. Il s'arrêta, tourna légèrement la tête et répéta qu'il serait en bas.

Revenu auprès du prisonnier, l'avocat allait entamer un réquisitoire lorsque Donald lui coupa l'herbe sous les pieds en prenant les devants.

–À compter de maintenant, John, tu n'es plus mon avocat. Oh, je n'en prends pas un autre! En fait, je n'ai plus d'avocat. Tu as été un ami, un grand ami, l'un des meilleurs avec Norman. Et tu le resteras toujours. Aucun homme de loi de ce pays n'aurait pu faire plus pour moi. Je prierai le Seigneur -et Dieu sait si j'aurai du temps pour le faire!- de te récompenser et de te bénir. Greenshields et Lemieux se sont partagé presque tout l'argent ramassé pour ma défense et tu n'as rien eu, et malgré cela, tu serais prêt à continuer. Des avocats aussi généreux que toi et détachés de l'argent, il y en aura sans doute beaucoup dans un siècle d'ici, mais de nos jours, ils doivent être rares en ce bas monde mené par le signe du dollar. Tu n'as pas trop la bonne méthode pour devenir riche...

–Rien que par ta célébrité, je ramasserai toute ma vie les retombées monétaires de ta cause. Ne va pas croire que mon mérite soit si grand! C'est justement maintenant que mon vrai travail pourrait commencer... si tu le voulais.

Marion revenait dans la cellule lorsque le prisonnier annonça:

–Mon dernier mot est dit. Si j'ai besoin de tes services, mon vieux Johnny, je t'écrirai... Y'a rien que dans une lettre qu'on peut communiquer les bons mots, le fond de sa pensée, et j'aurai du temps pour ça aussi...

L'avocat fit une moue de résignation attristée. Il ne lui restait plus qu'à laisser à Marion tout le temps de visite encore disponible. Il serra la main du prisonnier et s'en alla en se promettant de revenir à la charge plus tard avec de nouveaux arguments.

Maintenant Marion regrettait de n'avoir pas parlé la première dès son arrivée. Tout avait été dit, tout avait été décidé sans elle. Son intervention aurait pu signifier quelque chose tandis que maintenant... Si Donald avait pu imposer sa volonté à ses deux meilleurs amis, que restait-il à faire?

Restait l'arme suprême. Se jeter dans ses bras et supplier. Demander sa protection morale. Faire valoir leur amour. En appeler à ses sentiments. Hélas! elle ignorait que cette façon d'agir se retournerait contre elle car c'était justement au nom de leur amour qu'il voulait la libérer définitivement de lui.

Il la serra sur lui, caressa ses cheveux depuis la nuque en remontant avec ses doigts écartés. Cela dura plusieurs minutes, des instants d'un silence insoutenable et d'une beauté formidable et cruelle.

Elle priait le Seigneur de lui faire entendre sa supplication et sa souffrance pour que Donald écoute tous ces gens des cantons et de tout le pays dont il était devenu le hors-la-loi BIEN-AIMÉ et qui désiraient unanimement le sauver de son sort abominable en lui aidant à retrouver le chemin de sa liberté.

Elle le sentit vaciller.

–Un peu fatigué! fit-il.

Elle le fit s'asseoir sur le bord du grabat. L'espace d'un éclair, elle se revit avec lui à la cabane à sucre. Tête basse, doigts vaguement croisés sur ses genoux, elle prit place aussi. Dans les quelques mots qu'il lui murmura alors, il laissa couler toute la tendresse qu'il put et qu'il avait refoulée depuis si longtemps.

–Tu ne dois pas m'attendre, ma douce amie. C'est la fin. C'est fini. Va... va fonder une famille, va fonder le foyer dont tu as tant rêvé... Fais-le pour moi... Au fond de ma prison, je serai quand même avec toi... Je serai toujours avec toi si tu... m'obéis...

Elle se buta en hochant la tête:

–Je vais t'attendre jusqu'au bout de ma vie s'il le faut.

–Tu ne le dois pas, tu ne le dois pas.

Ils ne se parlèrent plus pendant longtemps. Chacun était figé dans son entêtement.

–Visite terminée, cria de loin un gardien.

Aucun des gardiens ne bougea encore. On devinait le drame qui se déroulait dans la cellule et on le respectait.

Il y eut une étreinte ultime. Il l'entoura de ses bras et l'écrasa sur lui sans songer à la douleur que le geste lui valait à cause de sa hanche. Elle s'abandonna un instant sur son épaule. Ce n'était plus un abandon à l'amour mais à sa volonté.

–Va, fit-il doucement. Je te confie mes vieux parents. Rends-leur visite quand tu le pourras. Ils pourront peut-être te donner de mes nouvelles. Je vais prier pour toi, sache cela et souviens-t'en.

Le prisonnier se tut, ferma les yeux. Puis il se libéra de l'étreinte et se tourna vers les pierres du mur, répétant sans arrêt:

–Va... va... va...

Il cherchait à imprimer les mots dans la surface du mur comme si elle avait été le rocher de Régina Graham.

Marion partit dans sa discrète fragilité. En silence. Le visage exsangue. Dos voûté comme celui d'une petite vieille. Elle marcha sans guide, habituée des lieux, sans se retourner une seule fois, sans pleurer, anéantie, vidée de tout...

Ω

Norman MacAuley et John Leonard ne s'étaient pas dit un mot sur Donald en attendant. On savait néanmoins dans quel état d'âme reviendrait Marion. Quand elle apparut enfin, figée dans sa terrible défaite, l'avocat fit à Norman un grand signe des deux bras pour qu'il enveloppe de sa protection et de son amitié réconfortante la jeune fille perdue.

Norman acquiesça d'un léger signe de tête. Il entoura les épaules de Marion et la guida vers la sortie.

ΩΩΩ

Chapitre 26

Le 2329

Le lendemain à deux heures de l'après-midi, après un dernier adieu à son ami John Leonard venu à la prison puis à la gare, Donald quittait Sherbrooke. Il était accompagné du grand connétable Moe, du geôlier Reed et des sergents Burke et Somerville de la police provinciale.

On l'avait attaché par une main et un pied à un garçon de quatorze ans qui avait été condamné à quatre ans d'école de réforme pour un crime haineux.

Spanjaardt qui rentrait à Montréal, voyageait par le même train. Mais on lui refusa l'autorisation de s'approcher du prisonnier. Par contre, le geôlier promit qu'il organiserait une rencontre avec tous les journalistes désireux de questionner le prisonnier avant son entrée à la prison de Saint-Vincent-de-Paul.

Durant le voyage, Donald demanda qu'on libère sa main. Il voulait jouer de l'harmonica. Reed libéra aussi son pied et prit place sur la banquette suivante pour bien garder à vue ses prisonniers, l'adolescent bien plus que le cow-boy. Le geôlier savait que le fils de Murdo Morrison n'avait rien d'un Billy le Kid, qu'il était homme de parole et ne profiterait pas d'une faveur spéciale pour chercher à s'évader.

Ceux qui l'accompagnaient regrettaient son départ. Donald n'avait jamais cessé de se conduire en prisonnier modèle: poli, réservé, respectueux. Chacun se sentait partie prenante de sa notoriété. Il était devenu une vedette nationale. On aimait le son de sa musique. On l'admirait de se montrer aussi serviable et généreux envers tous alors pourtant qu'il avait tout perdu par la faute des autres. Qui donc à sa place n'aurait pas été aigri, amer, agressif?

Il avait passé des heures à la prison à leur raconter ses souvenirs de l'Ouest. Reed avait retracé un journal relatant la mort de Belle Starr et le lui avait donné. Malgré l'intérêt qu'il portait à cette nouvelle datant de février alors qu'il était encore un fugitif, il n'avait ressenti aucune haine envers cette chef de gang, voleuse de bétail qui avait voulu le faire descendre. On disait que Belle avait peut-être été abattue par son propre fils. Mais, pensa Donald, à sa manière, cette fille dont la pierre tombale disait qu'elle s'était fourvoyée, avait essayé de sauver sa peau et n'avait réussi qu'à la perdre bêtement.

Le train entra en gare à la brunante. Donald fut étonné de voir qu'une foule de deux cents personnes au moins -c'était autant qu'un groupe d'admirateurs de Mercier ou d'Albani- attendait sur le quai. Tout d'abord, il refusa de croire que c'était pour lui mais il fut bien obligé de se rendre à l'évidence.

Reed s'excusa de devoir le menotter encore une fois à l'autre prisonnier et il les précéda à la sortie du wagon.

Divers courants d'émotion parcoururent la foule quand le célèbre hors-la-loi devenu simple prisonnier parut dans l'embrasure de la porte. Certains riaient de bonheur d'avoir l'honneur de rencontrer cet homme d'aussi près. Des jeunes filles s'échangeaient des opinions secrètes au creux de l'oreille. Des mères âgées pleuraient en pensant au fils qu'elles avaient perdu à cause d'une maladie, d'un accident. Des veuves avaient voulu voir un être fort. L'idole de la foule était prisonnière de la foule.

Deux photographes embusqués sous leur voile noir guettaient le moment propice où le visage du prisonnier serait le plus visible pour faire s'allumer le magnésium. Des journalistes entourèrent les prisonniers et les policiers. Reed leva les mains pour leur signifier de reculer. Il cria par-dessus la rumeur:

–Tous les journalistes sont invités au poste de police de la rue Chaboillez. Là, vous pourrez poser toutes les questions que vous voudrez. Mais pas avant! Pas ici!

Derrière la gare Bonaventure un fourgon de police attendait. Avant d'y monter, Donald se retourna pour jeter un coup d'oeil à la locomotive dont la puissance contenue attendait un départ imminent.

–C'est pas demain que je vais voyager à nouveau, s'exclama-t-il comme à regret mais sans regret.

Les journalistes se louèrent des voitures aux abords de la gare et suivirent le fourgon noir à porte arrière grillagée. La foule se dispersa sans hâte, heureuse de se sentir malheureuse pour ce pauvre homme si durement malmené par son destin.

Un repas de qualité fut servi à la station de police. Certains journalistes voulurent faire dire à Donald des choses qu'il ne pensait pas. Il se défendit avec vaillance, non montra ni amertume ni haine envers qui que ce soit. Il déclara que la lourdeur de la sentence l'avait surpris mais qu'il travaillerait à obtenir une réduction de peine et dit qu'à sa sortie de prison, il retournerait chez lui dans les cantons.

Spanjaardt resta à l'écart, ne posa aucune question. Pour lui, le temps s'était arrêté au prononcé de la sentence. Rédiger un article concernant le 'ici et maintenant' de Donald aurait consisté pour lui en une sorte de cautionnement de la décision du juge. Et cela, jamais! Il connaissait l'importance de sa plume et son influence, et il continuerait de les mettre au service d'une cause qu'il considérait comme éminemment juste, et travaillerait sans relâche à réparer cette injustice, l'injustice du siècle, honteuse pour le système judiciaire, et comme le prochain siècle n'en connaîtrait sûrement pas.

Il devait exprimer cela en substance dans le Star le sur-lendemain. Dans un article percutant, il dénoncera la sentence imposée et fera un vibrant appel à tous les coeurs pour que l'on accorde un appui total à ce pauvre homme que la vie avait dépossédé de tout: ses biens, ses sentiments, sa dignité, son droit de fonder un foyer, ses amours, sa liberté et peut-être sa vie...

Ce dimanche glacial du treize octobre, fatigué, mal vêtu, traînant la jambe, souffrant, encadré de ses gardiens, Donald Morrison descendit du fourgon cellulaire qui avait secoué ses douleurs pendant près de deux heures. On était dans la cour du pénitencier. Son regard longea les murs, se braqua sur un mirador. Il pria le ciel de ne pas le laisser mourir à l'intérieur de cet endroit. Et il se dit que cela pourrait peut-être aider le Seigneur à l'exaucer s'il le voulait de toute sa volonté. Il le marmonna entre ses dents:

—Je ne mourrai pas en prison... je ne mourrai pas en prison...

Bientôt les lourdes portes se refermèrent sur lui dans un bruit autrement plus définitif que celui des faibles grilles de la prison de Sherbrooke.

Ω

Des gardiens suspicieux le prirent en charge. La chaleur humaine qu'il avait connue à Sherbrooke fit place à une discipline froide et exigeante. Impersonnelle et inexorable, la consigne fut appliquée: l'on rasa sa moustache et on le fit se revêtir de l'uniforme gris des prisonniers avec, sur la poitrine, un simple numéro: 2329. Tel serait désormais le nom de Donald Morrison.

Il demanda qu'on lui laisse emporter sa musique à bouche dans sa cellule mais il essuya un refus servi avec une incrédulité méprisante. Il comprit alors qu'il n'avait rien à attendre de personne en ce lieu. Sa seule demande ultérieure, et on la lui accordera sans réticence, sera son refus de recevoir de la visite.

Cette nuit-là qu'il passa à l'état de veille dans son trou

noir, il donna une réponse définitive à cette question qui lui harcelait l'âme depuis son arrestation: devait-il essayer de survivre, se battre encore?

Le lendemain, il se mit à jeûner.

Des lettres des cantons lui parvenaient. Il n'en lisait aucune et restait prostré la plupart du temps. Roi déchu, il eut à subir la hargne de certains gardiens et codétenus. Son corps s'amaigrit. Sa résistance diminua considérablement. Son teint devint hâve. Le froid souvent sévère dans sa cellule par temps d'hiver ajouta sa morsure à celui du bacille. Au printemps, il fut atteint d'une toux interminable. On avait peur de lui, de sa maladie et on le traitait comme un pestiféré.

Personne ne réussit à le voir pendant de longs mois. Son frère Norman et Norman MacAuley se rendirent à la prison le jour de son anniversaire, quinze mars, avec un chandail tricoté par Marion durant l'hiver. Ils furent éconduits. Le 2329 était malade et en quarantaine.

Marion avait épuisé toutes ses ressources. Elle avait rencontré John Leonard qui n'avait rien pu faire pour elle. Son propos était un aveu de totale impuissance:

"Le temps qui passe ramène à la raison les plus durs, les plus coriaces..."

Malgré son interminable chagrin, elle avait cessé de lui écrire dans l'espoir qu'il mûrisse plus vite et change d'attitude. Mais lorsque les premiers rayons du soleil printanier avaient commencé à réchauffer les érables des cantons, quand les premières vapeurs s'étaient échappées des soupiraux des cabanes, elle n'avait plus résisté et avait instamment prié Norman MacAuley de tenter l'impossible pour voir Donald, pour obtenir de ses nouvelles, pour savoir comment était sa santé.

C'était la raison principale pour laquelle les deux Norman s'étaient rendus à Saint-Vincent-de-Paul. Ils rentrèrent à Marsden en fin d'après-midi un seize mars plein de soleil, premier dimanche du temps des sucres, c'était clair. Quand elle leur ouvrit, Marion n'eut pas à questionner; les mines désolées parlaient à elles seules.

La douleur est féconde et inventive. Elle fit naître en son coeur un nouvel espoir. Elle écrirait une autre lettre à Donald, mais ne la lui ferait pas parvenir directement, et elle la manderait plutôt à Spanjaardt en le priant de la publier dans son journal. Ainsi, le prisonnier ne manquerait pas d'en prendre connaissance, qu'il la lise lui-même ou bien qu'on la lui rapporte.

Ce vingt et un avril de triste mémoire pour le prisonnier, cet anniversaire du jour où on l'avait privé de sa liberté, Spanjaardt fit paraître la lettre en lieu et place de sa chronique journalière.

"Donald,

Les heures passent, monotones, les jours, les mois, et je t'attends toujours. Les montagnes se parlent parfois et j'entends leurs secrets au-dessus de ma tête. 'Où est-il donc notre coureur des bois, notre fier gaillard de l'Ouest? Quand donc reviendra-t-il égayer nos flancs?'

Certains soirs, c'est le train qui se lamente à ton absence en criant ton nom à chaque traverse. De toutes les cabanes, ton souvenir s'élève jusqu'au ciel. Et les maisons pleurent d'ennui quand leurs occupants s'entretiennent au pied du feu de tes exploits.

Le soleil, la lune, les étoiles, la nuit, les bois, les collines, les rivières et les lacs, toutes les choses de ce pays te regrettent et c'est en leur nom que je t'écris. Elles t'aiment; refuseras-tu de les entendre, elles?

Oh! mon fiancé, comme notre petit étang s'interroge! Et la Baie des Sables est demeurée bien muette cet hiver. Ni cabanes, ni brimbales, ni promenades en traîneau; qu'un vent triste aux sanglots interminables!

Oh, mon cher ami, reviendras-tu enfin chez toi pour consoler ton pays? Ton nom est là si brillant dans toutes les étoiles du ciel et de nos coeurs.

Marion."

Pour tourner le prisonnier en dérision, un gardien lut la lettre du journal sur un ton approprié, se moquant de l'amour, un sentiment que lui-même n'avait jamais connu de toute sa vie.

Quelques jours plus tard, Spanjaardt demanda une fois de plus à rencontrer le prisonnier qui accepta.

Ω

Le journaliste attendait dans la pièce aménagée pour les visiteurs, assis derrière une grille métallique. Tout ce qu'il avait écrit sur Donald lui repassait en mémoire. Il imagina Morrison en liberté, au temps de la chasse à l'homme, pourchassé par tant d'autres, s'enfuyant sur une drésine de Marsden à Scotstown, courant de bosquet en bosquet comme un daim alerte, se cachant sur les cordées de bois sous quelque appentis de cabane à sucre, jouant aux étoiles un doux air de sa musique pour tromper sa solitude et caresser en son coeur l'image de sa fiancée.

Un prisonnier, jeune homme adipeux au pas lourd, dépenaillé, conduit par un gros gardien goitreux lui ressemblant vaguement entra dans la pièce et se rendit à l'autre bout de la cloison grillagée où l'attendait une vieille dame au visage douloureux d'une mère.

Spanjaardt lui jeta un coup d'oeil puis retourna à sa réflexion sur Donald dont il revoyait maintenant l'image ce soir où on l'avait conduit à Mégantic, blessé, couché sur la fonçure d'une voiture... Puis il le revit pénétrer dans le prétoire à Sherbrooke, boitant mais toujours chargé de sa puissance animale et sage, encarcané sous le joug de la justice mais fort de la force des cantons et de son sang, et plus grand à mesure que se déroulait son procès.

Par la porte conduisant aux cellules entra un gardien suivi d'un autre prisonnier, un homme aux yeux éraillés, perdus dans leurs orbites profondes, engoncé dans un uniforme trop grand, le dos cassé, espaçant misérablement des pas ralentis par la faiblesse physique ou l'indifférence morale, ou plus probablement les deux.

Tandis que les gardiens se rejoignaient, le prisonnier se dirigea vers le journaliste. Après un premier et furtif coup d'oeil sur ce pauvre homme, Spanjaardt était retourné à ses souvenirs, se demandant si Donald Morrison avait bien changé au cours de ces six mois de détention alors qu'il ne l'avait plus revu une seule fois.

Le prisonnier arriva près de la grille. Spanjaardt leva la tête. Il vit un numéro sur la poitrine: 2329. Puis les regards se croisèrent. L'horreur succéda à la stupéfaction dans le coeur et le visage du journaliste. Il marmotta comme dans un refus d'envisager la réalité:

–Donald?... Donald Morrison?

L'arrivant grimaça d'un seul côté du visage. Cela aurait pu s'appeler un sourire égrotant. Il s'assit sans rien dire de suite.

Des phrases se formèrent dans l'esprit de Spanjaardt. Comment vas-tu? Je suis content de te voir. Belle journée de printemps, hein? Formules creuses, plus creuses encore que les joues blêmes du prisonnier.

Donald lut l'effroi dans le regard du visiteur. Il dit:

–J'ai été malade ces derniers temps. Curieux... J'ai comme... perdu la faim. Bizarre pour le gros mangeur que j'étais! On ne travaille pas assez ici. Je me demande pourquoi ils appellent ça les travaux forcés. En tout cas, c'est pas forçant...

–C'est pour ça que tu refusais les visites?

–Oui... Oui et non... Ici, on est plus ou moins des morts-vivants. Je ne vois pas ce qu'un condamné à dix-huit ans pourrait apporter à des vivants comme vous autres, excepté du chagrin et des problèmes. Un homme en prison est un mort-vivant, c'est bien ça. S'il a un peu de coeur, il n'impose pas à ceux qu'il a aimés des obligations morales envers lui. C'est la raison...

Il s'interrompit pour une interminable quinte de toux. Son visage montrait les déchirements affreux qui se produisaient dans sa poitrine. Après deux longues inspirations bruyantes, il put enfin poursuivre:

–C'est pour ça que j'ai voulu que le mur de la prison me sépare de l'autre monde. Et complètement! Mais la lettre de Marion dans le journal... C'est pour ça que j'ai accepté de vous voir.

–La pauvre est en train de mourir de chagrin. Il faut que tu lui écrives. Redonne-lui donc un brin d'espérance, rien qu'un brin...

–Surtout pas! Il ne le faudrait surtout pas...

L'autre l'empêcha de poursuivre en disant, le ton autoritaire:

–Avant... avant de parler de Marion, on va discuter d'appel. Tu vas demander à voir ton avocat le plus tôt possible. Avant que la prison ne te tue. Dès demain, mieux aujourd'hui même, je vais entrer en contact avec John à Sherbrooke.

Donald soupira:

–Y aura pas d'appel.

Cet entêtement auquel le journaliste s'était si souvent buté lui monta soudain au nez. D'avoir plein la vue ce lent suicide le fit entrer dans une colère froide. Il dit en mordant et en martelant les mots:

–Morrison, t'es rien qu'un maudit lâcheur! Un sans courage et un sans coeur! Tu laisses tomber ceux qui t'ont aidé et tu fais en sorte qu'ils aient perdu leur temps. Tu te balances de moi, de John, de tes vieux parents, de tes amis écossais et de celle qui t'aime, Marion McKinnon à qui tu as fait perdre dix ans de sa vie à t'attendre comme une dinde que l'on encage avant de l'égorger. Ces dix années ne seraient pas perdues et au contraire prendraient une valeur incalculable si seulement tu avais le coeur de te retrousser les manches et le courage de te battre. Je commence à penser, moi, que tu hais tout le monde sous tes grands airs de gars aimant. Et par-dessus tout, tu te hais toi-même. Tu es en train de te suicider à petit feu. Et pour quelle maudite raison? Parce qu'un imbécile de petit juge mesquin a eu peur pour son petit système judiciaire... Je ne reviendrai pas sur tout ça... C'est à toi, Donald Morrison, de bouger. Et les fesses, c'est aujourd'hui même que tu vas te les secouer, pas demain...

–Hey, là-bas, vous autres, veuillez baisser la voix, ordonna le gardien chargé de Donald, sinon la visite va prendre fin immédiatement.

Devant la détermination coléreuse de son interlocuteur, le prisonnier décida de jouer le jeu. Ou plutôt de jouer un jeu qui ne correspondait guère au tempérament d'un Morrison. Mais il voulait gagner son point. Il entreprit de négocier:

–Admettons que j'y repense, à l'appel! Je vais le faire à une condition.

–Laquelle? fit sur le ton de l'impatience un Spanjaardt qui n'avait guère envie, lui, de jouer.

–Faites comprendre à Marion McKinnon qu'elle doit m'oublier... ou plutôt si elle ne veut pas m'oublier, qu'elle me considère comme un homme mort, disparu définitivement.

–Je ne puis faire une telle chose.

–Pourtant, c'est la condition que je pose pour penser à l'appel.

Spanjaardt eut l'air de considérer la question. Au moins se trouvait-il une brèche dans la forteresse Morrison. Un point de départ...

–Je ferai ce que je peux pour la convaincre.

–Il me faut plus que cette promesse.

–Quoi encore?

–Je ne commencerai à parler d'aller en appel que le jour où j'apprendrai que Marion est mariée.

Spanjaardt était renversé. Il porta la main à son menton, l'enveloppa, hocha la tête d'une drôle de manière.

–Comment Dieu est-il possible de penser comme tu penses, Donald Morrison?

–Ce n'est pas Donald Morrison qui parle, c'est le 2329.

Dans un long souffle résigné, Spanjaardt dit:

–Dans ce cas, moi aussi, j'ai une condition.

–J'écoute.

–Tu vas t'occuper de te refaire une santé. Te remettre à te nourrir convenablement, faim ou pas faim. Quand je reviendrai, je veux revoir le gars solide que...

–Écrivez à John, coupa le prisonnier. Dites-lui ce que je veux. Qu'il vienne me voir quand Marion sera mariée, pas avant! Écrivez à Marion et faites-lui comprendre que je suis mort... que Donald Morrison est mort...

La conversation se poursuivit après avoir pris un cours banal. La visite se termina sur une promesse du prisonnier:

–Le moment venu, je vous ferai signe, à John et à vous-même.

Ω

Le journaliste écrivit à Leonard. Il l'enjoignit de garder secrètes les exigences de Donald. Dans une lettre à Marion qu'appuya John par une visite personnelle chez les McKinnon, Spanjaardt lui expliqua que la seule façon pour elle d'aider Donald à traverser sa rude et longue épreuve était de se bâtir une vie heureuse ainsi qu'ils en avaient rêvé tant d'années. Il n'irait pas en appel autrement. Sa santé était passable.

Ω

Les mois passèrent.

Le prisonnier était retourné à son isolement derrière un voile de mystère des plus épais. Sa santé resta à l'état stable. Son corps et son esprit attendaient...

En septembre 1891, John Leonard se rendit à Saint-Vincent-de-Paul. Le prisonnier accepta de le recevoir. Prévenu de son vieillissement prématuré, l'avocat croyait qu'il suffirait de sortir Donald de prison pour qu'il se refasse une santé et c'est pourquoi il contrôla ses réactions au moment de la rencontre.

–J'ai une heureuse nouvelle à t'apprendre...

Derrière le grillage, le 2329 coupa avec une interrogation affirmative:

–Marion et Norman sont mariés!?

Leonard fit une moue, à la fois désolée et optimiste.

–Norman MacAuley s'est acheté une terre à Spring Hill. Et son frère, l'infirme, va bientôt se marier lui aussi. Avec la soeur de Marion McKinnon et ces deux-là vont rester sur le bien paternel à Mégantic.

Le 2329 réussit à sourire; il plongea dans celui de l'avocat un regard lointain et vide:

–Mon ami John voudrait-il me faire une grande faveur? Essayer d'obtenir des autorités de la prison qu'on me redonne mon harmonica. Ça m'aiderait à tuer le temps... le temps qu'il me reste...

L'autre acquiesça puis parla de procédures d'appel. Il dit ce qu'il fallait faire. Il ne lui manquait que le mandat du prisonnier.

–Pas aujourd'hui encore! Le moment venu je te donnerai mon signe.

Après la visite, l'avocat rencontra le directeur de la prison. Il ne put obtenir que l'on remette son instrument de musique au 2329. C'était le règlement.

Ce soir-là, le prisonnier fredonna un air doux. Parfois sa voix était coupée de toussotements. Il arriva qu'un gardien passant devant sa cellule lui dise avec une hargne que le système judiciaire encourageait:

–Ta gueule, cow-boy braillard!

Dans la nuit noire, le 2329 pleura. Pleura jusqu'à l'aube alors que son corps sombra dans l'épuisement le plus total.

Ω

Deux autres années s'écoulèrent.

À maintes reprises, Leonard et Spanjaardt visitèrent le 2329 dans l'espoir de le faire tenir parole. Le prisonnier trouvait toujours une bonne excuse pour remettre à plus tard, à la saison suivante, invoquant le plus souvent son état de santé ou bien répondant évasivement.

Lors d'une de ces visites par ses deux amis venus ensemble, il leur opposa un autre refus en avouant qu'il souffrait de tuberculose et ne pourrait supporter la fatigue d'un autre procès.

Quelques jours avant Noël 1893, suite à une visite de Spanjaardt, le journaliste et l'avocat se concertèrent. On ne parla plus d'appel mais de libération pure et simple. Car l'état de santé du prisonnier était si détérioré que l'on crut pouvoir obtenir facilement son élargissement. On entreprit les démarches. Spanjaardt remit sa plume au service de la plus grande cause qu'il ait eu à défendre dans sa carrière.

«Parce que les voies de la justice sont impondérables et impersonnelles, il fallut bien du temps pour dépoussiérer l'affaire et la réexaminer.»

Qu'il ne reste au 2329 que bien peu de temps à vivre n'avait pas l'heur de déranger grandement les fonctionnaires aptes à statuer sur son cas.

L'acharnement de Leonard, une pétition monstre expédiée au procureur général et réclamant sa grâce eurent finalement raison des oppositions et tergiversations.

Le seize juin 1894, le ministre de la justice signa l'autorisation de libérer Donald Morrison. Après tout, il était maintenant évident que le 2329 mourrait bientôt et ne pourrait donc jamais plus constituer une menace pour le sacro-saint système judiciaire.

Peter Spanjaardt se rendit à Saint-Vincent-de-Paul pour communiquer la bonne nouvelle au prisonnier.

Depuis un mois déjà, le 2329 était confiné à l'hôpital du pénitencier. Cloué sur son lit, crachant du sang chaque fois qu'il toussait, yeux révulsés quand il cherchait à trouver un peu d'air, Donald puisa dans ses dernières forces pour remercier son visiteur quand on lui apprit qu'il serait libéré après quelques formalités. La moribond repensa alors à la prière qu'il avait faite à son arrivée à la prison en 1889 et à sa détermination de ne pas y mourir. Il résolut donc de s'accrocher à la vie jusqu'au jour de sa libération.

À onze heures de l'avant-midi, le mardi, dix-neuf juin, il n'était plus un mort-vivant comme il l'avait toujours dit d'un prisonnier, mais un homme enfin libre. On dut le transporter sur une civière. La chaleur d'un soleil superbe le pénétra pendant quelques secondes depuis la porte de la prison jusqu'au fourgon ambulancier qui le conduirait à l'hôpital Royal-Victoria.

Infirmières et médecins le prirent en charge. Il n'arriva pas malgré sa volonté à leur adresser des mots de remerciements. Les quelques parcelles d'énergie qui lui restaient ne lui servaient plus maintenant qu'à chercher son souffle.

Ω

Spanjaardt se rendit à l'hôpital vers cinq heures de l'après-midi. Le corps reposait sous un drap blanc. Le 2329 avait rendu l'âme quatre-vingt-dix minutes plus tôt. Seul.

On remit ses biens au journaliste pour qu'il les confie à la famille. Un billet de dix dollars remis par les autorités au sortir du pénitencier aux ex-détenus pour leur permettre de recommencer à vivre... Aussi une pièce d'un dollar dans une enveloppe datée du douze juin et envoyée par une dame âgée qui avait voulu par son humble aumône aider à soulager la misère du prisonnier agonisant. Et une musique à bouche rongée par la rouille!

Le corps fut déposé dans un cercueil de bois de rose. Une brève cérémonie eut lieu à l'hôpital. Des membres de la St-Andrew Society se transmirent la nouvelle. Quelques-uns se rendirent à l'hôpital. En soirée, on transporta la dépouille à la gare Windsor où on la mit à bord d'un train en partance pour les Cantons de l'Est.

Pendant que la locomotive fendait l'air, que ses roues et celles des wagons, prisonnières de la voie ferrée, faisaient entendre jusque dans les collines leurs claquements monotones, pendant que l'esprit de Donald Morrison précédait son corps dans son cher pays de Mégantic, la justice, elle, dormait en paix. Ce jour-là, dans toute sa magnanimité, elle avait gratifié un condamné de treize ans sans rien lui demander en retour.

À quatre heures du matin, le train s'arrêtait finalement à Marsden. Un arrêt spécial pour la circonstance. John Leonard et Peter Spanjaardt en descendirent. Prévenu, l'avocat s'était joint au journaliste à Sherbrooke afin d'accompagner leur ami commun jusqu'à son dernier repos.

Norman et Murdoch Morrison, les frères du défunt, reçurent le cercueil qu'ils déposèrent sur le quai le long d'une petite bâtisse noire faisant office de gare. Et tous bavardèrent jusqu'au jour.

Puis le corps fut transporté chez le beau-frère du défunt, Alex MacDonald. Il fut sorti de la boîte, mis sur les planches au fond d'une pièce étroite. Aux vieux parents, Spanjaardt dit que Donald avait donné sa vie pour une cause juste et qu'il était mort dans les meilleures grâces du Seigneur.

Ω

Le jour suivant, vers dix heures, sous un soleil plus éclatant encore que la veille, le cortège funèbre s'ébranla. Dans son long trajet lent vers le cimetière de Gisla, il ne devait s'arrêter qu'une fois: à la cabane des Morrison. Les deux vieillards, appuyés l'un contre l'autre, montèrent dans l'une des voitures. Et l'on repartit par l'étroit chemin côteux conduisant au lieu de la sépulture.

La fosse avait été creusée au bord de la route comme si on avait voulu inviter le défunt à reprendre sa course à la liberté par les grands chemins des cantons. Une cinquantaine de personnes virent le cercueil tanguer en s'enfonçant entre les parois. Des MacRitchie, des MacArthur, des McIver, des Matheson, des Higgins, des Hall, le constable Edwards, d'autres. Tous l'âme endeuillée, grise.

Puis les gens commencèrent à se disperser en silence et

461

à regagner les voitures. Chacun devait retourner vaquer à son quotidien. Les Morrison se regroupèrent sur la route autour de Sophia et Murdo.

Un couple restait encore près de la fosse. Un enfant les séparait et les unissait à la fois. Les cheveux blonds, bouclés de la femme, flottaient sur sa robe noire dans son dos. L'homme gardait la tête basse. La femme lâcha la main du garçonnet, chercha quelque chose sur elle.

–Maman! protesta le petit, inquiet d'avoir perdu sa main.

Plus loin, John Leonard fouilla dans sa poche de veste et sortit un objet. Il s'approcha du couple, le montra puis le jeta dans le trou. L'harmonica frappa le bois du cercueil dans un bruit sourd amplifié par la fosse et pouvant rappeler vaguement celui d'une porte de prison qui s'ouvre. Ou bien se referme...

Marion McKinnon-MacAuley s'essuya les yeux avec un mouchoir. Elle dit à son compagnon:

–Partons!

L'homme remit son chapeau à larges rebords dont il avait tenu à se coiffer malgré la chaleur pour reconduire son meilleur ami à sa dernière demeure. Il dit à leur fils:

–Viens, Donald!

ΩΩΩ

Chapitre 27

Gloire et modestie

Quelques mois auparavant, soit le dernier jour de mars 1894, Honoré Mercier n'étant plus premier ministre, écrivait à Georges-Isidore Barthe, ancien député de Richelieu.

«Les hommes sont méchants. C'est vrai, mais pas plus que quand Caïn tua Abel. Sursum corda, mon ami. Ne jugez pas ce que l'on vous fait, mais comparez à ce que l'on fait à d'autres, et vous serez moins malheureux.»

Lors du décès de Morrison, Mercier, lui-même malade, se souvint, à la lecture des journaux, de cet épisode agaçant de sa vie publique alors qu'en pleine gloire au sommet de sa puissance, il avait demandé instamment à son procureur général d'alors de prendre toutes les mesures nécessaires pour la régler promptement, cette damnée affaire du hors-la-loi de Mégantic.

Cette brève pensée le conduisit pour la centième fois à une longue réflexion sur l'inimaginable tournure des événements pour lui, sur le souvenir de toutes ces choses à s'être retournées contre lui en si peu de temps.

C'est moins de deux ans après la triomphale réélection de son parti en 1890 qu'avait commencé l'imprévisible débâcle par une pluie d'attaques s'abattant sur la tête du gouvernement donc sur la sienne. Les journaux se sont alors montrés d'une agressivité qu'il ne comprendrait jamais. Jamais non plus il n'arriverait à saisir comment son programme de grand gouvernement, nonobstant quelques irrégularités commises de ci de là par des gens de son entourage, avait pu le desservir à ce point.

En 1891, la suspicion avait éclaté de toutes parts. Les journaux avaient fait bloc pour étaler maints scandales. Mercier avait assis sa gloire sur ses tournées européennes. C'est un journal français qui donna la plus grande crédibilité aux prétentions de ceux-là du Québec acharnés sur son image. C'est ainsi que le vingt-sept septembre 1891, le Figaro écrivait:

«Il est dit que le vieux monde ne saura jamais faire aussi grand que le nouveau. Nous avons vu depuis une dizaine d'années, en Europe, quelques jolis scandales parlementaires, et quelques enquêtes tout aussi parlementaires et aussi scandaleuses, mais jamais, au grand jamais, on n'a vu ni rêvé lessive aussi phénoménale que celle qui se fait depuis bientôt deux mois au Canada. Et cela ne prend pas de fin, et tous les jours, il y a du nouveau linge sale, et il ne restera bientôt plus personne pour juger les coupables, car si l'on n'admettait que les jugements de ceux qui n'ont pas été éclaboussés dans cette petite fête parlementaire, il me semble qu'il n'y aurait pas beaucoup de juges.

Monsieur Mercier a l'air d'avoir fait les choses en grand. On a pu trouver jusqu'ici qu'il a reçu 155,000 dollars de la Compagnie de chemin de fer de la Baie des Chaleurs, une maison de 12,000 dollars, 10,000 dollars en espèces, une voiture, deux chevaux, un mail-coach, un collier de diamants. Aux dernières nouvelles, on croyait ne pas avoir encore épuisé la liste des cadeaux. Il est juste de dire que monsieur Mercier étonne les Américains eux-mêmes, qui sont pourtant habitués à bien des choses...»

Une commission royale avait fait sortir au grand jour un si grand nombre d'illégalités que le lieutenant-gouverneur, le seize décembre, avait révoqué le premier ministre et son gouvernement, et appelé Charles de Boucherville à former un nouveau ministère.

Puis il y avait eu cette très dure campagne de 1892 où on l'avait partout accueilli aux cris de: «À bas la clique! À bas les voleurs! En prison!»

Et le huit mars de cette année-là s'était produite la pénible défaite. Écrasante. Humiliante. Définitive.

"Coup de balai!" avait titré l'Étendard.

"Le peuple, dans un haut-le-coeur formidable, a rejeté avec dégoût des hommes qui, après avoir capté sa confiance, l'avaient trompé et avaient compromis son honneur." avait écrit La Presse.

Et dans le Star: "Le nom historique de Québec ne sera plus synonyme de corruption."

"Quel châtiment pour la bande de brigands qui saignait la province depuis quatre ans," avait écrit le Courrier du Canada.

"Notre honneur national est relevé de la honte où Mercier l'avait plongé," avait soutenu pour sa part le Courrier de Saint-Hyacinthe.

Le vingt avril, Mercier avait reçu une sommation à comparaître faisant état d'une accusation de fraude pour un montant de soixante mille dollars.

Enquête préliminaire. Avocats de Mercier: François-Xavier Lemieux qui a défendu Louis Riel et Donald Morrison; J.N. Greenshields également défenseur de Riel et Morrison; Charles Fitzpatrick, avocat de la défense dans l'affaire Riel, et de la Couronne dans l'affaire Morrison.

Procès prévu aux assises criminelles.

La Patrie avait alors écrit:

"Il est resté seul dans son infortune. Il avait en mains la partie la plus brillante qui ait jamais échu à un homme d'État canadien; il avait tout un peuple derrière lui, et un rôle glorieux à remplir; sa vanité et son égoïsme et son dénuement absolu de sens moral ont tout perdu."

Ruiné par ses dépenses excessives et par ses frais d'avo-cat, Mercier s'était acheminé tout droit vers la faillite qui avait eu lieu avant même la tenue du procès, et s'élevant à 83,000 dollars.

Le procès avait commencé le vingt-six octobre sous la présidence du juge Wurtele, celui-là même qui avait assisté Brooks au procès de Donald Morrison.

Les jurés n'avaient mis que cinq minutes à délibérer. Leur verdict: non coupable. Mercier ayant été dépouillé de ses biens et n'étant pas une menace sérieuse pour la justice, pourquoi le jeter en prison de surcroît?

Cette grêle de coups avait considérablement détérioré la santé de l'ex-premier ministre. Le diabète avait étendu ses ravages et le malheur, par d'autres voies aussi, s'était acharné sur l'homme.

Le dix-neuf novembre, on avait procédé à la vente de ses meubles, fauteuils à médaillons, canapés de style, pen-dules, bronzes. Puis de ses souvenirs de voyage. Puis de ses chers livres. Lavé. Dépossédé. Tout comme Riel. Tout comme Donald Morrison.

En 1893, il s'était battu par grands coups de boutoir transformés en coups d'épée dans l'eau car l'homme n'était déjà plus alors que l'ombre du flamboyant premier ministre d'antan.

Le vingt-huit décembre, il avait dit ses souffrances en pleine séance de l'assemblée législative:

«Croyez-vous que je n'ai pas souffert? J'en appelle à tout homme juste pour déclarer si je n'ai pas été victime d'une odieuse persécution. Mais mon honneur a été sauvé; mes pairs, mes juges m'ont acquitté; on n'a jamais pu prou-ver que j'avais touché un sou des deniers publics. Aussi le peuple m'a porté en triomphe quand je suis sorti du pré-toire. Où étiez-vous alors mes persécuteurs?»

Ω

Cinquante jours ont passé maintenant depuis la mort de

Donald Morrison, de ce hors-la-loi bien-aimé qui avait embrassé la tuberculose mortelle comme une grande bienfaitrice.

Mercier quitta son bureau pour la dernière fois en cette journée torride du six août. Quelques jours plus tard, retenu au lit, très souffrant, dans un moment de semi-résignation, il déclara:

−Je pars trop tôt ou trop tard. Trop tôt parce que je n'ai pas eu le temps d'exécuter tous les projets que j'avais formés pour la province. Trop tard parce que si j'étais parti il y a trois ans, je n'aurais pas connu les tortures morales et physiques que j'ai endurées depuis 1891.

Après le vingt septembre, la nouvelle de sa mort imminente se répandit. Dans plusieurs foyers du Québec où l'on a jadis prié pour Riel, pour Morrison, voilà que l'on prie maintenant pour Honoré Mercier.

Chapleau vint rendre visite à son vieil ennemi politique. Il lui demanda pardon pour des fautes dont il ne se souvenait pas du reste. Mercier éclata en sanglots.

L'agonie dura un mois entier. Ce fut sa bataille le plus acharnée et aussi la plus pathétique. Mercier refusait la mort qui lui serait donc bien plus pénible qu'au hors-la-loi de Mégantic. Il s'accrochait au pouvoir de la vie...

Neuf ans après Riel, quatre mois après Morrison, Honoré Mercier expira le trente octobre 1894. Et plus pauvre et plus misérable encore que les deux précédents.

Toute la province alors se réclama de la gloire de l'homme qui l'avait dirigée avec éclat. Il fut vanté par tous les journaux et, trépas oblige, par ceux-là même qui l'avaient le plus vilipendé. Agenouillé, le Québec pleura, pria mais après trois jours de deuil, il s'essuierait les yeux et se chercherait une nouvelle vedette politique, d'autres défenseurs de son sang, personnages que l'ostentation nationaliste qualifiera d'hommes de la décennie, du siècle, de l'Histoire... Les lâches sont ceux qui pleurent le plus fort à l'enterrement des héros.

La Vérité écrivit: *"De tous nos hommes publics, c'était lui qui faisait le moins de courbettes aux Anglais.»*

Ses funérailles furent une véritable apothéose. Précédait le cortège une banderole avec ces mots: «Cessons nos luttes fratricides. Unissons-nous, Canadiens français!» Un cortège formé de 75,000 personnes suivait. Tout le gratin de la province et du pays se trouvait là réuni, l'oeil faussement bas. Et parmi ce beau monde, un homme qui regrettait beaucoup de n'avoir jamais eu la chance inestimable de rencontrer personnellement le très honorable disparu, un homme de la justice: le juge Brooks.

Ω

Ce jour même, Marion McKinnon-MacAuley, seule, en voiture fine, se rendit au cimetière de Gisla. À son arrivée dans la petite clairière, elle aperçut un chevreuil qui marchait dans les feuilles mortes, alerte, le panache nerveux, à quelques pas de la tombe de Donald Morrison...

C'était le deux novembre 1894.

FIN

Les Morrison à Gisla

Gisla est un petit cimetière situé près de Lac-Mégantic, plus précisément à 4 km de Milan. Voici le lot des Morrison. Une pierre
tombale à l'effigie de Donald marque l'endroit. Plus loin, sous les
4 petites pierres sont enterrés Donald à gauche, son père Murdo
ensuite, puis sa mère Sophia et son frère Norman à droite.

L'auteur André Mathieu à Gisla

"Comme je l'ai fait à quelques reprises sur la tombe d'Aurore à Fortierville et sur celle des Grégoire à Saint-Honoré, il m'arrive de déposer des fleurs sur la pierre tombale de Donald Morrison au cimetière Gisla. Et chaque fois, il me semble qu'il est présent... tout comme Aurore et les Grégoire là-bas en leurs lieux de sépulture. Il suffit de sortir ses antennes pour les sentir, les savoir pas loin de vous... tout juste de l'autre côté de la barrière du temps. C'est une sensation étrange mais fort agréable."   A.M.

Du même auteur :